D1194749

LA PROPHÉTIE DE
GLENDOWER

MAGGIE STIEFVATER

LA PROPHÉTIE DE
GLENDOWER

Traduit de l'anglais (États-Unis)
par Camille Croqueloup

hachette

Photo de couverture : © Getty Images/WIN-Initiative

Traduit de l'anglais (États-Unis) par Camille Croqueloup

L'édition originale de cet ouvrage a paru en langue anglaise chez
Scholastic Press, an imprint of Scolastic Inc., sous le titre :

THE RAVEN BOYS

Pour Brenna,
Qui a le don de chercher.

Scrutant profondément ces ténèbres, je me tins longtemps là,
empli d'étonnement et de crainte,
Doutant, rêvant des rêves
qu'aucun mortel n'avait encore jamais osé rêver...

Edgar Allan Poe

Le rêveur est celui qui ne trouve son chemin qu'à la clarté
de la lune, et son châtiment est de voir l'aube
avant tout le reste du monde.

Oscar Wilde

PROLOGUE

Blue Sargent ne comptait plus le nombre de fois où on lui avait annoncé qu'elle serait à l'origine de la mort de l'amour de sa vie.

Sa famille faisait commerce de prédictions, mais qui tendaient toutefois à rester assez vagues. Des formules comme *Quelque chose d'affreux va vous arriver aujourd'hui, qui pourrait bien avoir un rapport avec le chiffre 6 ;* ou *Je vois venir de l'argent. Ouvrez la main, ne le laissez pas filer ;* ou encore *Vous êtes face à une décision importante, et qui ne se prendra pas toute seule.*

Cette imprécision ne dérangeait pas les visiteurs de la pimpante petite maison bleue, 300 Fox Way. Déterminer le moment exact où la prophétie se réaliserait devenait pour eux un jeu et presque un défi. Quand, deux heures après sa consultation, une camionnette avec six personnes à bord venait emboutir sa voiture, le premier client, soulagé, pouvait hocher la tête avec satisfaction. Lorsque son voisin proposait à la visiteuse suivante, si elle avait besoin d'un peu d'argent, de lui racheter sa vieille tondeuse à gazon, la promesse du médium lui revenait en mémoire et elle cédait l'engin, convaincue que la transaction obéissait à l'ordre des choses. Et, si sa femme lui disait *C'est une décision importante,* le troisième, revoyant Maura Sargent prononcer ces mêmes mots devant les cartes du tarot, se dressait aussitôt, prêt à l'action.

Mais le flou de ces oracles nuisait cependant un peu à leur force de persuasion. On avait beau jeu de les balayer d'un revers de main, comme de simples coïncidences ou d'heureuses intuitions. Ils vous arrachaient un petit rire, quand, sur le parking du supermarché, vous tombiez – par hasard, comme on vous l'avait annoncé – sur un vieil ami, ou un léger frisson, quand le nombre 17 surgissait sur votre facture d'électricité, et vous preniez alors conscience que connaître l'avenir ne changeait en fait pas grand-chose à votre façon d'envisager le présent. Les prédictions disaient la vérité, mais pas toute la vérité.

— Je dois vous prévenir, répétait toujours Maura à ses nouveaux clients, que ce que je vous dirai sera exact, mais que je n'entre pas dans les détails.

C'était plus simple comme ça.

Sauf dans le cas de Blue. On lui avait à maintes reprises ouvert la main pour examiner sa paume, tiré les cartes d'un jeu à la tranche veloutée par l'usure sur le tapis du salon d'une amie de la famille, pressé du pouce l'emplacement du troisième œil mythique et invisible, situé, dit-on, juste entre les sourcils. On avait pour elle lu des runes, interprété des rêves, scruté des feuilles de thé et organisé des séances de spiritisme.

Et tous les médiums et toutes les voyantes étaient parvenus à une même conclusion, à la fois brutale et inexplicablement précise. Quel que soit leur mode de divination, tous s'accordaient pour prédire la même chose :

Si Blue embrassait l'amour de sa vie, celui-ci en mourrait.

Cela l'avait longtemps tourmentée. L'oracle était indéniablement précis, mais à la manière des contes de fées. Il ne révélait rien sur la façon dont la victime devait succomber, ni sur combien de temps elle pouvait espérer survivre au baiser. S'agissait-il exclusivement de s'embrasser sur la bouche ? Les conséquences s'avéreraient-elles tout aussi funestes si Blue se contentait d'effleurer des lèvres le dos de la main de son ami ?

Jusqu'à l'âge de onze ans, Blue avait vécu persuadée qu'elle serait un jour contaminée par une maladie infectieuse à la suite de laquelle, au moindre contact de sa bouche avec la peau d'un petit ami, celui-ci se mettrait à dépérir dans une vaine lutte contre un mal que la médecine moderne resterait impuissante à guérir. À treize ans, elle décida que le garçon serait plutôt tué par jalousie – un ancien amoureux surgirait au moment crucial, arme au poing et blessure au cœur.

Avec son quinzième anniversaire, elle en était venue à penser que le tarot de Maura n'était qu'un simple jeu de cartes, que les prémonitions de sa mère et des autres médiums se nourrissaient plus de cocktails que de contacts privilégiés dans le monde des esprits, et que, par conséquent, la prédiction n'avait aucune importance.

Elle n'était pourtant pas dupe. Bien qu'imprécis, les oracles du 300 Fox Way se réalisaient toujours : sa mère avait bien rêvé de son poignet cassé le jour de la première rentrée des classes de Blue, sa tante Jimi avait su annoncer, à dix dollars près, le montant des impôts de Maura, et sa cousine Orla ne manquait jamais de fredonner sa chanson préférée juste avant que celle-ci passe à la radio.

À la maison, nul ne doutait que Blue soit destinée à tuer l'amour de sa vie en l'embrassant, mais la menace planait dans l'air depuis tellement longtemps qu'elle en avait perdu de sa force, et s'imaginer la fillette de six ans en amoureuse passionnée relevait d'un avenir si lointain qu'il paraissait irréel.

À seize ans, elle résolut de ne jamais tomber amoureuse et considéra le problème réglé.

L'arrivée de Neeve, la demi-sœur de sa mère, dans la petite ville de Henrietta bouscula ce quotidien. Celle-ci avait acquis sa célébrité en faisant à grand bruit ce que Maura accomplissait discrètement. Les séances de voyance de la mère de Blue avaient lieu dans le salon de lecture, devant une clientèle venue surtout de la ville ou des environs dans la vallée. Neeve, elle, lisait l'avenir à la télévision tous les matins à cinq heures. Sur les vieilles photos floues de son site Internet, elle avait un regard perçant, magistral, et elle avait signé quatre ouvrages consacrés au surnaturel.

Blue ne l'avait jamais rencontrée, et une recherche rapide sur le Web lui en avait appris plus sur sa demi-tante que toute son expérience personnelle. Si elle ne comprenait pas très bien la raison de la venue de Neeve, à l'approche de l'événement, elle vit Maura et ses deux meilleures amies, Persephone et Calla, multiplier les messes basses — qu'elles interrompaient pour siroter leur café ou tapoter la table de leur stylo à l'entrée de Blue dans la pièce. Cette dernière ne se sentait pourtant pas particulièrement concernée : quelle différence pouvait bien faire une femme de plus, dans une maison qui en comptait déjà tant ?

Neeve arriva finalement par une soirée de printemps, quand les ombres déjà longues des montagnes à l'ouest s'étiraient encore plus interminablement qu'à l'ordinaire. En ouvrant la porte, Blue crut un instant voir une vieille femme inconnue, puis ses yeux s'accoutumèrent à la clarté pourpre du couchant qui perçait derrière les arbres, et elle constata que Neeve était à peine plus vieille que sa mère, autrement dit très jeune.

Dehors, au loin, des chiens aboyaient. En automne, les membres du Club de chasse à courre d'Aglionby sortaient presque tous les week-ends. Blue reconnaissait leurs voix et savait ce que signifiaient ces hurlements frénétiques : les chasseurs et la meute battaient la campagne.

— Tu es la fille de Maura, déclara Neeve, et tu tomberas amoureuse cette année, poursuivit-elle aussitôt, sans laisser à Blue le temps de répondre.

CHAPITRE 1

On gelait dans le cimetière attenant à l'église, et ce avant même l'arrivée des défunts.

Blue et sa mère y venaient tous les ans, et tous les ans il y faisait froid. Mais, cette fois-ci, Maura n'était pas là, et Blue avait plus froid encore.

C'était le 24 avril, la veille de la Saint-Marc. Pour la plupart des gens, ce jour passait inaperçu. Les écoles n'avaient pas congé. On n'échangeait pas de cadeaux. Il n'y avait ni costumes, ni festival, ni braderie de la Saint-Marc, ni cartes de vœux célébrant l'occasion sur les présentoirs, ni émission spéciale à la télévision. Personne ne faisait une croix à la date du 25 avril sur son calendrier. En fait, la majorité des humains ne se rendaient même pas compte que saint Marc avait un jour nommé en son honneur.

Mais les morts, eux, s'en souvenaient.

Blue, qui frissonnait, assise sur le muret de pierre, se consola à l'idée que, *au moins*, il ne pleuvait pas cette année.

Chaque veille de la Saint-Marc, Maura et Blue prenaient la voiture et se rendaient à cette église isolée, perdue dans la campagne, et si vieille qu'on en avait oublié le nom. La ruine se nichait dans les collines couvertes de denses forêts qui entouraient Henrietta, à quelques kilomètres des montagnes proprement dites. Seuls subsistaient encore ses murs extérieurs. La toiture et les planchers s'étaient effondrés en dedans depuis déjà longtemps, et ce qui n'avait pas pourri jusqu'à disparaître se dissimulait sous d'avides plantes grimpantes et de jeunes pousses fétides. Le cimetière était cerné d'un mur de pierre percé d'un portillon juste assez large pour laisser passer un cercueil et ses porteurs, qu'un sentier entêté et comme indifférent aux mauvaises herbes reliait au vieux portail.

— Ah, souffla Neeve en hissant sur le muret son corps dodu, quoique d'une élégance surprenante.

Blue fut de nouveau frappée par la beauté étrange de ses mains : aux poignets replets succédaient des paumes d'une douceur d'enfant et de longs doigts aux ongles ovales.

— Ah, murmura Neeve de nouveau. C'est donc cette nuit !

Elle avait accentué les deux derniers mots d'une façon telle que Blue en eut un peu la chair de poule. Blue et sa mère avaient veillé dans ce cimetière lors de chacune des dix dernières nuits de la Saint-Marc, mais celle-ci ne ressemblait pas aux autres.

C'était donc cette nuit.

Cette année, pour la première fois, et pour des raisons que Blue ne s'expliquait pas, Maura avait envoyé Neeve la remplacer au cimetière. Elle avait demandé à Blue si elle irait comme d'habitude, mais ce n'était pas vraiment une question. Blue y allait toujours, elle irait aussi cette fois-ci. Elle n'avait sans doute pas d'autres projets pour la soirée, mais il fallait tout de même la consulter. À un moment ou un autre avant la naissance de sa fille, Maura avait décidé que donner des ordres aux enfants était barbare, et Blue avait grandi cernée d'interrogations impératives.

Elle déplia puis replia ses doigts glacés. Le bord supérieur de ses mitaines s'effilochait. Blue les avait tricotées elle-même – assez maladroitement – un an plus tôt, mais elles ne manquaient pas d'un certain chic destroy. Son amour-propre lui interdisant de porter les gants ternes, mais efficaces, qu'on lui avait offerts à Noël, elle avait enfilé ses mitaines, à la fois infiniment plus cool et bien moins chaudes, que personne n'était là pour admirer, hormis Neeve et les morts.

D'ordinaire, les beaux jours n'étaient pas rares en avril à Henrietta, quand les arbres sommeillants bourgeonnaient et que les coccinelles grisées d'amour se cognaient aux vitres des fenêtres. Mais cette nuit était différente. On se serait cru en hiver.

Blue jeta un coup d'œil à sa montre. Il restait encore quelques minutes avant onze heures. Les légendes anciennes conseillaient d'attendre près de l'église à minuit, mais les morts ne se montraient pas très ponctuels, surtout par les nuits sans lune.

La patience n'était pas le point fort de Blue, mais Neeve restait figée, hiératique, sur son muret, les mains croisées, les chevilles posées l'une sur l'autre sous sa longue jupe de laine. Blue, plus mince et plus petite, se tenait recroquevillée, telle une gargouille aveugle et agitée. Cette nuit n'était pas une nuit pour les gens ordinaires, mais une nuit pour voyants et devins, pour sorciers et médiums.

Autrement dit, pour tout le reste de sa famille.

— Tu n'entends rien ? dit Neeve, brisant le silence.

Ses iris étincelaient dans l'obscurité.

— Non, répondit Blue, qui n'entendait effectivement rien – et elle se demanda si Neeve lui avait posé la question parce qu'*elle* avait perçu quelque chose.

Neeve la scrutait comme les photos de son site Web – d'un regard délibérément déroutant et qui s'attardait inconfortablement sur vous. Quelques jours après son arrivée, Blue en avait été troublée au point d'en parler à Maura. Elles se trouvaient toutes les deux dans la petite salle de bains, où Blue se préparait à se rendre au lycée et sa mère au travail.

— Elle est vraiment obligée de mater les gens comme ça ? avait demandé Blue en tentant de rassembler ses mèches sombres en une queue-de-cheval rudimentaire.

Dans la douche, Maura traçait des formes sur la paroi de verre embuée. Elle s'était interrompue pour rire, et un éclat de sa peau avait surgi entre les longues lignes entrecroisées qu'elle avait dessinées.

— Ça fait partie de son personnage, elle est célèbre pour ça.

Blue avait pensé qu'il existait sans doute de meilleures raisons d'être connue.

— Il y a vraiment beaucoup de bruit, déclara Neeve énigmatiquement dans le cimetière.

Énigmatiquement, parce que, en réalité, tel n'était pas le cas. Si, en été, les flancs des collines retentissaient du bruissement des insectes, du sifflement des merles moqueurs qui se croisaient dans les airs et des cris des corbeaux à l'adresse des voitures, il faisait trop froid ce soir pour que la moindre créature se manifeste.

— Moi, je n'entends pas ces choses-là, répondit Blue, un peu surprise que Neeve paraisse l'ignorer. (Blue était l'exception dans une famille de puissants médiums et clairvoyants, la seule à demeurer exclue des échanges animés que sa mère, ses tantes et ses cousines menaient avec un monde inaccessible au commun des mortels ; elle n'avait de talent que pour une chose, mais ne pouvait la percevoir.) Je saisis à peu près autant de la conversation que le téléphone. Tout ce que je fais, c'est monter le son pour les autres.

Neeve la fixait toujours.

— Voilà donc pourquoi Maura insistait tant pour que tu viennes ! Tu dois également assister à toutes ses séances ?

Blue frémit rien que d'y penser. La plupart des visiteurs du 300 Fox Way étaient des femmes malheureuses, venues dans l'espoir d'entendre Maura leur prédire amour et richesse. L'idée de rester enfermée à la maison en leur compagnie toute une journée était insupportable. Blue savait bien que sa mère souhaitait sans doute sa présence, qui renforçait les pouvoirs psychiques dont elle était dotée. Si, plus jeune, elle n'avait pas su apprécier à sa juste valeur le fait que Maura ne lui demande que rarement d'assister à une séance, elle comprenait à présent toute l'étendue de son pouvoir, et la réserve de sa mère l'impressionnait.

— Non, pas toutes. Seulement les plus importantes.

Le regard de Neeve avait basculé de délibérément déroutant à carrément inquiétant.

— Tu peux en être fière, tu sais ! Le pouvoir d'accroître les forces psychiques d'autrui est un don rare et précieux.

— Tu m'en diras tant ! lança Blue sans acrimonie.

Elle plaisantait. Elle avait eu seize années pour s'habituer à l'idée qu'elle n'avait pas accès au monde surnaturel et elle ne voulait pas que Neeve s'imagine que ça lui posait des problèmes d'identité. Elle tira sur le fil d'une de ses mitaines.

— Sans compter que tu as encore tout ton temps pour développer tes propres talents, ajouta Neeve avec un regard perçant.

Blue ne répondit pas. Révéler aux gens leur avenir ne l'intéressait pas. Elle préférait partir en quête du sien.

Neeve baissa enfin les yeux.

— Je suis passée près d'un lycée, en venant, dit-elle en dessinant du bout du doigt sur la terre du muret. Aglionby Academy. C'est le tien ?

Blue écarquilla les yeux d'un air cocasse. Neeve venait d'ailleurs, elle ne pouvait pas savoir, bien sûr, mais elle aurait quand même bien dû se douter, devant le grand hall en pierre de taille et le parking plein de voitures de marques germaniques, que ce n'était pas là un type d'établissement à la portée de la bourse de la famille.

— C'est un lycée de garçons, pour les fils d'hommes d'État, de magnats du pétrole et de... (Blue tenta d'imaginer qui d'autre pouvait être assez riche pour envoyer ses gosses à Aglionby)... et de maîtresses dont ils achètent le silence.

Neeve haussa un sourcil, mais sans relever la tête.

— Non, je ne plaisante pas. Ils sont affreux ! poursuivit Blue.

Avril était la mauvaise saison d'Aglionby Academy : avec les premiers beaux jours apparaissaient les décapotables, pleines de garçons vêtus de ces shorts si ajustés que seuls les riches osent porter. En semaine, ils revêtaient tous l'uniforme du lycée : pantalon kaki et polo à col en V orné de l'emblème du corbeau, et l'ennemi devenait alors facile à identifier – les garçons aux corbeaux.

— Ils se croient au-dessus de nous et sont persuadés qu'on meurt d'envie de leur tomber dans les bras, ils se soûlent tous les week-ends jusqu'à perdre connaissance et bombent à la peinture le panneau de sortie de la ville.

Aglionby Academy était la raison principale pour laquelle Blue avait développé ses deux règles d'or : premièrement, garder ses distances avec les Corbeaux, parce qu'ils attirent les ennuis. Et, deuxièmement, garder ses distances avec les Corbeaux, parce que ce sont des salauds.

— Tu m'as l'air d'une adolescente très raisonnable, déclara Neeve – ce qui eut le don d'irriter Blue, qui savait bien qu'elle l'était (quand vous disposiez d'aussi peu d'argent que les Sargent, on vous apprenait tôt à vous montrer raisonnable dans toutes les circonstances).

À la clarté de la lune presque pleine, Blue aperçut ce que Neeve avait tracé sur le mur.

— Qu'est-ce que c'est ? Maman dessinait ça, elle aussi.

— Ah oui ? Elle t'en a parlé ?

Elles contemplèrent les trois lignes incurvées qui se croisaient en formant un triangle allongé.

— Je l'ai vue faire ça sur la porte de la douche, mais je ne lui ai pas posé de questions.

— J'en ai rêvé, dit Neeve d'un ton monocorde qui fit courir un frisson désagréable sur la nuque de Blue. Je l'ai dessiné pour voir à quoi ça ressemble en réalité.

Elle frotta la terre de sa paume, avant de lever soudain la main.

— Je crois qu'ils arrivent !

C'était pour eux qu'elles étaient venues. Tous les ans, perchée sur le muret, les genoux relevés sous le menton et le regard perdu dans le vide, Maura dictait des noms à Blue. Le cimetière de l'église qui paraissait désert à cette dernière bruissait pour sa mère de défunts. Non ceux qui étaient déjà morts, mais les esprits de ceux qui allaient rendre l'âme au cours des douze mois à venir. Blue avait toujours l'impression de n'entendre que la moitié d'une conversation. Parfois, sa mère reconnaissait certains des esprits, mais, la plupart du temps, elle devait se pencher et leur demander de se présenter. Maura lui avait expliqué un jour que, en son absence, elle ne parvenait pas à les convaincre de lui répondre – les défunts ne la voyaient que si sa fille était là.

Blue appréciait toujours de se sentir indispensable, même si à l'occasion il lui arrivait de regretter qu'*indispensable* ressemble tant à *bien pratique*.

Cette nuit au cimetière revêtait une importance capitale pour le succès de l'une des prestations les plus insolites de Maura : elle garantissait à ses clients, à la condition qu'ils habitent la région, de leur annoncer le cas échéant si eux-mêmes ou l'un de leurs proches allaient mourir dans les douze mois à venir. On aurait cru que nul ne refuserait de payer pour le savoir, mais en réalité, la plupart des gens ne se fiaient pas aux médiums.

— Tu vois quelque chose ? demanda Blue.

Elle se frotta les mains pour les réchauffer, puis saisit un carnet et un stylo posés sur le mur.

Neeve restait parfaitement immobile.

— On vient de m'effleurer les cheveux.

Un nouveau frisson parcourut les bras de Blue.

— C'est l'un d'eux ?

— Les morts à venir doivent emprunter le chemin du portillon, répondit Neeve d'une voix gutturale. Il s'agit sans doute d'un autre... esprit attiré par ton énergie. Je n'imaginais pas que tu avais un tel pouvoir.

Maura n'avait jamais mentionné d'*autres* défunts que Blue aurait attirés. Elle avait sans doute craint de l'effrayer, ou elle était peut-être, elle aussi, incapable de les voir.

Blue ressentait à présent avec une acuité déplaisante le plus petit souffle de vent sur son visage, la moindre brise soulevant les boucles de Neeve. Les esprits invisibles et bien disciplinés de personnes encore vivantes étaient une chose, mais des spectres qui n'étaient pas tenus de suivre le chemin du portillon une tout autre.

— Est-ce qu'ils... ?

— Qui êtes-vous ? Robert Neuhmann, interrompit Neeve. Votre nom ? Ruth Vert. Et le vôtre ? Frances Powel.

Griffonnant à toute allure pour la rattraper, Blue nota les noms phonétiquement, comme Neeve les énonçait. De temps à autre, elle levait les yeux sur le sentier et s'efforçait de distinguer quelque chose, en vain. Comme d'habitude, elle ne distinguait que les digitaires, les silhouettes indistinctes des chênes, et la bouche noire de l'église où s'engouffraient d'invisibles esprits.

Rien à entendre, rien à voir. Aucun signe de la présence des défunts, sinon leurs noms inscrits sur le carnet entre ses mains.

Blue se demanda si elle n'avait pas effectivement un problème d'identité. Certains jours, il lui semblait assez injuste que tous ces pouvoirs et phénomènes merveilleux parmi lesquels vivaient les membres de sa famille ne se manifestent pour elle que sous la forme d'un travail de secrétariat.

Au moins, je participe, se dit-elle sombrement, mais elle se sentait à peu près autant dans le coup qu'un chien guide d'aveugle. Elle leva le carnet juste devant ses yeux pour pouvoir lire dans la pénombre. On aurait dit une liste de prénoms en vogue soixante-dix ou quatre-vingts ans plus tôt : Dorothy, Ralph, Clarence, Esther, Herbert, Melvin. Les mêmes patronymes revenaient également. La vallée était majoritairement peuplée d'un nombre restreint de vieilles familles, plus prolifiques qu'influentes.

Blue, plongée dans ses réflexions, entendit la voix de Neeve se faire plus insistante :

— Comment vous appelez-vous ? Excusez-moi, mais quel est votre nom ?

Elle semblait consternée, ce qui détonnait sur son visage. Blue suivit machinalement des yeux son regard.

Et vit quelqu'un.

Son cœur percuta son sternum. Le premier choc passé, la vision persista. Là où n'aurait dû se trouver personne, se tenait quelqu'un.

— J'en vois un ! s'exclama Blue. Je le vois, Neeve !

Blue avait toujours imaginé la procession des morts comme un défilé bien ordonné, mais cet esprit-ci – un adolescent aux cheveux ébouriffés, en pantalon et sweater – semblait vaguer, indécis. Ni tout à fait transparent, ni vraiment présent, il avait une silhouette aussi brouillée que l'eau trouble, un visage indistinct, et rien de bien remarquable, hormis son âge.

Il avait l'air si jeune – c'était ça, surtout, le plus choquant.

Tandis qu'elle le regardait, il arrêta de marcher, leva la main et effleura des doigts l'aile de son nez et sa tempe, d'un geste si étrangement *vivant* que Blue se sentit un peu mal. Puis il trébucha comme si on l'avait poussé par-derrière.

— Demande-lui son nom ! souffla Neeve. Il ne me répond pas, et je dois m'occuper des autres.

— Moi ?

Blue se laissa glisser du mur. Son cœur battait encore à tout rompre dans sa poitrine.

— Comment vous appelez-vous ? dit-elle, en se sentant légèrement ridicule.

Sans paraître l'entendre ni la voir, il repartit d'un pas lent, l'air perplexe, vers la porte de l'église.

C'est donc comme ça qu'on meurt ? s'étonna Blue. *On s'estompe en trébuchant, au lieu de faire une sortie en beauté, après avoir tout compris ?*

Neeve recommençait à interroger les esprits. Blue se dirigea vers le garçon.

— Qui êtes-vous ? insista-t-elle à une distance prudente, alors qu'il laissait retomber sa tête entre ses mains.

La silhouette se révélait à présent dépourvue de contours comme le visage de traits. En réalité, rien dans cette présence ne rappelait une forme humaine, mais cela n'empêchait pas Blue d'y voir un garçon. Quelque chose affirmait à son cerveau qu'il en était ainsi, même si ses yeux l'ignoraient.

Elle découvrait avec surprise que cette rencontre ne la réjouissait pas particulièrement. *Dans moins d'un an, il sera mort,* se répétait-elle. Comment sa mère pouvait-elle le supporter ?

Blue s'approcha, mais, lorsqu'elle fut assez près pour le toucher, le garçon se remit en marche. Il ne semblait toujours pas la remarquer.

Si près, les mains de Blue étaient gelées, et son cœur à l'avenant. Des esprits invisibles et dépourvus de chaleur propre aspiraient son énergie. Elle sentait la chair de poule piqueter ses bras.

Le garçon s'arrêta sur le seuil de l'église, et Blue sut – elle le *sut*, tout simplement – que, s'il entrait, elle n'apprendrait jamais son nom.

— Je vous en prie ! dit-elle en baissant la voix.

Glacée d'effroi, elle tendit la main et effleura le bord de son absence de sweater. Elle tenta de se calmer en se rappelant ce qu'on lui avait toujours répété, à savoir que les esprits tirent toute leur énergie de leur environnement : elle ressentait cette angoisse parce qu'il se nourrissait d'elle pour rester visible.

Ce qui ne la rassurait pas outre mesure.

— Vous voulez bien me dire votre nom ?

Il se tourna vers elle, et elle découvrit, stupéfaite, qu'il portait un polo d'Aglionby Academy.

— Gansey, répondit-il.

Il ne murmurait pas, mais sa voix était très faible. Elle paraissait bien réelle, mais comme venue de presque trop loin pour être vraiment perceptible.

Blue ne parvenait pas à détacher son regard de la chevelure en bataille, des yeux qui la scrutaient, presque à la dérobée, du corbeau sur le polo. Les épaules du garçon étaient trempées, et ses vêtements tout éclaboussés de la pluie d'un orage qui n'avait pas éclaté. Il sentait la menthe, et Blue se demanda si tel était le cas de tous les esprits.

Il avait l'air si vrai ! Elle voyait enfin un des visiteurs du cimetière, mais la chose ne lui semblait plus surnaturelle du tout. C'était comme jeter un coup d'œil dans un cercueil ouvert et surprendre le défunt qui vous fixait dans les yeux.

— Gansey, c'est tout… ? chuchota-t-elle.

— Gansey, c'est tout ce qu'il y a, dit-il en fermant les yeux.

Il s'effondra soudain genoux à terre, dans un glissement silencieux de garçon désincarné, une main ouverte dans la poussière, les doigts pressés contre le sol. Blue distinguait plus clairement la masse sombre de l'église que la ligne courbe de ses épaules.

— Neeve, appela-t-elle. Neeve, il... il meurt !

— Pas encore, répondit Neeve qui, venue la rejoindre, se tenait juste derrière elle.

La silhouette de Gansey qui se fondait dans celle du bâtiment – à moins que ce n'ait été l'inverse – s'était à présent presque entièrement évanouie.

Blue parla d'une voix plus oppressée qu'elle ne l'aurait voulu :

— Comment se fait-il que... que je peux le voir ?

Neeve jeta un coup d'œil par-dessus son épaule (Blue se demanda si c'était parce que d'autres esprits arrivaient, ou parce qu'au contraire il n'en venait plus) et, lorsqu'elle tourna la tête, Gansey avait complètement disparu. Blue sentait déjà une certaine chaleur revenir sur sa peau, mais derrière ses poumons subsistait un point glacé, et une tristesse envahissante s'épanouissait en elle, amertume ou regret.

— Il n'y a que deux raisons pour lesquelles un esprit peut apparaître à un non-voyant à la veille de la Saint-Marc, Blue. Tu dois être soit l'amour de sa vie, soit la cause de sa mort.

CHAPITRE 2

— C'est moi, dit Gansey.

Il se tourna vers sa voiture. Le capot orange vif de la Camaro était relevé, plus en signe de reddition que par véritable nécessité pratique. Si Adam, toujours ami de la mécanique, aurait peut-être su déterminer ce qui clochait cette fois-ci, Gansey s'en montrait bien incapable. Il avait réussi à continuer à rouler jusqu'à s'arrêter à l'entrée même de l'autoroute, et les pneus grassouillets reposaient à présent de guingois sur de grosses touffes d'herbe. Un semi-remorque passa avec indifférence, ébranlant la Camaro dans son sillage.

— T'as raté le cours d'histoire mondiale, lui lança à l'autre bout du fil Ronan Lynch. Je te croyais mort dans un fossé.

Gansey tourna le poignet pour consulter sa montre. Il avait manqué bien plus que le cours d'histoire mondiale. Les aiguilles indiquaient onze heures, et la fraîcheur de la veille au soir paraissait déjà irréelle. Près du bracelet, un moucheron restait collé à sa peau par la transpiration, qu'il éjecta d'une pichenette. Plus jeune, il était arrivé une fois à Gansey de camper, avec tout l'équipement : tentes, sacs de couchage, et une Range Rover désœuvrée garée à proximité en prévision du moment où son père et lui se lasseraient. En tant qu'expérience, ça n'arrivait pas à la cheville de la soirée de la veille.

— Tu as pris des notes pour moi ?

— Non, dit Ronan. Je te croyais mort dans un fossé.

Gansey souffla des grains de poussière de ses lèvres et réajusta son portable contre sa joue. Pourtant, à sa place, lui l'aurait fait pour Ronan.

— Tête de lard fait des siennes. Il faut que tu viennes me chercher.

Une berline ralentit, et ses occupants le dévisagèrent en passant. Gansey n'était pas d'un abord désagréable, et la Camaro n'agressait pas excessivement le regard, mais la curiosité dont ils étaient l'objet devait moins à leurs mérites respectifs qu'à la nouveauté du spectacle d'un élève d'Aglionby Academy immobilisé au bord de la route, près d'un véhicule d'un orange insolent. Gansey savait bien que la petite ville de Henrietta, en Virginie, n'aimait rien tant que voir un Corbeau dans le pétrin, si ce n'était voir sa famille dans l'embarras.

— Compte là-dessus ! dit Ronan.

— Tu n'as pas l'intention d'aller en cours, et d'ailleurs, ça va être la pause déjeuner. S'il te plaît ! ajouta Gansey, pour la forme.

Ronan resta un long moment sans répondre. Il était doué pour se taire et savait que ses silences mettaient les gens mal à l'aise, mais Gansey était immunisé par une exposition prolongée. En attendant que Ronan se décide à parler, il se pencha dans la voiture et explora la boîte à gants à la recherche de quelque chose à se mettre sous la dent. Un auto-injecteur EpiPen voisinait avec un morceau de bœuf séché, mais à la date de péremption révolue depuis deux ans. Du reste, il était peut-être déjà là quand Gansey avait acheté la voiture.

— Où es-tu ? interrogea enfin Ronan.

— Sur la 64, près du panneau de Henrietta. Apporte-moi un hamburger, et quelques litres d'essence !

— Gansey !

La voix de Ronan était acide.

— Et amène Adam, aussi !

Ronan raccrocha. Gansey enleva son polo et le lança dans la Camaro. La minuscule banquette arrière était jonchée de toutes sortes d'objets d'usage courant – un manuel de chimie, un carnet de notes taché de frappuccino, un étui à CD dont le contenu avait glissé et s'étalait sur toute la largeur du siège – ainsi que du matériel collecté au cours des dix-huit mois qu'il avait passés à Henrietta : des cartes froissées, des sorties d'imprimante, son fidèle carnet, une torche électrique, une baguette de saule. Il tira un enregistreur numérique du fatras, et le ticket de caisse d'une pizzeria (une grande, double épaisseur, moitié saucisse, moitié avocat) flotta jusqu'au sol, où il rejoignit une demi-douzaine de ses congénères, identiques sauf pour la date.

Gansey avait passé toute la nuit près de cette monstruosité moderne qu'était l'église du Rédempteur Sacré, enregistreur en marche et oreilles aux aguets, dans l'attente de... il ne savait trop quoi. Il n'avait rien senti de surnaturel dans l'air. Peut-être n'avait-il pas choisi le meilleur endroit pour essayer d'entrer en contact avec les esprits des morts à venir, mais il misait beaucoup sur la magie de la veille de la Saint-Marc. Il n'espérait pas pour autant voir les morts, car toutes les sources s'accordaient sur le fait que ceux qui veillaient près d'une église devaient avoir le don de « seconde vue », tandis que lui, avant de mettre ses lentilles, jouissait à peine de celui de première. Il espérait simplement...

... quelque chose. Et il l'avait obtenu, bien qu'il ne sache pas encore très bien ce que c'était.

L'appareil à la main, Gansey s'adossa contre la roue arrière et, à l'abri des secousses des véhicules qui défilaient sur la route, prit son mal en patience. De l'autre côté de la glissière de sécurité, un champ verdoyant descendait en pente douce jusqu'aux bois, derrière lesquels se dressaient les mystérieuses crêtes bleues des montagnes.

Sur le cuir poussiéreux de sa chaussure, Gansey traça la forme en arc de la ligne d'énergie dont la quête l'avait mené jusque-là.

Le vent de la montagne lui soufflait aux oreilles comme un cri étouffé.

Henrietta avait tout l'air d'un de ces endroits où le surnaturel pouvait se manifester. La vallée lui semblait bruire de secrets, et Gansey trouvait plus simple de croire que ces mystères se refusaient à lui, plutôt que de nier leur existence.

Je vous en prie, dites-moi juste où vous êtes !

Il avait mal à force d'espoir, mal d'une douleur que n'atténuait en rien la difficulté qu'il aurait eue à l'expliquer.

Le nez de requin de la BMW de Ronan Lynch vint s'immobiliser derrière la Camaro. La peinture gris anthracite d'ordinaire rutilante de la carrosserie était toute verte de pollen. Gansey sentit vibrer sous ses semelles les basses de la stéréo avant même d'entendre la musique. Il se leva quand Ronan ouvrit la portière. Sur le siège passager, Adam Parrish, le troisième du quatuor des meilleurs amis de Gansey, la cravate impeccablement nouée au-dessus du col de son polo, pressait contre son oreille le mince portable de Ronan.

Par la portière ouverte, Gansey et lui échangèrent un bref coup d'œil. *Alors ?* interrogeait le front plissé d'Adam, ce à quoi les yeux écarquillés de Gansey répondaient : *À ton avis ?*

Adam fronça les sourcils, baissa le volume de la stéréo et prononça quelques mots dans le téléphone.

Ronan claqua sa portière – il claquait toujours tout –, avant de se diriger vers le coffre.

— Mon crétin de frère veut vous retrouver chez Nino ce soir, déclara-t-il. Avec *Ashley*.

— C'est lui au téléphone ? Qui est Ashley ? demanda Gansey.

Ronan tira du coffre un jerrycan d'essence, sans trop se soucier d'éviter le contact du bidon graisseux avec ses vêtements. Lui aussi portait l'uniforme d'Aglionby, mais il ne manquait jamais de lui donner une apparence aussi peu recommandable que possible. Sa cravate était entortillée avec un mépris souverain, et les pans effilochés de sa chemise dépassaient de son polo. Il affichait un mince sourire carnassier. Si sa BMW avait tout du requin, c'était bien de lui qu'elle le tenait.

— La dernière de Declan. Vous êtes censés vous faire beaux pour elle.

Gansey trouvait pénible de devoir contenter le grand frère de Ronan, élève de terminale à Aglionby Academy, mais il en comprenait la nécessité. La liberté dans la famille Lynch était une notion complexe et, pour l'instant, Declan en détenait la clef.

Ronan lui tendit le bidon et prit l'enregistreur numérique.

— Il veut que ce soit ce soir, parce qu'il sait que j'ai cours à ce moment-là.

Le bouchon du réservoir de la Camaro se dissimulait derrière la plaque d'immatriculation à ressort. Ronan contempla en silence Gansey, qui s'évertuait à le manœuvrer tout en tenant le jerrycan et la plaque.

— Tu aurais pu le faire à ma place, vu que toi, tu t'en fiches de saloper ta chemise !

Ronan grattait froidement une vieille croûte marron sous les cinq bracelets de cuir tressé qu'il portait au poignet. Une semaine plus tôt, Adam et lui s'étaient relayés pour se tirer mutuellement derrière la BMW sur un chariot de déménageur, et ils en gardaient tous deux les traces.

— Demande-moi si j'ai découvert quelque chose !

Ronan poussa un soupir et orienta l'enregistreur vers lui.

— T'as découvert quelque chose ?

Il avait l'air de s'en moquer pas mal, mais ça faisait partie du personnage, et il était impossible de mesurer l'étendue réelle de son indifférence.

L'essence imbibait lentement le sergé de coton du pantalon de Gansey, le deuxième qu'il esquintait en l'espace d'un mois. Non qu'il fasse exprès de se montrer négligent – « les choses coûtent de l'argent, Gansey ! » lui répétait Adam –, mais il semblait incapable de prévoir les conséquences de ses actes avant qu'il ne soit trop tard.

— Oui. J'ai enregistré pendant environ quatre heures, et il y a… définitivement quelque chose, mais je ne sais pas ce que ça veut dire. (Il eut un geste vers l'appareil.) Mets-le en marche.

Ronan se tourna vers l'autoroute et pressa la touche Play. Un moment, le silence ne fut troublé que par les stridulations sèches des grillons.

— *Gansey,* intervint soudain Gansey.

Suivit une longue pause. Il frotta lentement un doigt sur le chrome grêlé du pare-chocs de la Camaro. Entendre sa voix enregistrée sans se souvenir d'avoir parlé lui faisait encore un drôle d'effet.

Puis, comme de très loin, on entendit presque indistinctement une femme :

— *Gansey… ?*

Ronan lui lança un coup d'œil méfiant.

Gansey leva un doigt : *Attends !* Des voix inaudibles sifflaient dans l'appareil sur un rythme de questions et de réponses.

— *Gansey, c'est tout ce qu'il y a,* reprit Gansey.

Ronan le considéra à nouveau. Près de la voiture, son camarade s'adonnait à ce qu'il appelait sa respiration de fumeur : une longue inspiration par les narines, suivie d'une expiration lente entre les lèvres ouvertes. Lui ne fumait pas, préférant au tabac ses gueules de bois coutumières. Il arrêta l'enregistrement.

— T'en laisses couler sur ton froc, mec !

— Tu ne veux pas savoir ce qui se passait, quand j'ai enregistré ça ?

Ronan s'abstint de poser la question, mais regarda Gansey fixement, ce qui revenait au même.

— Eh bien, rien du tout ! J'étais en train de contempler un parking plein de bestioles qui n'auraient pas dû être de sortie par une nuit aussi froide, et il ne se passait strictement rien !

Gansey ne s'était pas vraiment attendu à découvrir quoi que ce soit, à supposer pour commencer qu'il se soit trouvé au bon endroit. Les explorateurs de lignes de ley – ces courants d'énergie spirituelle qui relient en ligne droite les lieux sacrés de la planète – à qui il avait parlé lui avaient raconté qu'elles étaient parfois parcourues par des voix qu'elles restituaient à plusieurs centaines de kilomètres et douzaines d'années de distance du lieu et du moment de leur émission. Les lignes convoyaient en quelque sorte des fantômes auditifs, des espèces de transmissions radio impromptues, pour lesquelles presque n'importe quoi pouvait faire office de récepteur : un enregistreur, une stéréo, une paire d'oreilles humaines à l'ouïe fine. Gansey avait apporté son appareil car il savait que le son n'était souvent audible qu'à la deuxième écoute, cependant ce n'étaient pas les autres voix sur la bande qui le surprenaient, mais bien la sienne : il ne doutait pourtant pas de ne pas être un esprit.

— Et je n'ai *rien dit,* Ronan ! Je n'ai pas prononcé un seul mot de toute la nuit. Alors, qu'est-ce que ma voix fait dans cette machine ?

— Comment t'as su qu'elle y était ?

— En rentrant, j'ai repassé l'enregistrement dans la voiture. D'abord rien, rien et toujours rien, puis soudain ma propre voix ; et là-dessus Tête de lard qui tombe en panne !

— Tu parles d'une coïncidence !

Ronan avait pris un ton sarcastique. Gansey avait si souvent affirmé que le hasard n'existait pas qu'il n'avait même plus besoin de le dire.

— Alors, qu'est-ce que tu en penses ?

— Enfin le Saint-Graal ! ricana Ronan.

Mais Gansey, qui avait consacré à sa quête les quatre dernières années de sa vie, n'avait pas besoin d'autre encouragement que cette voix presque inaudible. Pendant ces dix-huit mois passés à Henrietta, il avait étudié les moindres indices dont il disposait pour localiser une ligne de ley et la sépulture qui, espérait-il, se trouvait quelque part sur son tracé. Ce qui avait eu lieu la veille au soir n'était qu'un incident inhérent à la recherche d'une ligne d'énergie, dont la caractéristique première était justement d'être... *invisible*.

Sinon complètement hypothétique, mais Gansey se refusait à envisager ce cas de figure. En dix-sept ans, il avait déjà découvert des douzaines de choses dont la plupart des gens ignoraient jusqu'à l'existence, et il avait fermement l'intention d'ajouter la ligne de ley, le tombeau et la dépouille royale à cette liste.

«Vous avez un don surprenant pour déceler des phénomènes étranges, mon garçon ! » lui avait dit un jour le conservateur d'un musée du Nouveau-Mexique. Un historien, spécialiste de l'époque romaine, lui avait déclaré : « Tu es malin, tu soulèves des rochers sous lesquels personne d'autre ne songerait à regarder ». Et un très vieux professeur britannique avait affirmé : « Le monde retourne ses poches pour toi, fiston ! » Le truc, avait découvert Gansey, c'était d'y croire, et de prendre conscience que tout cela faisait partie d'un ensemble plus vaste. Certains secrets ne se révèlent qu'à ceux qui s'en montrent dignes.

Gansey envisageait les choses de la façon suivante : si vous aviez le don de trouver, vous deveniez *ipso facto* moralement obligé de chercher.

— Ce ne serait pas Whelk, là-bas ? demanda Ronan.

Une voiture avait considérablement ralenti en passant à leur hauteur, et Gansey dut admettre que le conducteur curieux ressemblait en effet beaucoup à leur fielleux professeur de latin, un ancien élève de l'école affublé du nom malheureux de Barrington Whelk. Gansey s'appelait officiellement « Richard *Dick* Campbell Gansey III », ce qui avait beaucoup contribué à l'immuniser contre le snobisme des noms, mais même lui devait admettre que celui de Barrington Whelk laissait assez à désirer.

— Surtout, ne vous arrêtez pas pour nous aider ni quoi que ce soit ! lança Ronan avec hargne à la voiture qui s'éloignait. Hé, Microbe, qu'est-ce qui a été décidé, avec Declan ?

Cela à l'adresse d'Adam, qui sortait de la voiture. Il tendit son portable à Ronan, qui secoua dédaigneusement la tête. Ronan méprisait tous les téléphones, y compris le sien.

— Il passera ce soir, à cinq heures.

Adam, contrairement à Ronan, portait un polo de seconde main, mais dont il prenait le plus grand soin. C'était un garçon mince et élancé, au visage fin et bronzé surmonté de cheveux cendrés coupés tout de travers. Un tirage photo en sépia.

— Génial ! répliqua Gansey. Tu viendras, non ?

— Je suis invité ?

Adam pouvait se montrer excessivement poli, et son accent du Sud ressurgissait toujours dans ses moments d'indécision.

Il n'avait pourtant jamais eu besoin d'invitation. Ronan et lui avaient dû se disputer. Rien d'étonnant à cela : Ronan entrait en conflit avec tous ceux qui avaient un numéro de sécurité sociale.

— Ne dis pas de bêtises ! répondit Gansey en acceptant de bonne grâce le sac de papier constellé de taches de gras qu'Adam lui tendait. Merci !

— C'est Ronan qui a payé, précisa Adam, qui, en matière d'argent, était toujours prompt à rendre à chacun son dû.

Gansey regarda Ronan. Appuyé contre la Camaro, celui-ci mordillait machinalement une des lanières de cuir qui enserraient son bras.

— Il n'y a pas de sauce dans ce hamburger, commenta Gansey.

Ronan recracha la lanière.

— Oh, je t'en prie ! ricana-t-il.

— Pas de cornichons non plus, du reste ! ajouta Adam en se retranchant derrière la voiture.

Il avait apporté non seulement deux petits bidons d'additif pour carburant, mais aussi un chiffon à interposer entre les récipients et son pantalon, et il se comportait comme si la chose était parfaitement naturelle. Adam s'efforçait toujours de faire oublier ses origines, mais le moindre de ses gestes le trahissait.

L'enthousiasme commençait à envahir Gansey. Il souriait.

— Question pour un champion, donc, monsieur Parrish ! Le nom de trois choses qui apparaissent à proximité d'une ligne de ley ?

— Des chiens noirs, dit Adam avec indulgence. Des êtres démoniaques.

— Des Camaro, intervint Ronan.

— Et des fantômes, poursuivit Gansey comme si ce dernier n'avait rien dit. Aligne les preuves, Ronan, s'il te plaît !

Le soleil brillait. Adam revissa le bouchon du réservoir d'essence, et Ronan rembobina la bande. À des kilomètres de là, au-dessus des montagnes, une buse à queue rousse lança un cri strident. Ronan appuya de nouveau sur Play, et les trois garçons réécoutèrent la voix de Gansey énoncer son nom dans le vide. Adam fronçait les sourcils d'un air lointain, les joues empourprées par la chaleur.

Ça aurait pu être n'importe quel autre matin de ces dix-huit derniers mois. Ronan et Adam se réconcilieraient avant la fin de la journée, ses professeurs pardonneraient à Gansey d'avoir manqué les cours, puis Adam, Ronan, Noah et lui iraient manger une pizza. Ils seraient quatre face à Declan.

— Essaye la voiture, Gansey, dit Adam.

Gansey se laissa tomber sur le siège du conducteur sans refermer la portière. Il entendait Ronan repasser l'enregistrement et, sans trop savoir pourquoi, cette fois-là, les voix sur la bande lui donnaient la chair de poule. Il avait l'intuition que cette expérience amorçait une chose nouvelle, même s'il en ignorait la nature.

— Allez, Tête de lard, un bon mouvement ! bougonna Ronan.

Sur l'autoroute, une voiture passa à toute vitesse en klaxonnant.

Gansey mit le contact. Le moteur ronfla, s'interrompit un bref instant, puis commença à tourner à plein régime dans un vacarme assourdissant. Il serait donc donné à la Camaro de vivre et de poursuivre le combat encore une journée. Même la radio fonctionnait : elle diffusait cette chanson de Stevie Nicks qui donnait toujours à Gansey l'impression d'entendre parler d'une colombe amputée d'une aile. Il goûta l'une des frites qu'on lui avait apportées. Elle était froide.

Adam se pencha dans l'habitacle.

— On va te suivre jusqu'à l'école. La Camaro pourra te ramener, mais il reste quelque chose qui cloche.

— Super ! répondit Gansey en forçant la voix pour se faire entendre par-dessus le bruit du moteur. Alors, qu'est-ce que tu suggères ?

Ronan s'en prit aux circuits électroniques de la BMW, qui émit un ronflement bas et presque inaudible.

Adam enfonça sa main dans sa poche et en tira un morceau de papier qu'il tendit à Gansey.

— Qu'est-ce que c'est ? demanda celui-ci en examinant l'écriture irrégulière d'Adam, dont les lettres semblaient toujours en train de fuir quelque chose. Le numéro de téléphone d'une voyante ?

— Si tu n'avais rien trouvé la nuit dernière, il y aurait indiquée là l'étape suivante, mais maintenant, tu as une question à poser !

Gansey y réfléchit. Le plus souvent, les médiums lui annonçaient qu'il allait recevoir de l'argent et qu'il était destiné à de grandes choses. Il savait la première prédiction invariablement exacte, et redoutait que la seconde ne le soit aussi. Mais, avec ce nouvel indice, peut-être un autre voyant aurait-il du nouveau à lui apprendre.

— D'accord. Alors, qu'est-ce que je lui demande ?

Adam lui tendit l'enregistreur numérique et tapota à deux reprises le toit de la Camaro d'un air pensif.

— Ça me paraît évident, répondit-il. Il faut découvrir à qui tu parlais !

CHAPITRE 3

Les matins au 300 Fox Way étaient de redoutables moments de chaos, de coudes enfoncés dans les côtes, de queues pour la salle de bains et de gens qui s'apostrophaient au sujet de sachets de thé mis dans des tasses en contenant déjà. Blue s'apprêtait à aller en cours, et certaines de ses tantes les plus efficaces (ou les moins intuitives) au travail. Le pain grillé brûlait, les céréales ramollissaient, et la porte du réfrigérateur béait des minutes entières. Des clefs tintaient tandis qu'on s'organisait et se répartissait dans les voitures.

Le téléphone se mettait à sonner au beau milieu du petit-déjeuner, et Maura disait « C'est pour toi, Orla, un appel du cosmos sur la ligne deux ! » ou quelque chose du même acabit, et Orla, Jimi ou les autres tantes, demi-tantes et amies de la famille se disputaient à qui devait aller prendre l'appel sur le poste à l'étage. Deux ans auparavant, Orla, la cousine de Blue, avait décidé qu'il serait lucratif d'ouvrir une ligne de télévoyance et, après quelques brèves prises de bec avec Maura à propos d'image publique, avait eu gain de cause. Autrement dit, Orla avait profité d'un week-end où Maura était partie à une conférence pour faire installer la ligne en catimini, un incident ayant déclenché un conflit dont le souvenir perdurait. Les appels commençaient à arriver vers sept heures du matin, et la rentabilité d'un dollar par minute était appréciable.

Les matins étaient une forme de sport, dans lequel Blue aimait à croire qu'elle faisait des progrès.

Mais, le lendemain de sa nuit au cimetière, Blue n'eut pas à se battre pour accéder à la salle de bains ou tenter de préparer son casse-croûte de midi, tandis qu'Orla laissait choir du pain grillé face beurrée sur le sol. Quand elle ouvrit les yeux, sa chambre, d'ordinaire baignée par la lumière du jour naissant, semblait retenir son souffle dans la paisible pénombre de l'après-midi. De la pièce voisine, elle entendait Orla parler au téléphone avec son petit ami, ou peut-être un client de la ligne de télévoyance – c'était difficile à dire, avec elle.

Blue s'appropria sans opposition la salle de bains, où elle s'attacha surtout à soigner sa coiffure. Ses mèches noires coupées au carré étaient juste assez longues pour qu'elle puisse les attacher sur sa nuque, et juste assez courtes pour qu'il faille user d'une armada de pinces pour les maintenir en place. Il en résultait une queue-de-cheval hirsute à souhait, hérissée de mèches rebelles et de pinces hétéroclites, d'une apparence savamment extravagante et négligée. Blue s'était donné beaucoup de mal pour parvenir à cet effet.

— *Maman !* appela-t-elle en dévalant quatre à quatre les marches irrégulières de l'escalier.

Maura se trouvait dans la cuisine, où elle malmenait des feuilles de thé en vrac. Ça dégageait une odeur épouvantable. Elle ne se retourna pas. Le plan de travail devant elle était jonché de plantes et d'herbes vertes comme un océan d'algues.

— Tu n'es pas obligée de toujours courir ! répondit-elle.

— Parle pour toi ! Pourquoi tu ne m'as pas réveillée pour que j'aille en cours ?

— Je l'ai fait, et même deux fois, dit Maura. Zut ! s'exclama-t-elle à part soi.

— Tu veux que je t'aide ? proposa Neeve d'un ton posé.

Assise à table face à une tasse de thé, aussi dodue et angélique qu'à l'accoutumée, elle ne montrait aucun signe de ne pas avoir dormi tout son content. Elle scruta le visage de Blue, qui détourna les yeux.

— Je te remercie, mais je suis parfaitement capable de préparer moi-même une satanée tisane méditative, dit Maura, qui ajouta à l'adresse de Blue : J'ai appelé le lycée pour dire que tu avais la grippe, en insistant sur le fait que tu vomissais. N'oublie pas de prendre un air dolent, demain.

Blue appuya la base de ses paumes contre ses yeux. Jamais elle n'avait manqué l'école le jour de la Saint-Marc. Il lui était sans doute arrivé de se sentir parfois un peu somnolente, mais jamais complètement épuisée, comme depuis la veille au soir.

— C'est parce que je l'ai vu ? demanda-t-elle à Neeve en interrompant son geste. (Elle regrettait d'avoir gardé un souvenir aussi vif du garçon, ou plutôt de *l'idée* du garçon, la main étalée au sol, et aurait voulu pouvoir le dé-voir.) C'est pour ça que j'ai dormi si longtemps ?

— C'est parce que tu as laissé quinze esprits te passer à travers le corps pendant que tu bavardais avec un jeune mort, intervint Maura sèchement avant que Neeve puisse répondre. Du moins, d'après ce que j'ai entendu dire. Seigneur, c'est vraiment ça que ces herbes sont censées sentir !

Blue se tourna vers Neeve, qui continuait à siroter son thé d'un air confiant.

— C'est bien vrai ? C'est parce que les esprits m'ont traversée ?

— Ils se sont effectivement nourris de ton énergie, lui expliqua-t-elle. Tu en as beaucoup, mais pas tant que ça.

Deux pensées se bousculèrent dans l'esprit de Blue : *J'ai beaucoup d'énergie, moi ?* Réflexion aussitôt suivie de : *Tout ça commence à m'agacer sérieusement !* Après tout, elle n'avait pas expressément autorisé les esprits à lui soutirer son énergie.

— Tu devrais lui apprendre à se protéger, conseilla Neeve à Maura.

— Je ne suis pas une mère complètement indigne, je lui ai enseigné certaines choses !

Maura tendit une tasse de tisane à sa fille.

— Pas question que je goûte ce truc-là, ça pue ! dit Blue en prenant un yaourt dans le réfrigérateur. Je n'ai encore jamais eu besoin de protection pour la veille de la Saint-Marc, ajouta-t-elle à l'adresse de Neeve, par solidarité avec sa mère.

— Ça me surprend, déclara Neeve d'un air songeur. Tu amplifies les champs d'énergie à tel point que je m'étonne que les esprits ne te suivent pas jusqu'ici !

— Oh, épargne-nous ça ! lâcha Maura d'un ton irrité. Les morts n'ont rien d'effrayant.

Blue revoyait la silhouette fantomatique, la mine perplexe, défaite, de Gansey.

— Maman, les esprits de la nuit de veille, on ne peut pas les empêcher de mourir ? On ne peut pas les prévenir ?

Le téléphone sonna une fois, puis deux, puis sur un mode continu, ce qui signifiait qu'Orla était toujours en ligne.

— Que le diable t'emporte, Orla ! s'exclama Maura, malgré l'absence de l'intéressée.

— J'y vais, lança Neeve.

— Oh, mais...

Maura s'interrompit, et Blue se demanda si sa mère songeait au fait que Neeve travaillait d'ordinaire pour bien plus que un dollar par minute.

— Je sais à quoi tu penses, lui dit sa mère quand Neeve eut quitté la pièce, mais la plupart d'entre eux meurent à la suite d'une crise cardiaque, d'un cancer ou d'une autre maladie, ce contre quoi nous ne pouvons rien. Ce garçon est condamné.

Blue sentait monter en elle le spectre de cet étrange chagrin qu'elle avait éprouvé plus tôt.

— Il me paraît peu probable qu'un Corbeau succombe à une crise cardiaque. Et, dans ce cas, pourquoi tu préviens tes clients ?

— Pour qu'ils puissent mettre de l'ordre dans leurs affaires et mener à bien tout ce qu'ils veulent faire avant de mourir.

Sa mère se retourna et fixa Blue d'un regard extrêmement pénétrant. Elle en imposait autant qu'il était possible pour une femme en jean, pieds nus, et qui tenait un mug de tisane empestant la terre pourrissante.

— Je n'ai pas l'intention de t'empêcher de le prévenir, Blue, mais sache qu'il ne te croira sans doute pas. Même s'il te croyait, cela ne le sauverait probablement pas. Tu l'empêcherais peut-être de faire une grosse bêtise, ou alors tu gâcherais complètement les derniers mois de sa vie.

— Toujours à envisager le côté réjouissant des choses ! grogna Blue.

Mais elle savait que Maura avait raison, du moins quant à la première partie de ses affirmations. Presque toutes ses connaissances pensaient que sa mère gagnait sa vie à coups de tours de passe-passe. À quoi s'attendait-elle donc ? Envisageait-elle de suivre à la trace un Corbeau, pour tapoter contre la vitre de sa Land Rover ou de sa Lexus et lui conseiller de faire réviser ses freins et de mettre à jour son contrat d'assurance-vie ?

— De toute façon, je ne peux sans doute pas t'interdire de lui parler, dit Maura. Si Neeve ne se trompe pas quant à la raison pour laquelle tu le vois, c'est que ton destin est de le rencontrer.

Blue lui lança un regard noir.

— Le destin, c'est un bien grand mot à agiter avant le petit-déjeuner.

— Tout le monde sauf toi, rétorqua Maura, a fini de déjeuner depuis belle lurette.

Les marches de l'escalier grincèrent sous les pas de Neeve qui redescendait.

— Un faux numéro, annonça-t-elle avec son détachement habituel. Ça arrive souvent ?

— Il n'y a qu'un chiffre de différence entre le nôtre et celui d'une agence de dames de compagnie pour messieurs, répondit Maura.

— Ça explique tout, osberva Neeve. Blue, ajouta-t-elle en reprenant sa place à table, je peux essayer de voir ce qui va le tuer, si tu veux.

Blue et sa mère dressèrent aussitôt l'oreille.

— *Oui*, dit Blue avec emphase.

Maura faillit parler, puis se ravisa et se borna à serrer les lèvres.

— On a du jus de raisin ? demanda Neeve.

Blue, perplexe, ouvrit le réfrigérateur et brandit une carafe avec un regard interrogatif.

— Raisin-cranberry, ça va ?

— Parfait !

Maura sortit du placard un saladier bleu foncé et le posa assez brutalement devant Neeve.

— Je décline toute responsabilité, annonça-t-elle.

— Quoi ? demanda Blue. C'est censé vouloir dire quoi, ça ?

Personne ne lui répondit.

Neeve, un doux sourire sur son doux visage, remplit à ras bord le saladier de jus de fruits. Maura éteignit la lumière, et l'extérieur parut soudain très clair, dans la pénombre de la cuisine. Les arbres bourgeonnants pressaient leurs branches contre les vitres en couches vertes super-posées, et Blue prit subitement conscience d'être cernée par la forêt silencieuse.

— Si vous voulez regarder, ne faites pas de bruit, déclara Neeve sans s'adresser à personne en particulier.

Blue tira à elle une chaise et s'assit. Maura s'appuya au plan de travail et croisa les bras. Il était rare qu'elle soit contrariée sans réagir.

— Comment il s'appelait, déjà ? demanda Neeve.

— Il a juste dit « Gansey ».

Blue était presque gênée de répondre. À l'idée qu'elle puisse être impliquée dans la vie ou la mort du garçon, elle se sentait en quelque sorte responsable de sa présence nomi-nale dans la cuisine.

— Ça suffira.

Neeve se pencha sur le saladier. Elle remuait les lèvres, son reflet sombre se déplaçait lentement à la surface du liquide. Blue ne cessait de penser aux paroles de sa mère : « Je décline toute responsabilité. » Les mots semblaient don-ner au rituel de Neeve une importance spéciale, une dimen-sion presque mystique.

Neeve émit une sorte de bourdonnement inarticulé. Blue n'y comprit rien, mais Maura prit soudain un air triom-phant.

— Eh bien, dit Neeve. Ça, c'est *quelque chose* !

Elle avait accentué les deux derniers mots d'une façon que Blue avait déjà remarquée.

— Qu'est-ce que tu as vu ? demanda-t-elle. De quoi il meurt ?

Neeve ne quittait pas Maura des yeux. Sa réponse fut une forme de question :

— Je l'ai vu, puis il a disparu. Dans un néant intégral.

Maura agita les mains dans l'air d'un geste familier à Blue. Celle-ci avait souvent vu sa mère l'utiliser pour clore une dispute, après avoir cloué le bec à son adversaire. Mais, cette fois, la flèche du Parthe avait été décochée par un saladier de jus raisin-cranberry, et Blue n'avait pas la moindre idée de ce que cela pouvait signifier.

— Une seconde, il était là, et la suivante, plus personne ! insista Neeve.

— Cela arrive, dit Maura. Même ici, à Henrietta, il y a un endroit, ou plutôt des endroits, que je ne vois pas. À d'autres moments, je vois… (et elle détourna un peu trop ostensiblement les yeux de Blue) des choses inattendues.

Blue se souvint alors que Maura avait insisté à maintes reprises pour rester à Henrietta, même lorsque la vie avait commencé à y coûter plus cher ou quand l'occasion de déménager dans une autre ville s'était présentée. Blue était tombée un jour sur une série d'e-mails en consultant l'ordinateur de sa mère : un des clients de Maura la suppliait ardemment de venir avec Blue « et tout ce sans quoi vous ne sauriez vivre » pour s'installer dans sa maison de Baltimore. Dans sa réponse, Maura informait sévèrement son correspondant que la chose était hors de question pour nombre de raisons, dont la principale était qu'elle refusait de quitter Henrietta, et la suivante qu'il était peut-être un serial killer. Sur quoi, l'homme avait renvoyé un e-mail avec un seul smiley triste, et rien d'autre. Blue s'était toujours demandé ce qu'il était devenu.

— Je voudrais en savoir plus, dit-elle à Neeve. Qu'est-ce que c'est que ce « néant intégral » ?

— J'étais en train de suivre le garçon d'hier vers sa mort, raconta Neeve. Je le sentais approcher d'elle, chronologiquement parlant, et à ce moment-là il a disparu dans un endroit que je ne pouvais pas voir. Je ne comprends pas ce qui s'est passé. J'ai cru que c'était à cause de moi.

— Non, tu n'y es pour rien, la rassura Maura. C'est comme quand la télévision est allumée, mais qu'il n'y a pas d'image sur l'écran. Ça ressemble à ça, mais ce n'est pas tout, et je n'ai encore jamais vu quelqu'un entrer là-bas.

— Eh bien, lui l'a fait, fit remarquer Neeve en éloignant le saladier. Tu dis que ce n'est pas tout ? Qu'est-ce que ça peut me montrer d'autre ?

— Des voies qui n'apparaissent pas sur le réseau ordinaire.

Neeve tapota une fois, juste une seule, de ses beaux doigts sur la table.

— Tu ne m'en avais jamais parlé.

— Ça ne me semblait pas important, dit Maura.

— Un endroit où de jeunes gens s'engouffrent pour aller dans le néant me paraît très important, au contraire. Tout comme le pouvoir de ta fille, du reste.

Neeve fixa imperturbablement Maura, qui lui tourna le dos.

Blue comprit que la conversation était terminée.

— Je travaille, cet après-midi, annonça-t-elle.

Le reflet sombre des feuillages derrière la fenêtre ondulait lentement à la surface du saladier.

— Tu y vas vraiment habillée comme ça ? demanda Maura.

Blue examina sa tenue, composée pour partie d'une super-position de chemises légères, dont une retouchée suivant la méthode connue sous le nom de *lacération*.

— Qu'est-ce qui cloche avec mes vêtements ?

— Rien, répondit Maura avec un haussement d'épaules. J'ai toujours souhaité avoir une fille excentrique, j'ignorais à quel point mes vœux allaient être comblés. Jusqu'à quelle heure ?

— En théorie, jusqu'à sept heures, en pratique sans doute plus tard. Cialina est censée finir à la demie, mais, cette semaine, elle n'a pas arrêté de répéter que son frère lui a trouvé des places pour *Evening* et que, si seulement quelqu'un acceptait de la remplacer pour la dernière demi-heure...

— Tu n'y es pas obligée. *Evening,* c'est cette histoire où toutes les filles sont tuées à coups de hache ?

— Oui, c'est celle-là. (Tout en aspirant bruyamment son yaourt, Blue jeta un coup d'œil rapide à Neeve, qui contemplait toujours, sourcils froncés, le saladier placé juste hors de sa portée.) Bon, j'y vais !

Elle repoussa sa chaise. Le silence de Maura était plus lourd que des reproches. Blue jeta sans se dépêcher son pot de yaourt vide dans la poubelle et mit sa cuillère dans l'évier, puis elle se dirigea vers l'escalier pour aller chercher ses chaussures.

— Blue, lui dit finalement sa mère, inutile de te recommander de n'embrasser personne, n'est-ce pas ?

CHAPITRE 4

Adam Parrish était l'ami de Gansey depuis maintenant un an et demi et n'ignorait pas que cela impliquait un certain nombre de choses, à savoir : croire au surnaturel, tolérer les rapports troubles que Gansey entretenait avec l'argent et supporter la cohabitation avec ses autres amis. Les deux premières conditions ne lui posaient un problème que lorsqu'elles le contraignaient à sécher les cours, et la dernière, que s'il s'agissait de Ronan Lynch.

Gansey avait avoué un jour à Adam qu'il craignait que la plupart des gens ne sachent pas comment se comporter avec Ronan. Ce qu'il entendait par là, c'était qu'il craignait que quelqu'un trébuche sur Ronan et se coupe.

Adam se demandait parfois si, avant la mort du père des frères Lynch, Ronan était déjà comme ça. À l'époque, seul Gansey le connaissait, ou plutôt seuls Gansey et Declan, mais ce dernier semblait à présent incapable de gérer son frère – raison pour laquelle il avait si soigneusement programmé le rendez-vous à une heure où il le croyait en cours.

Sur le palier du premier, devant la porte du 1136 Monmouth, Adam, après avoir frappé au battant, attendait, en compagnie de Declan et de sa petite amie vêtue de soie blanche et froufroutante, qui ressemblait beaucoup à Brianna, à Kayleigh, ou à n'importe laquelle de ses dernières chéries en date. Elles arboraient invariablement des cheveux blonds mi-longs et des sourcils assortis au cuir sombre des chaussures de Declan. Dans le costume que lui imposait son statut d'étudiant stagiaire en fin de cursus de sciences politiques, on lui aurait donné trente ans, et Adam se demanda si cette tenue lui conférerait, à lui aussi, un air important, ou si sa jeunesse le trahirait et le rendrait ridicule.

— Merci d'être venu, dit Declan.

— Aucun problème, répondit Adam.

À vrai dire, la raison pour laquelle il avait accepté de rentrer à pied d'Aglionby Academy avec Declan et sa dernière conquête n'avait rien à voir avec l'amabilité, mais relevait simplement d'une intuition qui le tracassait. Ces derniers temps, Adam s'était senti comme si quelqu'un en quête d'une ligne de ley lui… *jetait un regard en passant*. Il ne savait pas très bien comment l'exprimer avec des mots. Il croyait surprendre au coin de son champ de vision un autre qui le fixait, il découvrait dans l'escalier des traces de pas brouillées qui ne semblaient être celles d'aucun des garçons, un bibliothécaire lui apprenait que tel ouvrage ésotérique avait été réemprunté sitôt qu'Adam l'avait rendu. Il ne voulait pas en parler à Gansey sans avoir de certitude. Son ami semblait déjà bien assez soucieux.

Adam ne se demandait pas si Declan cherchait à les espionner, il savait que tel était le cas. Il pensait qu'il s'agissait essentiellement de Ronan, et non de la ligne de ley, mais se disait que cela ne ferait pas de mal d'observer un peu les choses.

Ashley jetait tous azimuts des coups d'œil si furtifs qu'ils en devenaient flagrants. Au 1136 Monmouth, une usine désaffectée à la façade de brique avide percée d'yeux noirs et béants se dressait dans un terrain vague envahi d'herbes folles qui couvrait une étendue équivalant presque à celle d'un pâté de maisons. Sur le mur est du bâtiment, des lettres peintes révélaient son identité d'origine : MANUFACTURE MONMOUTH, mais, malgré tous leurs efforts, ni Gansey ni Adam n'étaient parvenus à déterminer précisément ce que l'établissement avait fabriqué : des choses nécessitant des plafonds hauts de huit mètres et de grands espaces vides, des choses qui avaient laissé des traces d'humidité sur le sol et creusé des entailles dans les briques des murs, des choses dont le monde n'avait que faire à présent.

Declan chuchota à l'oreille d'Ashley, qui se mit à glousser nerveusement, comme s'il lui confiait un secret. Adam, qui observait la façon dont le garçon effleurait des lèvres tout en parlant l'extrémité inférieure du lobe de l'oreille de la jeune fille, détourna les yeux juste au moment où Declan relevait les siens.

Adam était très doué pour voir sans être vu, et seul Gansey parvenait parfois à le prendre sur le fait.

Ashley montra du doigt la fenêtre aux vitres fêlées qui donnait sur le terrain en contrebas. Sur le sol, des traces de pneus noirâtres en anneaux attestaient les tours que Gansey et Ronan avaient décrits à toute vitesse en voiture. L'expression de Declan se durcit. Gansey pouvait bien avoir pris l'initiative, lui incriminerait son frère.

Adam frappa de nouveau : un coup long, suivi de deux brefs – son signal.

— C'est le bazar, là-dedans ! s'excusa-t-il par avance, à l'intention d'Ashley plus que de Declan, qui, lui, savait parfaitement à quoi s'attendre. Adam soupçonnait Declan de croire que la manufacture avait du charme pour les étrangers. Le frère de Ronan était retors, il visait la vertu d'Ashley et avait sans doute soigneusement planifié chaque étape de la soirée, y compris ce bref passage à Monmouth, pour atteindre son but.

Toujours pas de réponse.

— J'appelle ? proposa Declan.

Adam appuya sur la poignée, en vain, puis la coinça avec son genou et souleva légèrement le battant sur ses gonds. La porte s'ouvrit. Ashley émit une exclamation approbatrice, mais le succès de l'opération devait plus aux faiblesses de la porte qu'à la force du garçon.

Ils entrèrent, et Ashley renversa la tête en arrière. Haut, très haut au-dessus d'eux, s'entrecroisaient les poutrelles d'acier qui supportaient le toit. Le logis de Gansey avait tout d'un laboratoire pour rêveur. Immense, le premier étage s'ouvrait sur des centaines de mètres carrés. Deux des murs étaient entièrement constitués d'anciennes baies vitrées aux petits carreaux gauchis, dont quelques-uns – ceux que Gansey avait remplacés – tout clairs, les deux autres murs étant couverts de cartes des montagnes de Virginie, du pays de Galles et d'Europe, zébrées de longs traits courbes au feutre. Par terre, au pied d'un télescope braqué vers le ciel vespéral, traînaient toutes sortes d'appareils électroniques compliqués destinés à mesurer l'activité des champs magnétiques terrestres.

Et partout, partout des livres, des livres entassés en piles croulantes comme celles des chercheurs obnubilés, et non en tours bien ordonnées comme chez ceux qui ne veulent qu'épater la galerie ; des ouvrages en langues étrangères, des dictionnaires bilingues, et jusqu'à certains numéros de *Sports Illustrated,* Swimsuit Editions.

Adam ressentit son pincement au cœur accoutumé. Pas de l'envie, mais une *aspiration :* un jour, lui aussi serait assez riche pour posséder un endroit comme celui-ci, un lieu qui, dès l'abord, ressemblerait à Adam intérieurement.

Une petite voix en lui se demandait s'il parviendrait jamais à se sentir grand et imposant, ou si c'était là une chose donnée dès la naissance. Gansey avait baigné dans l'opulence dès son plus jeune âge, comme un futur virtuose qu'on installe au piano aussitôt qu'il tient assis, tandis qu'Adam, ce nouvel arrivé, cet imposteur, gardait sa petite monnaie dans une boîte à céréales sous son lit et achoppait encore sur son accent du Sud.

Debout près de Declan, Ashley serrait ses bras sur sa poitrine dans une réaction inconsciente devant un tel étalage d'intimité masculine : le lit à demi défait de Gansey – deux matelas jetés de travers sur une armature de métal – trônait au beau milieu de la pièce, dans une impudeur flagrante.

Gansey lui-même, assis à un vieux bureau, le dos tourné, regardait par la fenêtre en tapotant un stylo sur la table. Près de lui, son épais carnet aux pages couvertes de notes et d'extraits de textes découpés et collés était posé, ouvert, et Adam fut frappé, comme il lui arrivait parfois, par le côté sans âge, hors du temps, de son ami : on aurait dit un vieillard dans le corps d'un jeune homme, ou un jeune homme dans une vie de vieillard.

— C'est nous ! annonça Adam.

Gansey ne réagit pas. Adam et les autres avancèrent vers lui, et Ashley émit toute une gamme de sons en O : à grand renfort de boîtes de céréales, de cartons d'emballage et de peinture acrylique, Gansey avait construit une maquette qui montait jusqu'au genou de la ville de Henrietta, et les trois visiteurs durent descendre Main Street pour gagner le bureau. Seul Adam voyait dans cet ouvrage l'œuvre des insomnies de Gansey : un nouveau mur par nuit blanche.

Il s'arrêta juste à côté du bureau. L'air alentour sentait très fort la feuille de menthe que Gansey mâchonnait distraitement. Il tapota l'écouteur logé dans l'oreille droite de son ami, qui sursauta et se leva d'un bond.

— Tiens ! Bonjour !

Ses cheveux châtains ébouriffés, ses yeux noisette aux paupières plissées par le soleil et l'arête rectiligne du nez qu'il devait à ses ancêtres anglo-saxons lui donnaient l'air d'un héros typiquement américain, et tout en lui suggérait la bravoure, la puissance et une ferme poignée de main.

Ashley le regardait fixement.

Adam se souvenait qu'à leur première rencontre il avait trouvé ce garçon intimidant. Il y avait deux Gansey : celui de l'intérieur, et l'autre, qu'il endossait le matin en glissant son portefeuille dans la poche arrière de son pantalon. Le premier, tourmenté et passionné, n'avait aux oreilles d'Adam aucun accent discernable, mais le second saluait les gens avec les intonations souples et élégantes qui dénotaient le pouvoir des vieilles fortunes de Virginie, et Adam n'arrivait toujours pas à concilier les deux.

— Je ne vous ai pas entendus frapper, expliqua Gansey inutilement.

Il choqua son poing levé contre celui d'Adam d'un geste qui, venant de lui, faisait à la fois charmant et un peu forcé, comme une expression empruntée à une langue étrangère.

— Ashley, je te présente Gansey, dit Declan de sa voix neutre et accorte, apte à communiquer les dernières nouvelles des dégâts causés par une tornade ou un front froid, à détailler les effets secondaires de petites pilules bleues, ou à expliquer les procédures de sécurité du 747 dans lequel vous vous apprêtez au décollage. *Dick* Gansey, précisa-t-il.

Gansey, qui pensait que la petite amie de Declan ne risquait pas de le rester longtemps, n'en laissa rien transparaître et se borna à rectifier, non sans une légère froideur :

— Comme Declan le sait, c'est mon père qui s'appelle Dick. Moi, je suis Gansey tout court.

Ashley sembla plus choquée qu'amusée.

— *Dick ?*

— Mon infortuné nom de famille, expliqua Gansey d'un ton las. Je m'efforce d'oublier.

— Tu es un Corbeau, pas vrai ? C'est complètement fou, ici ! Pourquoi tu n'habites pas sur le campus ?

— Parce que je possède ce bâtiment, dit Gansey. C'est un meilleur investissement que payer un loyer pour avoir une chambre là-bas. On ne peut pas revendre sa chambre, quand on a fini ses études, et où a filé tout cet argent ? Nulle part !

Dick Gansey III avait horreur qu'on lui dise qu'il parlait comme Dick Gansey II, mais de fait, à ce moment-là, c'était le cas. Tous deux étaient passés maîtres dans l'art de dévider au petit trot leur logique, tenue en laisse et vêtue d'un élégant manteau écossais, chaque fois qu'ils le souhaitaient.

— Ciel ! fit remarquer Ashley.

Après avoir jeté un coup d'œil à Adam, elle détourna aussitôt les yeux, et il se rappela qu'il avait une effilochure à l'épaule de son polo.

N'y touche pas ! Elle n'a rien remarqué !

Adam se força à se redresser et tenta d'habiter son uniforme avec toute l'aisance d'un Gansey ou d'un Ronan.

— Ash, tu ne me croiras jamais si je te dis pourquoi Gansey a choisi de venir habiter ici, intervint Declan. Raconte-lui, Gansey !

Dès qu'il s'agissait de Glendower, Gansey devenait intarissable. Il ne pouvait résister au plaisir d'en parler.

— Que sais-tu sur les souverains gallois ? demanda-t-il.

Ashley fit la moue en pinçant des doigts la peau à la base de sa gorge.

— Hmm... Llewellyn ? Glendower ? Les Marcher Lords, ces nobles à la solde du roi d'Angleterre ?

Gansey affichait un sourire à illuminer une mine de charbon. Avant de le rencontrer, Adam ignorait tout de Llewellyn ou de Glendower, et son ami avait dû lui narrer par le menu comment Owain Glyndŵr – Owen Glendower, pour les non-galloisants –, un prince gallois du Moyen Âge, avait défendu contre les Anglais la liberté de son pays, pour, au moment où sa capture paraissait imminente, disparaître et de son île et de l'Histoire.

Gansey ne se lassait jamais de raconter ses exploits. Il en parlait comme si les événements venaient juste d'avoir lieu, s'enthousiasmant pour les signes magiques qui avaient accompagné la naissance du jeune prince, les rumeurs sur son pouvoir d'invisibilité, ses victoires insensées contre des armées plus puissantes et, pour finir, sa mystérieuse disparition. En l'écoutant, Adam croyait voir les vertes collines galloises, le large ruban brillant de la Dee et les impitoyables monts du Nord, au fond desquels Glendower avait tiré sa révérence. Owain Glyndŵr vivait toujours dans les récits de Gansey.

Adam se rendait compte à présent que Glendower, aux yeux de Gansey, représentait bien plus qu'un personnage historique. Il était tout ce à quoi son ami aspirait : sage et intrépide, sûr de la voie qu'il s'était choisie, conscient du surnaturel, respecté de tous, et se prolongeant dans son héritage.

— Tu as entendu parler de la légende des rois assoupis ? demanda Gansey à Ashley avec une animation croissante. Celle selon laquelle de preux héros comme Llewellyn, Glendower ou Arthur ne sont pas vraiment morts, mais dorment dans leur tombeau en attendant qu'on les réveille.

Ashley cligna des yeux avec affectation.

— Ça m'a tout l'air d'une métaphore, commenta-t-elle.

Elle n'était peut-être pas aussi stupide qu'elle le semblait.

— Possible, dit Gansey, qui montra d'un grand geste les cartes et leurs tracés des lignes de ley que Glendower avait pu suivre, puis saisit derrière lui son carnet et le feuilleta. Je crois que la dépouille de Glendower a été transportée au Nouveau Monde, et plus précisément ici, en Virginie, et je cherche à découvrir l'endroit où il a été inhumé.

Au grand soulagement d'Adam, Gansey n'avoua pas qu'il croyait aux légendes selon lesquelles, des siècles après sa mort, Glendower restait vivant, endormi, et prêt à exaucer le vœu de celui qui viendrait le tirer de son sommeil. Il ne dit rien du désir qui le taraudait de retrouver le roi perdu et ne mentionna ni les coups de fil passés à Adam en pleine nuit, lorsque son obsession pour sa quête l'empêchait de dormir, ni les microfiches, les musées, les articles dans les journaux sur les détecteurs de métaux, les derniers programmes de calcul des distances ou ses manuels de langues étrangères tout écornés.

Il s'abstint également de parler de magie ou de lignes de ley.

— C'est complètement dingue! s'exclama Ashley sans quitter le carnet des yeux. Et pourquoi tu crois que Glendower est par ici?

Il y avait deux réponses possibles à cette question. L'une ne se basait que sur la légende et convenait parfaitement au grand public, l'autre était enrichie de baguettes de sourcier et de magie. Dans ses mauvais jours, Adam se prenait parfois à presque croire à la première version, mais son amitié pour Gansey lui faisait le plus souvent espérer la seconde. C'était précisément là, songeait-il non sans dépit, que Ronan excellait : lui croyait dur comme fer au surnaturel, mais la foi d'Adam, elle, était plus imparfaite.

Que ce soit parce qu'elle était de passage, ou considérée *a priori* comme une sceptique, Ashley eut droit à la première version. Gansey lui donna d'un ton professoral quelques explications sur les toponymes gallois dans la région et les objets datant du XVe siècle exhumés en Virginie, et disserta doctement sur les éléments corroborant la thèse d'une arrivée précolombienne des Gallois en Amérique.

Au beau milieu de sa démonstration, Noah – le troisième habitant, un grand solitaire, de la manufacture Monmouth – sortit de sa chambre jouxtant le bureau que Ronan avait réquisitionné pour la sienne. Dans la pièce exiguë et méticuleusement rangée, le lit de Noah avoisinait une étrange machine, qu'Adam supposait être une sorte de presse à imprimer.

Noah approcha. Il souriait moins à Ashley qu'il ne la dévorait des yeux. Il avait tendance à ne pas se montrer sous son meilleur jour, lorsqu'il rencontrait quelqu'un pour la première fois.

— Et voici Noah ! le présenta Declan d'un ton qui confirmait les soupçons d'Adam : la manufacture Monmouth et ses habitants étaient pour Declan et Ashley un objet de curiosité, et un futur sujet de conversation au dîner.

Noah tendit la main à Ashley.

— Oh, que tu as les mains *froides* ! s'exclama-t-elle en pressant les siennes contre son chemisier.

— Je suis mort depuis maintenant sept ans, expliqua Noah. Elles ne deviennent jamais plus chaudes que ça.

Malgré sa chambre impeccablement propre, Noah était toujours un peu négligé. Quelque chose semblait sans cesse clocher dans sa tenue, dans ses cheveux blonds vaguement peignés en arrière, et, en voyant son uniforme froissé, Adam se sentait souvent un peu moins déplacé dans le sien. Près de Gansey, dont la chemise blanche au col cassé à la George Washington coûtait à elle seule plus cher que le vélo d'Adam (et ceux qui disent que rien ne distingue une chemise du centre commercial d'une chemise confectionnée par un habile Italien n'ont jamais vu la seconde), ou même près de Ronan, qui avait mis neuf cents dollars dans un tatouage uniquement dans le but de contrarier son frère, Adam avait du mal à se voir en Corbeau.

La porte de la chambre de Ronan s'ouvrit, coupant court au gloussement poli d'Ashley, et le visage de Declan s'assombrit tout de go.

Les deux Lynch se ressemblaient indéniablement comme des frères, avec leurs cheveux châtain foncé et leur nez anguleux, mais, si Declan était solide, Ronan était cassant. *Votez pour moi !* disaient les larges mâchoires souriantes de l'aîné, mais le crâne rasé et les lèvres fines de Ronan dénotaient le venin.

— Tu ne devais pas être à un cours de tennis, Ronan ? dit Declan. (« Quand Ronan ne sera-t-il *pas* libre ? » avait-il demandé un peu plus tôt au téléphone à Adam.)

— En effet, répliqua Ronan.

Il y eut un moment de silence. Declan réfléchissait à ce qu'il pouvait dire devant Ashley, et Ronan s'amusait de l'embarras visible de son aîné. Adam avait toujours connu les deux plus âgés des frères Lynch à couteaux tirés (trois frères Lynch au total fréquentaient Aglionby Academy). Gansey, contrairement à la plupart, préférait Ronan à Declan. Sans doute parce que Ronan, soupçonnait Adam, malgré sa cruauté était sincère, et, pour Gansey, la sincérité était sacrée.

Declan tarda une seconde de trop, et Ronan croisa les bras sur sa poitrine avant d'assener :

— Pour le coup, t'as vraiment décroché le gros lot, Ashley ! Tu vas passer une nuit fantastique avec lui, avant qu'une autre passe une autre nuit fantastique avec lui demain.

Très haut au-dessus de leurs têtes, une mouche bourdonna contre une vitre. Derrière Ronan, la porte de sa chambre tapissée des photocopies de ses contraventions se referma d'elle-même.

La bouche béante d'Ashley dessinait moins un O qu'un D de travers. Gansey décocha une bonne bourrade dans le bras de Ronan, mais le mal était fait.

— Il regrette, dit Gansey.

Les lèvres d'Ashley se refermaient lentement. Elle fixa la carte du pays de Galles en clignant des yeux, puis se tourna vers Ronan. L'arme était bien choisie : la stricte vérité, sans une once de considération.

— Mon frère est un... commença Declan avant de s'interrompre, incapable de poursuivre. On s'en va, reprit-il. Ronan, je crois que tu devrais réfléchir à...

Il se tut à nouveau tant les mots lui manquaient : son frère avait monopolisé les plus expressifs.

Declan saisit brusquement la main d'Ashley, l'arrachant à sa transe, et la tira vers la porte.

— Declan... risqua Gansey.

— N'essaie pas d'arranger les choses ! avertit Declan.

Il entraîna Ashley, et Adam entendit sa voix résonner dans l'escalier : « Je t'avais prévenue que mon frère a des problèmes ! J'avais pourtant essayé de faire en sorte qu'on passe quand il ne serait pas là. C'est lui qui a trouvé papa, ça l'a complètement détraqué. Si on allait manger des fruits de mer ? Tu n'as pas envie de homard, toi, ce soir ? Moi, oui. »

— Tu exagères, Ronan ! lui dit Gansey dès que la porte claqua derrière eux.

Ronan avait toujours l'air furieux. Son code d'honneur personnel n'admettait ni l'infidélité ni les relations superficielles. Il les jugeait moins intolérables qu'inconcevables.

— Bon, je te l'accorde, c'est une ordure, mais ce n'est pas ton problème, ajouta Gansey.

Adam songea que Ronan non plus n'était pas celui de Gansey, mais ils s'étaient déjà disputés à ce propos.

Ronan haussait un sourcil acéré comme un rasoir.

Gansey referma son carnet et l'entoura d'une sangle avant de poursuivre :

— Arrête ton cinéma, ça ne prend pas avec moi ! Ashley n'a rien à voir avec vos histoires, à Declan et toi. (Il disait « Declan-et-toi », comme s'il s'agissait là d'une entité concrète, d'une chose qu'on pouvait soulever pour regarder au-dessous.) Tu t'es très mal conduit avec elle, et tu lui as donné une mauvaise image de nous !

Ronan prit un air contrit, mais Adam n'était pas dupe. Le garçon ne regrettait pas sa conduite, seulement que Gansey en ait été témoin. Les frères Lynch entretenaient des rapports si sombres et orageux qu'ils occultaient les sentiments de tout leur entourage.

Mais Gansey devait bien le savoir, lui aussi. Il passait et repassait son pouce sur sa lèvre inférieure, d'un geste habituel qui semblait parfaitement machinal, et sur lequel Adam n'avait jamais pris la peine d'attirer son attention.

— Dieu que je me sens sale ! dit-il en surprenant le regard d'Adam. Venez, on va chez Nino ! On prendra des pizzas, et j'appellerai cette voyante, et tout s'arrangera sur cette satanée planète !

C'était pour cela qu'Adam pardonnait à Gansey sa frivolité creuse et son ostentation. Alors que sa fortune, son nom, son sourire affable et son rire désinvolte, sa façon d'aimer les gens et de s'en faire aimer (dont il lui arrivait pourtant de douter) lui auraient permis d'avoir tous les amis qu'il pouvait souhaiter, c'était eux trois qu'il avait choisis, trois garçons destinés, pour trois raisons diverses, à rester solitaires.

— Je ne vous accompagne pas, dit Noah.

— T'as encore besoin d'être tout seul ! railla Ronan.

— Enterre la hache de guerre, tu veux bien, Ronan ? intervint Gansey. On ne t'obligera pas à manger, Noah. Adam ?

Adam releva la tête, distrait. Ses pensées avaient glissé de la conduite de Ronan à l'intérêt qu'Ashley avait manifesté pour le carnet, dont il se demandait s'il trahissait plus que la curiosité habituelle des gens confrontés à Gansey et à ses obsessions ; il songeait qu'il ne ferait pas part de ses réflexions à son ami, car celui-ci, toujours prêt à partager sa quête, ne manquerait pas de le juger trop méfiant et inutilement jaloux.

Gansey et Adam n'avaient pas les mêmes raisons pour chercher Glendower. Gansey rêvait de son roi comme du Graal. Il était mû par un besoin désespéré, quoique assez nébuleux, d'être utile, de se convaincre que, au-delà des soirées arrosées au champagne et des chemises blanches, sa vie avait un sens, et par la nécessité de résoudre un conflit qui faisait rage en lui de longue date.

Adam, pour sa part, avait besoin de la faveur royale.

Il s'ensuivait qu'ils devaient être ceux qui réveilleraient Glendower, et donc les premiers à le trouver.

— Allez, Parrish, tu viens ! insista Gansey.

Adam fit la grimace. Il doutait qu'une pizza puisse améliorer le caractère de Ronan.

Mais Gansey attrapait déjà les clefs de Tête de lard et contournait le modèle réduit de Henrietta. Malgré l'expression hargneuse de Ronan, les soupirs de Noah et la réticence manifeste d'Adam, il ne se retourna pas pour vérifier que ses amis le suivaient. Il le savait : chacun des trois avait sa propre dette à son égard et, le moment venu, lui emboîterait le pas jusqu'au bout du monde.

— *Excelsior !* s'exclama Gansey, et il referma la porte derrière eux.

CHAPITRE 5

Le dos voûté, Barrington Whelk traversait d'un pas sans entrain le grand hall de Whitman House, qui abritait les services administratifs d'Aglionby Academy. Il était cinq heures de l'après-midi, la fin des cours avait sonné depuis longtemps, et il était venu chercher des devoirs qu'il devait corriger et noter avant le lendemain. Le soleil entrait à flots par les nombreuses petites vitres des hautes croisées à sa gauche. Des bureaux du personnel de l'autre côté montait un bourdonnement de voix. Ces vieux bâtiments prenaient des airs de musée, à cette heure de la journée.

— Barrington, je vous croyais absent aujourd'hui ! Vous avez une mine affreuse, vous êtes malade ?

Whelk ne répondit pas immédiatement. De fait, il se sentait pour ainsi dire encore *ailleurs*. Jonah Milo, le coquet professeur de lettres de première et terminale, avait surgi devant lui. Whelk ne le détestait pas, malgré son penchant pour les tissus écossais et les pantalons de velours étroits, mais n'avait pas la moindre envie de discuter avec lui. La veille de la Saint-Marc commençait pour Whelk à prendre des allures de rite, un rite qui impliquait de passer la plus grande partie de la nuit à se soûler, pour s'écrouler, endormi, juste avant l'aube, sur le sol de sa petite cuisine. Cette année, il avait eu la présence d'esprit de demander un jour de congé pour la Saint-Marc. Enseigner le latin aux garçons d'Aglionby était toujours une corvée, le faire après une cuite devenait atroce.

Whelk se borna à brandir son paquet désordonné de copies en guise de réponse, et Milo écarquilla les yeux en voyant le nom sur la première feuille.

— Ronan Lynch ! C'est son devoir que vous avez là ?

Whelk retourna le paquet pour lire le nom et approuva. Quelques garçons qui allaient à leur entraînement passèrent en trombe en le bousculant, probablement sans même prendre conscience de leur impolitesse. Whelk était à peine plus âgé qu'eux, et sa carrure impressionnante le rajeunissait encore plus. On pouvait facilement le prendre pour un élève.

Milo se désempêtra de Whelk.

— Il assiste à vos cours ? Comment faites-vous ?

Le simple fait de mentionner Ronan Lynch avait mis quelque chose à vif en Whelk. Parce qu'il ne s'agissait jamais de Ronan seul, mais de Ronan en tant qu'élément d'un trio d'inséparables : Ronan Lynch, Richard Gansey et Adam Parrish. Presque tous les élèves de Whelk étaient riches, pleins d'assurance et arrogants, mais ces trois-là surtout lui rappe-laient ce qu'il avait perdu.

Whelk tâcha de se rappeler s'il était arrivé à Ronan de sécher ses cours. Les dates se brouillaient dans son esprit, se fondaient en une longue, une interminable journée, durant laquelle, après avoir garé son vieux tacot près des splendides automobiles des élèves d'Aglionby, il se frayait difficilement un chemin entre des groupes de garçons hilares et discourtois jusqu'à sa classe pleine de regards au mieux mornes, au pire goguenards. Et le soir, seul et hanté, il ne pouvait jamais oublier qu'il avait un jour été l'un des leurs.

Quand donc ceci est-il devenu ta vie ?

Il haussa les épaules.

— Je ne me souviens pas qu'il ait manqué.

— Mais vous l'avez avec Gansey, n'est-ce pas ? reprit Milo. Ça explique tout : ces deux-là sont copains comme cochons !

C'était une drôle de vieille expression, que Whelk n'avait plus entendue depuis l'époque où, lui-même élève à Aglionby, son camarade de chambre Czerny et lui avaient été « copains comme cochons ». Il sentit en lui un vide, comme une sensation de faim, et songea qu'il aurait mieux fait de rester chez lui à boire encore, en l'honneur de cette misérable journée.

Il revint non sans peine à la réalité et regarda la feuille de présence que son remplaçant avait remplie.

— Lynch est venu aujourd'hui, mais pas Gansey, pas à mon cours en tout cas.

— Sans doute à cause de la Saint-Marc et de toutes ces histoires dont il parlait, dit Milo.

Whelk dressa l'oreille. Personne n'était censé savoir qu'on fêtait saint Marc aujourd'hui. Personne ne célébrait cette date, pas même la propre mère du saint ! Elle n'existait que pour Whelk et Czerny, les chercheurs de trésors et les fauteurs de troubles.

— Plaît-il ? interrogea Whelk.

— Je ne sais pas trop de quoi il s'agit, en fait, dit Milo.

Un collègue le salua en sortant de la salle des professeurs, et il tourna la tête pour lui répondre. Whelk eut envie de le saisir par le bras pour attirer de force son attention et dut se contraindre à la patience, mais Milo sentit certainement l'intérêt de Whelk, car il reprit :

— Il ne vous en a pas parlé ? Il était intarissable, hier, sur ces lignes de ley dont il nous rebat sans cesse les oreilles.

Lignes de ley.

Si personne n'était au courant pour la Saint-Marc, *absolument* personne ne devait l'être pour les lignes de ley, et encore moins à Henrietta, en Virginie. Surtout pas l'un des élèves les plus riches de l'établissement, et surtout pas en conjonction avec la Saint-Marc. C'était la quête de Whelk, *son* trésor et *sa* jeunesse ! De quel droit Richard Gansey III en parlait-il ?

Entendre les mots « lignes de ley » prononcés à voix haute faisait affleurer à sa mémoire un souvenir : il se trouvait dans une épaisse forêt, il avait dix-sept ans, la sueur s'accumulait sur sa lèvre supérieure, et il tremblait ! À chaque battement de cœur, des lignes rouges envahissaient les coins de son champ visuel, à chaque battement de pouls, les arbres s'assombrissaient, ce qui lui donnait l'impression que les feuilles bougeaient, bien qu'il n'y eût pas de vent. Czerny gisait au sol ; pas mort, mais *moribond ;* ses jambes s'agitaient encore convulsivement sur la terre bosselée, près de sa voiture rouge, et rassemblaient les feuilles en tas à ses pieds ; son visage était… détruit. Dans la tête de Whelk, des voix immatérielles sifflaient et chuchotaient des mots brouillés, étirés l'un dans l'autre.

— Une espèce de source d'énergie, ou quelque chose comme ça, lui disait Milo.

Soudain, Whelk craignit que Milo ne déchiffre sur son front son souvenir et n'entende les voix, mystérieuses et incompréhensibles, mais qui n'en résonnaient pas moins dans sa tête depuis le jour de son échec.

Si quelqu'un d'autre cherche par ici, c'est que j'ai sans doute raison. Je dois être au bon endroit, songea-t-il en se composant un visage.

— Et qu'est-ce qu'il fait, au juste, à propos de ces lignes de ley ? demanda-t-il avec un calme feint.

— Aucune idée ! Vous devriez lui poser la question, il sera sûrement ravi de vous répondre !

Milo tourna de nouveau la tête quand la secrétaire vint les rejoindre, son sac à la main et sa veste sur le bras. Son eye-liner avait coulé un peu au cours de sa longue journée de bureau.

— Alors, on parle de Gansey III et de ses lubies New Age ? demanda-t-elle.

Elle avait fiché un crayon dans ses cheveux pour les tenir relevés, et Whelk fixa des yeux les mèches échappées qui s'enroulaient autour de la mine. À sa façon de se tenir, on devinait qu'elle trouvait Milo attirant, malgré ses velours côtelés, ses carreaux écossais et sa barbe.

— Vous avez une idée de la fortune de son père ? Je me demande s'il sait ce que son gamin fabrique. Je vous jure, il y a des moments où ces sales petits snobs me donnent envie de m'ouvrir les veines ! Tu viens fumer une cigarette avec moi, Jonah ?

— J'ai arrêté, dit Milo.

Il lança à la secrétaire, puis à Whelk, un rapide coup d'œil gêné, et ce dernier sut qu'il songeait à combien le père de Whelk était riche naguère et combien il était pauvre à présent, même si les articles sur les procès avaient déserté de longue date la une des journaux. Les membres les plus jeunes du corps professoral et le personnel administratif haïssaient en bloc les élèves d'Aglionby pour ce qu'ils possédaient et représentaient, et Whelk n'ignorait pas qu'on se félicitait en secret de sa chute.

— Et vous, Barry ? demanda la secrétaire. Non, bien sûr, vous ne fumez pas, vous êtes bien trop délicat pour ça. Tant pis, j'y vais toute seule !

Milo s'apprêtait à partir lui aussi.

— Prenez soin de vous, dit-il gentiment à Whelk bien que celui-ci n'eût jamais avoué qu'il était malade.

Les pensées du professeur de latin noyaient pour une fois les voix grondant dans sa tête.

— Je n'y manque pas, répondit-il.

Peut-être Czerny n'était-il pas mort pour rien, tout compte fait.

CHAPITRE 6

Blue ne se serait pas vraiment décrite comme serveuse. Après tout, elle donnait également des cours d'écriture à des élèves de CE2, tressait des couronnes de fleurs pour la Société des dames de perpétuelle santé, promenait les chiens des habitants des résidences les plus luxueuses de la ville et repiquait des plantes ornementales pour des vieilles personnes du voisinage. Son travail de serveuse chez Nino était en réalité le moins important de tous, mais les horaires en étaient souples, c'était celui qui payait le mieux, et aussi la ligne d'apparence la plus normale sur son CV déjà bizarre.

Le seul problème avec la pizzeria, c'était qu'en pratique les Corbeaux l'avaient annexée. À seulement six rues des grilles du campus, elle jouxtait le centre historique de la ville. Ce n'était pas le restaurant le plus agréable de Henrietta, d'autres avaient des écrans de télévision plus grands ou montaient le son plus fort, mais aucun de leurs propriétaires n'avait réussi à gagner les faveurs des élèves d'Aglionby comme Nino. Le simple fait d'avoir saisi que cette pizzeria était le lieu à fréquenter représentait en soi un rite de passage : si vous vous laissiez tenter par le Bar des Sports de Morton sur la Troisième Rue, c'est que vous ne méritiez pas de faire partie des initiés.

Les garçons d'Aglionby que l'on croisait chez Nino étaient donc non seulement des élèves de l'établissement, mais surtout les plus aglionbiesques des Corbeaux : bruyants, exigeants et titrés.

Blue en avait déjà bien vu assez comme ça.

Ce soir, la musique tonitruante commençait à l'abrutir. Elle noua son tablier, s'efforça autant que possible d'ignorer les Beastie Boys et afficha son sourire à récolter des pourboires.

Elle n'avait pas commencé son service quand quatre garçons entrèrent dans la salle, accompagnés d'un courant d'air froid qui sentait l'origan et la bière. Ils passèrent près de la fenêtre, où l'enseigne au néon qui disait *Depuis 1976* illumina leurs visages d'un vert malsain. Le premier parlait dans son téléphone portable, tout en levant quatre doigts à l'adresse de Cialina pour indiquer combien ils étaient. Les Corbeaux avaient un don pour faire plusieurs choses à la fois, du moment que toutes les opérations ne visaient que leur propre bénéfice.

Un mélange d'électricité statique et d'affreux stress faisait flotter les cheveux de Cialina au-dessus de sa tête. Elle passa en toute hâte, les poches pleines de tickets de caisse à distribuer, et Blue lui tendit quatre menus graisseux.

— Tu veux que je m'occupe de cette table-là ? lui dit-elle, bien que de très mauvais gré.

— Tu plaisantes ? répondit Cialina en gardant un œil sur les garçons.

Le premier mit fin à sa conversation et se glissa sur la banquette de vinyle orange d'un des box. Le plus grand se cogna la tête contre le lustre de verre taillé au-dessus de la table. « Saloperie ! » jura-t-il. Ses camarades s'esclaffèrent.

Quand il se tourna pour s'asseoir, un tatouage ondula hors de son col. Les quatre garçons avaient tous l'air avide.

Quoi qu'il en soit, Blue les jugeait indésirables.

Ce qu'elle aurait voulu, c'était un travail qui n'aspirerait pas toutes les pensées hors de sa tête pour les remplacer par la voix sournoise d'un synthétiseur. Parfois, Blue filait en douce faire une micropause et, la nuque appuyée contre le mur de brique de la ruelle derrière le restaurant, se prenait à rêver vaguement d'existences consacrées à observer les anneaux de croissance des arbres, à nager parmi des raies manta ou à écumer le Costa Rica pour en apprendre plus sur le tyran pygmée à crête en écaille.

Elle n'était pas absolument convaincue de vouloir étudier le tyran pygmée ; simplement, le nom lui plaisait, parce que, pour une fille qui mesure un mètre cinquante, un *tyran pygmée* prend des airs de géant.

Ces vies imaginaires semblaient toutes très éloignées de chez Nino.

Le gérant ne tarda pas à lui faire signe des cuisines. Ce soir, c'était Donny. Nino en employait une bonne quinzaine, tous membres de sa famille, et aucun bachelier.

Donny parvint à lui tendre le téléphone avec un mélange de hâte et de nonchalance.

— Un de tes parents, ta mère, je crois.

Précision superflue, dans la mesure où Blue ignorait tout de son père. Elle avait bien tenté de harceler Maura de questions à son sujet, mais sa mère noyait habilement ce poisson.

Blue prit le combiné et se réfugia dans un coin de la cuisine, près d'un réfrigérateur couvert d'une épaisse couche de graisse et d'un grand évier. Même là, elle se faisait bousculer.

— Je travaille, maman !

— Pas de panique ! Tu es assise ? Non, ce n'est pas nécessaire. Ou si, peut-être. Appuie-toi sur quelque chose, au moins. Il a appelé ! Il a pris rendez-vous pour une séance.

— Qui ça, maman ? Parle plus fort, il y a du bruit, ici !

— *Gansey.*

Blue resta un moment sans comprendre, médusée.

— Il a pris rendez-vous pour quand ? demanda-t-elle d'une voix un peu altérée.

— Demain après-midi. J'ai bien essayé de le convaincre de venir plus tôt, mais il m'a objecté qu'il avait cours. Tu travailles, demain ?

— Je vais permuter, dit Blue aussitôt, mais une autre parlait pour elle : la vraie Blue, de retour dans le cimetière de l'église, réentendait la voix de *Gansey.*

— J'espère bien. Allez, va travailler !

En raccrochant, Blue sentit son pouls palpiter.

Tout était donc vrai. Il était vrai. Vrai et terriblement spécifique.

Ça paraissait idiot de rester là, à servir des plats et à verser des boissons en souriant à des inconnus. Elle aurait voulu être chez elle, appuyée contre l'écorce fraîche du grand hêtre derrière la maison, pour réfléchir à ce que cela changeait dans sa vie. Neeve lui avait dit qu'elle tomberait amoureuse cette année, et Maura ainsi que d'autres avaient déclaré que, si elle embrassait l'amour de sa vie, il en mourrait. Gansey devait mourir cette année. À tous les coups, Gansey était l'amour de sa vie, forcément, et elle se refusait à tuer qui que ce soit.

La vie est vraiment censée ressembler à ça ? Il vaudrait peut-être mieux ne rien savoir.

On posa une main sur son épaule.

Blue ne tolérait aucun contact physique. Nul ne devait la toucher pendant son service au restaurant, et surtout pas maintenant, quand elle était en pleine crise. Elle fit brusquement volte-face.

— Je peux faire quelque chose pour vous ? s'enquit-elle d'un ton hostile.

Le Corbeau polyvalent au portable se tenait devant elle, avec son air propret et ses allures de président. Sa montre devait avoir coûté plus cher que la voiture de Maura, et toute la surface visible de sa peau était joliment hâlée. Blue n'avait jamais réussi à comprendre comment les Corbeaux arrivaient toujours à bronzer avant les gens du coin. C'était probablement en lien avec des choses comme les vacances de printemps et des endroits comme le Costa Rica et la côte espagnole. Président au portable avait sans doute approché un tyran pygmée de plus près qu'elle ne le ferait jamais.

— Je l'espère vraiment, dit-il d'un air qui dénotait moins l'espoir que l'assurance.

Il devait parler fort pour se faire entendre, et pencher la tête pour croiser le regard de Blue. De sa personne émanait une irritante impression d'importance, et il paraissait très grand, bien qu'il ne le soit pas plus que la plupart des garçons.

— Mon ami Adam vous trouve mignonne, mais il est trop timide pour vous aborder. Là-bas. Pas celui qui a l'air absent, ni l'autre qui fait une sale tête.

Blue jeta à contrecœur un coup d'œil vers le box qu'il désignait du geste. Des trois garçons attablés là, l'un avait effectivement un air détaché, comme froissé et décoloré, à croire que son corps avait été lessivé trop souvent. Celui qui s'était cogné la tête contre le lustre, beau gosse, avec son crâne rasé, ressemblait à un soldat en guerre contre un ennemi qui serait tout le monde. Le troisième donnait une impression... presque d'élégance. Il avait un visage à l'ossature délicate, d'aspect un peu fragile, et des yeux bleus assez jolis pour être ceux d'une fille.

Malgré tous ses instincts, Blue sentit frémir en elle un soupçon d'intérêt.

— Et alors ?

— Alors, accepteriez-vous de venir lui parler ?

Elle envisagea une milliseconde ce que serait une conversation embarrassée et vaguement sexiste dans un box plein de Corbeaux, une milliseconde qui, en dépit du visage avenant du troisième garçon, ne lui fut guère agréable.

— Lui parler de quoi, au juste ?

Président au portable ne se démonta pas :

— Nous trouverons bien quelque chose, nous sommes des gens intéressants.

Blue en doutait. Mais le garçon, là-bas, avait de la classe, et aussi l'air sincèrement horrifié de voir son ami lui parler, ce qu'elle trouva un peu touchant. Un bref, très bref instant, qui la laissa par la suite perplexe et honteuse, Blue songea à dire à Président au portable à quelle heure elle finissait, mais Donny l'appela à ce moment-là des cuisines, et elle se souvint de ses deux règles.

— Vous voyez ce tablier que je porte ? rétorqua-t-elle. Ça veut dire que je travaille, je gagne ma vie.

Il ne se départit pas de son flegme.

— Je m'en occupe.

— Comment ça, vous vous en occupez ?

— Oui. Combien gagnez-vous par heure ? Laissez-moi faire, je vais parler à votre patron.

Blue resta littéralement sans voix. Elle n'avait jamais cru ceux qui disent que l'on peut soudain devenir muet, et voilà que ça lui arrivait ! Elle ouvrit la bouche, mais il n'en sortit tout d'abord que de l'air ; puis une chose qui ressemblait à une amorce de rire ; et, finalement, elle parvint à bafouiller :

— Je ne suis pas *à vendre* !

Le garçon d'Aglionby resta un instant perplexe.

— Mais je ne voulais pas dire ça, et ce n'est pas ce que j'ai dit !

— *C'est* ce que vous avez dit ! Vous vous figurez que vous pouvez me payer pour que je parle à vos amis ? Manifestement, c'est dans vos habitudes, et vous ne savez pas comment ça marche dans le monde réel, mais...

Blue se souvint alors qu'elle travaillait, du moins jusqu'à un certain point, et elle se demanda lequel. L'indignation avait tout gommé, hormis son envie de gifler le garçon. Celui-ci ouvrit la bouche pour protester, et le cerveau de Blue se remit abruptement en marche.

— La plupart des filles qui s'intéressent à un garçon lui tiennent compagnie *gratuitement*.

À sa décharge, le garçon d'Aglionby prit son temps pour répondre.

— Vous m'annoncez que vous êtes en train de travailler et de gagner votre vie, déclara-t-il calmement. J'ai donc pensé qu'il serait mal élevé de ne pas en tenir compte. Je suis désolé que vous vous soyez sentie insultée. J'essaie d'être compréhensif, et je trouve un peu injuste que vous ne me rendiez pas la pareille.

— Je vous trouve *condescendant,* dit Blue.

Elle vit du coin de l'œil Garçon Soldat imiter de la main un avion. L'appareil descendait en piqué, zigzaguant vers la surface de la table, et Garçon Absent ravalait un rire. Garçon Élégant dissimulait son visage derrière sa main dans une feinte horreur, les doigts juste assez écartés pour qu'elle surprenne sa grimace.

— Misère ! Que voulez-vous que je vous dise ?

— « Je suis désolé », conseilla-t-elle.

— Je l'ai déjà fait.

Blue considéra la chose.

— Alors « Au revoir ».

Il eut un petit geste de la main devant son torse, qu'elle prit pour une forme de salutation, ou de courbette, ou une de ces simagrées sarcastiquement polies. Calla, l'amie de sa mère, lui aurait fait un doigt d'honneur, mais Blue se borna à fourrer ses mains dans la poche de son tablier.

Président au portable retourna à sa table, où il prit un épais carnet relié de cuir qui semblait incongru dans ses mains. Garçon Soldat éclata d'un rire moqueur, et elle l'entendit singer « … pas à vendre ». Garçon Élégant enfonçait sa tête dans ses épaules, les oreilles cramoisies.

Pas pour cent dollars, songea Blue. *Ni même deux cents.*

Ces oreilles la troublaient pourtant un peu. Elles détonnaient. Un Corbeau pouvait-il éprouver de l'embarras ?

Elle l'avait fixé un instant de trop : le garçon leva les yeux et croisa son regard. Il fronçait les sourcils d'un air moins méchant que contrit, ce qui raviva ses doutes.

Puis elle crut entendre à nouveau la voix de Président au portable. « Je m'en occupe. » Elle lui lança un sale regard, digne de Calla, et pivota vivement vers la cuisine.

Neeve devait se tromper. Jamais elle ne tomberait amoureuse d'un de ces types-là.

CHAPITRE 7

— Rappelle-moi pourquoi tu penses que c'est une bonne idée de consulter un médium, demanda Gansey à Adam.

Les pizzas avaient été liquidées (sans l'aide de Noah), Gansey se sentait mieux et Ronan moins bien. Vers la fin du repas, ce dernier avait fini de gratter toutes les croûtes dues à sa virée en chariot de déménageur, et se serait attaqué à celles d'Adam si celui-ci s'était laissé faire. Gansey l'envoya se calmer dehors et chargea Noah de veiller sur lui.

Gansey et Adam attendaient pour payer, tandis qu'une femme se chicanait avec l'employé à propos d'une garniture de champignons.

— Les médiums travaillent sur des forces, répondit Adam juste assez haut pour se faire entendre par-dessus le vacarme de la musique.

Il examina l'emplacement sur son bras où il avait lui-même arraché une croûte. La peau au-dessous semblait un peu à vif. Il releva la tête et regarda derrière lui, cherchant sans doute des yeux la serveuse enragée. Gansey se sentait un peu coupable d'avoir saboté les chances de son ami avec elle, mais se disait aussi qu'il lui avait peut-être épargné d'avoir la moelle épinière arrachée et dévorée.

Gansey songea qu'il avait probablement mésestimé une fois de plus le facteur argent. Il n'avait pas eu *l'intention* d'offenser la jeune fille, mais, rétrospectivement, force lui était d'admettre qu'il avait pu le faire. Cela risquait de le tourmenter toute la nuit, et il se promit, comme déjà une bonne centaine de fois, de mieux choisir ses mots à l'avenir.

— Les lignes de ley sont des courants d'énergie, poursuivit Adam. Alors, les forces et l'énergie…

— … c'est du pareil au même, compléta Gansey. Reste à savoir si cette femme médium n'est pas un charlatan.

— On n'est pas en position de faire les difficiles, dit Adam.

Gansey regarda l'addition pour les pizzas qu'il tenait à la main. À en croire l'écriture ronde de leur serveuse, celle-ci se nommait Cialina, et elle avait noté son numéro de téléphone, sans que l'on puisse savoir à quel garçon elle l'adressait. Certains s'avéraient moins dangereux à fréquenter que d'autres. Quoi qu'il en soit, de toute évidence, *elle* ne l'avait pas jugé condescendant.

Sans doute parce qu'elle ne l'avait pas entendu parler.

Toute la soirée. Ça allait lui gâcher *toute la soirée !*

— Si seulement on avait une idée de la largeur des lignes ! Dire qu'après tout ce temps je ne sais toujours pas si on cherche un fil ou une autoroute ! On a très bien pu déjà passer à seulement quelques mètres sans le savoir.

Adam se dévissait le cou à force de regarder sans cesse tout autour de lui. La serveuse restait invisible. Il avait l'air fatigué, l'air d'avoir veillé trop de nuits d'affilée, à travailler et étudier. Gansey avait horreur de le voir comme ça, mais rien de ce qui défilait dans sa tête ne lui semblait possible à dire. Adam ne tolérait aucun apitoiement.

— Mais les lignes doivent bien avoir une certaine épaisseur, puisqu'on peut les détecter, reprit celui-ci en se frottant la tempe du dos de la main.

Des mois d'enquêtes et d'explorations, baguette de sourcier à la main, avaient mené Gansey à Henrietta. Par la suite, Adam et lui avaient cherché à localiser plus précisément la position de la ligne. Ils avaient fait le tour de la ville, armés d'une tige de saule et d'un détecteur de fréquences électromagnétiques, en échangeant de temps à autre leurs instruments. La machine avait affiché quelques pics étranges, et Gansey avait alors cru sentir tressaillir la baguette, mais peut-être avait-il pris ses désirs pour des réalités.

Je pourrais lui dire que, s'il continue comme ça, ses notes vont devenir catastrophiques, pensa Gansey en regardant les cernes sombres sous les yeux de son ami. Mais ne ferait-il pas mieux de prétendre que cette quête le concernait, lui, Gansey, au premier chef, de sorte qu'Adam ne prenne pas sa remarque pour de la pitié ? Il se demanda comment formuler la chose pour ne pas blesser son ami : « Tu ne pourras plus m'aider, si tu chopes une mononucléose ou un truc comme ça ! » Non, Adam le percerait à jour immédiatement.

— On a besoin d'un solide point A avant de commencer à penser au point B, énonça Gansey.

Pourtant ils connaissaient déjà le point A, et même le B. Le problème, c'était juste que A et B couvraient une surface beaucoup trop étendue. Gansey disposait d'une carte arrachée à un guide touristique de la Virginie, sur laquelle un trait noir figurait le tracé de la ligne de ley. Tout comme leurs homologues britanniques, les pisteurs de lignes de ley américains déterminaient l'emplacement des endroits spirituels majeurs, puis les reliaient, jusqu'à ce que la courbure en arc des lignes apparaisse. Tout le travail semblait déjà fait.

Mais ceux qui avaient établi ces cartes ne les destinaient pas à être utilisées comme des cartes *routières,* elles s'avéraient trop imprécises pour cela. L'une d'elles ne prenait comme points de référence que l'agglomération de New York, Washington, DC, et Pilot Mountain, en Caroline du Nord. Chaque point s'étendait sur des kilomètres et des kilomètres, et le trait de crayon le plus fin représentait sur le terrain pas moins d'une dizaine de mètres de large. Au mieux, il leur restait des centaines d'hectares où pouvait passer la ligne, et donc se trouver Glendower, à supposer pour commencer qu'il soit bien là.

— Je me demande, réfléchit Adam à voix haute, si on ne pourrait pas électrifier la ligne, ou la baguette, en les branchant sur la batterie d'une voiture par exemple.

Si tu obtenais un prêt, tu pourrais arrêter de travailler jusqu'à la fin de tes études. Non, ça déboucherait aussitôt sur un conflit. Gansey secoua légèrement la tête, plus en réaction à ses propres pensées qu'à l'idée d'Adam.

— Ça ressemble au début d'une scène de torture ou d'un vidéo-clip !

Dans son enthousiasme, Adam semblait avoir oublié la serveuse enragée et sa fatigue s'être envolée.

— En fait, je pensais à amplifier le courant d'énergie pour rendre la ligne plus sonore et plus facile à suivre.

L'idée n'était pas mauvaise. L'an passé, dans le Montana, Gansey avait discuté avec un garçon qui avait été frappé par la foudre. Celui-ci était assis sur son quad à l'entrée d'une étable quand cela s'était produit, et il en avait gardé, avec une inexplicable claustrophobie, la faculté mystérieuse de pouvoir suivre une des lignes de ley de l'Ouest, un simple morceau d'antenne radio tordu à la main. Gansey et lui avaient marché deux jours entiers, traversé d'anciennes vallées glaciaires couvertes de champs, cheminé entre des balles de foin rondes plus hautes qu'eux, découvert des sources cachées, de minuscules grottes, des troncs brûlés par la foudre et des roches aux marques étranges. Gansey avait essayé de persuader le garçon de retourner avec lui sur la côte Est, pour procéder de la même façon sur la ligne de ley qui passait là, mais sa phobie lui interdisait les voyages en avion et en voiture et, à pied, ça faisait une trotte.

L'exercice n'avait pourtant pas été complètement inutile. Il apportait de l'eau au moulin de la théorie un peu confuse d'Adam : il y avait effectivement peut-être un lien entre lignes de ley et électricité. Une force et une énergie. Bonnet blanc et blanc bonnet.

La queue avança, et Gansey se rendit compte que Noah rôdait près de lui, l'air tendu et pressant. Les deux caractéristiques étant typiques du personnage, il ne s'en émut pas aussitôt et tendit au caissier quelques billets de banque pliés en deux. Noah poursuivit son manège.

— Qu'est-ce qu'il y a ?

Noah agita les mains comme s'il voulait les mettre dans ses poches, puis s'abstint. Finalement, il fixa Gansey, les bras ballants.

— Declan est là, dit-il.

Un tour d'horizon rapide du restaurant ne révéla rien.

— Où ça ?

— Sur le parking. Ronan et lui…

Gansey se rua dehors sans attendre la suite. Dans l'obscurité du soir, il tourna à toute vitesse le coin du bâtiment, juste à temps pour voir Ronan lancer son poing.

À en croire les apparences, les hostilités venaient seulement de commencer. Sous la clarté verdâtre du réverbère grésillant, Ronan arborait un air indomptable et un visage de pierre. Il avait expédié son poing sans la moindre hésitation : il avait accepté les conséquences de son geste bien avant de l'amorcer.

De son père, Gansey avait hérité un esprit enclin à la logique, un goût pour la recherche et un fonds de dépôt d'un montant semblable à celui de la plupart des loteries d'État.

Du leur, les frères Lynch avaient reçu des ego increvables, une décennie de leçons de musique instrumentale irlandaise et une capacité à boxer avec pugnacité. Niall Lynch n'avait pas beaucoup traîné dans les parages, mais, quand il avait été présent, il s'était montré très bon professeur.

— *Ronan !* cria Gansey.

Trop tard.

Declan s'écroula, mais, avant que Gansey ne puisse commencer à échafauder une stratégie, il se relevait déjà, et son poing percutait son frère. Ronan émit une série de jurons si variés et tranchants que Gansey fut surpris qu'à eux seuls les mots ne transpercent pas Declan à mort. Des bras tournoyèrent comme des ailes de moulin. Des genoux rencontrèrent des poitrines. Des coudes s'enfoncèrent dans des visages. Puis Ronan empoigna le pardessus de Declan et mit sa prise à profit pour projeter son frère sur le capot brillant comme un miroir de la Volvo de celui-ci.

— Pas ma saloperie de caisse ! rugit la victime, la lèvre ensanglantée.

On aurait pu résumer l'histoire de la famille Lynch ainsi : il était une fois un homme appelé Niall Lynch, qui avait trois fils, dont l'un aimait son père plus que les autres. Niall Lynch était beau, charismatique, riche et mystérieux, et, un jour, il fut tiré hors de sa BMW gris anthracite et battu à mort avec un démonte-pneu. C'était un mercredi. Le jeudi, son fils Ronan découvrit son corps dans l'allée du garage. Le vendredi, la mère des frères Lynch cessa définitivement de parler.

Le samedi, les frères Lynch découvrirent que la mort de leur père les laissait riches et à la rue. Le testament leur interdisait de toucher au moindre objet dans la maison – que ce soient leurs vêtements, les meubles… – et exigeait d'eux qu'ils déménagent dans un lotissement à Aglionby. L'aîné, Declan, se voyait chargé de gérer l'argent et la vie de ses frères jusqu'à leurs dix-huit ans.

Le dimanche, Ronan vola la voiture de feu son père.

Le lundi, les frères Lynch n'étaient plus en bons termes.

Declan empoigna Ronan et le frappa avec une violence telle que même Gansey crut sentir le coup. Dans la voiture, Ashley, dont on voyait surtout la chevelure blonde, écarquillait les yeux.

Gansey s'avança résolument.

— Ronan !

L'intéressé ne tourna même pas la tête. En pleine mêlée, il gardait la bouche tordue par un rictus sombre, plus digne d'un squelette que d'un adolescent. C'était un vrai pugilat, pas du chiqué, et ça se passait en accéléré. L'un des deux allait perdre connaissance avant que Gansey puisse crier gare, et il n'avait absolument pas le temps d'emmener quelqu'un aux urgences, ce soir-là.

Il bondit et saisit le bras de Ronan en plein swing. Le garçon tenait les doigts de l'autre main cramponnés à l'intérieur de la bouche de son frère, qui avait lui-même déjà lancé son poing, et ce fut Gansey qui encaissa le coup. Il sentit une chose humide sur son bras. Il était presque sûr qu'il s'agissait de salive, mais ça pouvait aussi être du sang. Il proféra un de ces mots qu'il avait appris de sa sœur Helen.

Ronan avait empoigné Declan par le nœud de sa cravate bordeaux. Declan agrippait la nuque de Ronan d'une main aux jointures blanchies par l'effort. Gansey aurait tout aussi bien pu ne pas être là. D'un mouvement sec du poignet, Ronan choqua le crâne de Declan contre la portière côté conducteur de la Volvo. On entendit un bruit humide et écœurant. La main de Declan retomba.

Gansey sauta sur l'occasion pour propulser Ronan à quelques mètres de là. Se tortillant sous sa poigne, le garçon s'arc-boutait des jambes contre le trottoir. Il avait une force incroyable.

— Laisse tomber, haleta Gansey. Tu te démolis le portrait !

Ronan se tortilla, tout muscles et adrénaline. Dans son costume en loques, Declan se relevait déjà et, malgré le bleu impressionnant qui se formait sur sa tempe, il semblait toujours prêt à en découdre. Impossible de savoir ce qui avait déclenché le conflit – une nouvelle infirmière à domicile pour leur mère, une mauvaise note de Ronan, un prélèvement bancaire inexpliqué ; ou peut-être tout simplement Ashley.

À l'autre bout du parking, le gérant de chez Nino sortit du restaurant. Quelqu'un n'allait pas tarder à appeler la police. Où diable était Adam ?

— Declan ! avertit Gansey. Si tu approches, je te jure que...

Declan tourna brusquement le menton et cracha un jet de sang sur l'asphalte. Sa lèvre était ouverte, mais ses dents tenaient bon.

— Très bien, je t'abandonne ce corniaud, Gansey. Tiens-le en laisse, et empêche-le de se faire virer d'Aglionby. Je m'en lave les mains !

— Si seulement ça pouvait être vrai ! gronda Ronan.

Tout son corps était rigide sous la main de Gansey. Il portait sa haine comme une cruelle seconde peau.

— T'es vraiment qu'une ordure, Ronan ! dit Declan. Si papa voyait...

Ronan bondit derechef en avant. Gansey lui enserra le torse de ses bras et le tira en arrière.

— D'abord, qu'est-ce que tu fais ici ? demanda-t-il à Declan.

— Ashley avait besoin d'aller aux toilettes, répondit celui-ci froidement. Je devrais pouvoir m'arrêter où je veux, non ?

La dernière fois que Gansey était entré dans les toilettes mixtes de chez Nino, les lieux sentaient le vomi et la bière. Sur un des murs, le mot BEEZLEBUB tracé au marqueur indélébile rouge surmontait le numéro de Ronan. Difficile d'imaginer Declan *choisissant* d'infliger les commodités de chez Nino à sa petite amie.

— Je crois que tu ferais mieux de partir ! lui dit Gansey d'un ton sans réplique. Tout ça ne se résoudra pas cette nuit.

Declan laissa fuser un unique éclat de rire rond et sans joie. Il ne trouvait pas Ronan drôle du tout.

— Demande-lui s'il croit s'en tirer avec un B, cette année ! lança-t-il à Gansey. Ça t'arrive, *à l'occasion,* d'aller en cours, Ronan ?

Derrière Declan, Ashley regardait la scène de la voiture. Elle avait baissé la vitre pour écouter, et avait l'air beaucoup moins idiote qu'elle ne le laissait paraître quand elle se croyait observée. Il lui semblait un juste retour des choses que, pour une fois, ce soit Declan qui morfle.

— Je ne dis pas que tu as tort, Declan. (L'oreille de Gansey l'élançait là où le coup de poing l'avait touchée, et il sentait le pouls de Ronan battre furieusement contre son bras. La promesse qu'il s'était faite de mieux choisir dorénavant ses mots lui revint en mémoire et il formula prudemment le reste de sa phrase dans sa tête avant de poursuivre :) Mais tu n'es pas Niall Lynch, tu ne le seras jamais, et tu progresserais bien plus vite si tu renonçais à vouloir l'être.

Gansey relâcha Ronan.

Les frères restèrent tous deux figés sur place, comme si, avec le nom de leur père, Gansey leur avait lancé un sort. Tous deux semblaient avoir pareillement les nerfs à fleur de peau, des blessures différentes infligées par la même arme.

— J'essaie seulement d'aider, finit par dire Declan d'un air vaincu.

Quelques mois plus tôt, Gansey l'aurait cru sur parole.

Ronan se tenait près de lui, les mains ouvertes pendantes à ses côtés. Parfois, quand Adam avait été battu, ses yeux prenaient un air lointain et absent, comme si son corps ne lui appartenait plus. Lorsque Ronan encaissait, au contraire, il devenait si impérieusement présent qu'on l'aurait cru endormi auparavant.

— Je ne te le pardonnerai jamais ! déclara-t-il à son aîné.

Les vitres de la Volvo remontèrent avec un sifflement, comme si Ashley venait juste de se rendre compte que la conversation ne lui était pas destinée.

Declan suçotait sa lèvre sanglante. Il contempla brièvement le sol à ses pieds, puis se redressa et ajusta son nœud de cravate.

— Ton pardon ne signifie plus rien.

Il ouvrit la portière.

— Je refuse d'en parler, lança-t-il à Ashley en se glissant sur le siège du conducteur, et il claqua la portière.

Les pneus de la voiture mordirent le trottoir en hurlant, et Gansey et Ronan restèrent debout l'un près de l'autre dans la clarté blafarde du parking. Quelques rues plus loin, un chien lança trois aboiements sinistres. Ronan effleura son sourcil de son petit doigt, pour voir s'il saignait, mais il ne sentit qu'une grosse bosse qui gonflait.

— Il faut que tu changes, lui dit Gansey.

Il ignorait ce que son ami avait fait ou n'avait pas fait, au juste, mais ne doutait pas de la nécessité d'une réforme. Ronan n'était autorisé à vivre à la manufacture Monmouth que s'il obtenait des résultats scolaires acceptables.

— Peu importe de quoi il s'agit, ne le laisse pas avoir raison !

— Je veux arrêter, murmura Ronan.

— Encore un an, et tu as fini !

— Je ne veux pas continuer encore un an. (Il expédia d'un coup de pied un gravillon sous la Camaro et reprit, sinon plus fort, du moins plus férocement :) Un an, pour que je me retrouve étranglé par une cravate comme Declan ? Je ne suis pas un fichu homme politique, Gansey, ni un banquier !

Gansey aurait pu dire la même chose de lui-même, mais lui ne songeait pas pour autant à abandonner ses études. La douleur qui perçait dans la voix de Ronan lui interdisait de laisser percer la sienne.

— Commence par obtenir ton diplôme, puis tu feras ce que tu voudras !

La fortune de leurs pères respectifs leur garantissait, à l'un comme à l'autre, de n'avoir jamais besoin de travailler pour vivre, sans toutefois leur interdire d'assumer un emploi. Ils étaient des pièces superflues dans la machine sociale, un fait qui pesait différemment sur les épaules de Gansey et sur celles de Ronan.

Ce dernier avait l'air en colère, ce qui n'avait rien de surprenant.

— Je ne sais pas ce que je veux ! Ni même qui je suis !

Il entra dans la Camaro.

— Tu m'as promis, lui dit Gansey par la portière ouverte.

— Je sais, Gansey, répondit Ronan, les yeux baissés.

— Ne l'oublie pas !

Ronan claqua la portière, et le bruit se répercuta dans le parking silencieux à cette heure tardive. Gansey alla retrouver Adam, qui avait suivi toute la scène à une distance prudente. Comparé à Ronan, Adam avait l'air propre, plein de sang-froid et de maîtrise. Il avait déniché quelque part une balle en caoutchouc imprimée du logo de Bob l'Éponge et la faisait rebondir d'un air pensif.

— J'ai réussi à les dissuader d'appeler la police, dit-il.

Il avait toujours été doué pour calmer le jeu.

Gansey poussa un soupir de soulagement. Il ne se sentait pas d'attaque, ce soir, pour intervenir auprès des autorités en faveur de Ronan.

Pourvu que je ne me trompe pas et que je fasse ce qu'il faut pour Ronan ! Si seulement j'arrivais à ressusciter le Ronan d'avant ! Pourvu que je ne sois pas en train de causer sa perte, en tenant Declan à l'écart !

Adam avait dit un jour à Gansey qu'il pensait que Ronan devait apprendre à nettoyer ses propres saletés. Gansey semblait le seul à craindre que Ronan apprenne plutôt à vivre dans sa crasse.

— Où est Noah ?

— Il arrive. Je crois qu'il laisse un pourboire.

Adam lâcha la balle et la rattrapa. Il enroulait ses doigts avec un claquement presque mécanique autour d'elle quand elle rebondissait : une fraction de seconde, sa main était ouverte, paume vide, la suivante, ses doigts serraient sa prise.

Rebond. Clac !

— Pour en revenir à Ashley... reprit Gansey.

— Oui, dit Adam emphatiquement, comme s'il s'attendait à ce que Gansey aborde le sujet.

— Elle a des yeux de fouine.

C'était une des expressions favorites de son père, une formule de sa famille pour désigner quelqu'un qui fourre son nez partout.

— Tu crois qu'elle s'intéresse vraiment à Declan ? demanda Adam.

— À quoi d'autre s'intéresserait-elle ?

— À Glendower, répliqua Adam aussitôt.

Gansey rit, mais il fut le seul.

— Sérieusement ?

Adam retourna le poignet sans répondre et laissa choir la balle. Il avait soigneusement calculé sa trajectoire : elle rebondit une fois contre l'asphalte sale, frappa un pneu de la Camaro, s'éleva très haut dans les airs et disparut dans l'obscurité. Adam avança d'un pas, et elle claqua dans sa paume. Gansey émit un sifflement admiratif.

— Je crois que tu devrais arrêter d'en parler à tout le monde, dit Adam.

— Ce n'est pas un secret.

— Il vaudrait peut-être mieux que ça le soit !

Le malaise d'Adam s'avérait contagieux, mais il n'y avait en réalité aucune raison de se montrer méfiant. Gansey cherchait à localiser Glendower depuis maintenant quatre ans, il en parlait volontiers à tous ceux que cela intéressait et jamais il n'avait croisé quelqu'un qui menait précisément la même quête. Malgré tout, il devait reconnaître que le conseil de son ami lui était étrangement désagréable.

— Tout est visible, Adam, dit-il, presque toutes mes recherches sont accessibles au public. On ne peut plus en faire un secret. Il est trop tard, et depuis plusieurs années déjà.

— Allez, avoue, Gansey ! insista Adam, non sans chaleur. Tu ne sens pas...

— Quoi ?

Gansey avait horreur des disputes avec Adam, et cette conversation lui avait l'air d'en devenir une.

Adam s'efforça de mettre de l'ordre dans ses idées.

— ... qu'on t'observe, poursuivit-il enfin.

À l'autre extrémité du parking, Noah était sorti du restaurant et se dirigeait vers eux d'un pas traînant. Dans la Camaro, affalé contre le dossier, Ronan se tenait la tête inclinée comme s'il dormait. Tout près, Gansey sentait une odeur de roses et de gazon tondu pour la première fois de l'année et, plus loin, la terre humide qui s'éveillait à la vie sous la couche de feuilles mortes et l'eau des torrents de montagne courant sur des rochers, là où personne n'allait jamais. Peut-être Adam avait-il raison, songea Gansey, et il lui sembla percevoir dans la nuit une chose latente, invisible, qui entrouvrait les yeux.

Adam lâcha la balle. Gansey tendit le bras et l'attrapa au vol.

— Tu crois que quelqu'un se donnerait la peine de nous espionner, si on n'était pas sur la bonne piste ?

CHAPITRE 8

Quand Blue put enfin quitter son travail, la fatigue avait gommé son anxiété. Elle inspira une énorme bouffée de l'air froid de la nuit. Il lui semblait impossible qu'il s'agisse là de la même substance que celle pulsée par les bouches à air conditionné de chez Nino.

Elle renversa la tête en arrière pour regarder les étoiles. Ici, loin du centre, les lumières des rares réverbères ne les occultaient pas complètement. La Grande Ourse, le Lion, Céphée : à chaque constellation familière, sa respiration s'apaisait et devenait plus lente.

La chaîne de l'antivol de son vélo lui parut froide quand elle la détacha. Au fond du parking s'élevaient et retombaient des conversations indistinctes. Un pas chuinta sur l'asphalte, juste derrière elle. Même silencieux, les humains restaient les plus bruyants des êtres animés.

Un jour, elle irait vivre dans un endroit où, en sortant de sa maison, elle ne verrait que les étoiles, et pas un seul réverbère, et où elle se sentirait aussi près de partager le don de sa mère qu'il lui était possible. Quand, la nuit, elle contemplait le ciel, elle avait l'impression d'être aspirée, assaillie par un besoin de voir plus loin encore et de saisir, d'appréhender ce firmament chaotique pour en construire une image. Mais cela n'avait aucun sens. Elle ne discernait jamais rien d'autre que le Lion, Céphée, le Scorpion et le Dragon. Peut-être avait-elle tout simplement besoin de quitter la ville et d'élargir ses horizons. Le problème, c'était qu'elle ne souhaitait pas vraiment prédire l'avenir. Elle aurait voulu pouvoir distinguer des choses que personne d'autre ne percevait, mais sans doute était-ce là demander au monde plus de magie qu'il n'en recelait.

— Hmm, bonsoir, mademoiselle...

La voix était précautionneuse, masculine, l'accent local, et les angles des voyelles poncés jusqu'à disparaître. Blue se retourna sans trop d'enthousiasme.

Elle découvrit avec surprise le garçon élégant du restaurant. À la clarté lointaine du réverbère, son visage paraissait plus maigre et plus âgé. Il était seul. Aucune trace de Président au portable, ni du garçon à l'air absent ou de leur ami hostile. Il tenait son vélo d'une main et avait mis l'autre dans sa poche. Son attitude hésitante s'accordait mal avec l'insigne qui ornait son polo, et elle vit du coin de l'œil une couture usée sur son épaule, épaule qu'il remonta jusqu'à l'oreille comme s'il avait froid.

— Bonsoir, répondit-elle sans agressivité, attendrie par l'effilochure. (Elle ne savait pas qu'il y avait des Corbeaux qui portaient des polos d'occasion.) Tu t'appelles Adam, n'est-ce pas ?

Il hocha la tête, déconcerté. Blue regarda le vélo. Elle n'imaginait pas non plus un Corbeau se déplacer à bicyclette, et non en voiture.

— J'allais rentrer chez moi, dit Adam, quand j'ai cru te reconnaître, là-bas. Je voulais juste te dire que j'étais désolé de ce qui s'est passé. Je voulais que tu saches que je ne lui ai pas demandé de te dire tout ça.

Blue nota que sa voix, avec son léger accent, ne manquait pas de charme, elle non plus. Le garçon regarda derrière lui, puis en direction d'une voiture qu'on entendait dans une rue latérale, avant de se retourner vers Blue. Il avait l'air circonspect, et elle devina que ses lèvres crispées et la ride entre ses sourcils étaient son expression habituelle, une expression qui s'harmonisait parfaitement avec ses traits et chacune des lignes cernant sa bouche et ses yeux. *Ce Corbeau n'est pas souvent heureux,* pensa-t-elle.

— C'est gentil, mais ce n'est pas à toi de me présenter des excuses.

— Je ne peux pas le laisser assumer seul toute la responsabilité. Il n'avait pas tort, après tout : c'est vrai que j'avais envie de te parler, mais je ne cherchais pas à te… draguer.

Le moment était venu de se débarrasser de lui, mais la façon dont, à table, il avait rougi, son visage honnête et le sourire incertain qui venait de naître sur ses lèvres la paralysaient. Son visage intriguait Blue juste assez pour lui donner envie de continuer à l'observer.

Et c'était la première fois qu'elle attirait l'attention de quelqu'un qui lui plaisait.

« Ne fais pas ça ! » prévint une voix dans sa tête.

— Alors tu voulais quoi, au juste ? demanda-t-elle sans en tenir compte.

— Te parler.

Son accent allongeait considérablement le mot, qui parut, dans sa bouche, moins synonyme de *discuter* que de *vider son sac.* Blue ne pouvait détacher son regard de la mince ligne de ses lèvres.

— Je me dis maintenant que, si j'étais venu directement te voir, ça nous aurait épargné bien des désagréments. Les idées des autres ont toujours le don de me causer des ennuis.

Blue était sur le point de lui raconter comment, chez elle, celles d'Orla posaient beaucoup de problèmes à tout le monde, mais réalisa alors qu'il répondrait quelque chose, puis que ce serait son tour, et que cela risquait de se prolonger toute la nuit. Elle pressentait qu'Adam était un garçon avec qui elle pouvait avoir une véritable *conversation*. La voix de Maura s'éleva à l'improviste dans sa tête : « Inutile de te recommander de n'embrasser personne, n'est-ce pas ? »

Brusquement, Blue en eut assez. Neeve l'avait dit, elle était une jeune fille raisonnable et, même en mettant les choses au mieux, cette histoire ne pouvait que mal tourner. Elle soupira.

— Le problème n'est pas ce que ton ami m'a dit de toi, mais qu'il m'ait proposé de l'argent, expliqua-t-elle en posant le pied sur une des pédales du vélo.

Mieux valait ne pas songer à rester bavarder avec ce garçon. Lorsque Blue n'avait pas assez d'argent pour acheter quelque chose, la pire des solutions était de s'imaginer en possession de l'objet convoité.

Adam poussa un soupir.

— Il ne savait pas. Il se comporte comme un idiot, quand il s'agit d'argent.

— Et pas toi ?

Il lui lança un regard extrêmement posé et on ne peut moins futile.

Blue leva de nouveau la tête et fixa les étoiles qui tournoyaient dans l'espace à des vitesses inconcevables : un ballet gigantesque, mais bien trop lointain pour qu'on le perçoive. *Le Lion, le Petit Lion, la Ceinture d'Orion.* À sa place, sa mère ou une de ses tantes ou cousines aurait-elle vu dans le ciel ce que Blue devait dire à Adam ?

— Tu retournes chez Nino ? demanda-t-elle.

— Je suis invité ?

Elle sourit en guise de réponse, ce qui lui parut dangereux et aurait déplu à Maura.

Les deux règles d'or de Blue – garder ses distances avec les Corbeaux, parce qu'ils attirent les ennuis, et garder ses distances avec les Corbeaux, parce que ce sont des salauds – ne semblaient pas s'appliquer à Adam. Elle fouilla dans sa poche et en tira un mouchoir en papier, sur lequel elle nota son nom et le numéro de téléphone du 300 Fox Way. Le cœur battant, elle le plia et le lui tendit.

— Je suis content d'être revenu sur mes pas, dit-il sobrement.

Il s'éloigna en poussant son vélo qui grinçait plaintivement. Blue pressa ses doigts contre son visage.

J'ai donné mon numéro de téléphone à un garçon.

J'ai donné mon numéro à un Corbeau !

Elle enserra sa poitrine de ses bras et se représenta sa prochaine dispute avec sa mère. *Ce n'est pas parce qu'on donne son numéro de téléphone à quelqu'un qu'on va l'embrasser.*

Elle sursauta quand la porte arrière du restaurant s'ouvrit, mais ce n'était que Donny. Il tenait un gros carnet relié de cuir que Blue, fascinée, reconnut aussitôt pour l'avoir vu entre les mains de Président au portable. Il eut l'air soulagé de la voir.

— Tu sais qui a oublié ça ? Ou c'est à toi, peut-être ?

Blue s'approcha, prit le carnet et l'ouvrit au hasard. Mais l'objet était si usé et ses feuillets avaient été tellement manipulés que chacun semblait se disputer la préséance, et ils hésitèrent longuement avant de s'immobiliser.

Elle avait sous les yeux un fouillis de vieilles coupures jaunies de livres et de journaux. Certaines phrases étaient soulignées au stylo rouge, des commentaires occupaient les marges (*Considérer ou non les grottes de Luray comme un endroit spirituel ? Corneilles = corbeaux ?*), et une liste soigneusement encadrée s'intitulait : *Toponymes d'influence galloise dans la région de Henrietta.* Blue reconnut la plupart des noms de villes qui y figuraient : Welsh Hills, Glen Bower, Harlech, Machinleth.

— Je n'ai pas regardé dans le détail, dit Donny. Je cherchais le nom de quelqu'un à qui le rendre, quand j'ai vu que c'était... ton genre de truc.

Il entendait par là que c'était une chose pour fille de médium.

— Je crois savoir à qui ça appartient, dit Blue, qui ne souhaitait dans l'immédiat que feuilleter un peu plus avant le carnet. Je m'en charge.

Donny retourna dans la pizzeria, et elle se replongea dans sa lecture. Elle pouvait à présent s'émerveiller tout à loisir de l'épaisseur du carnet, de sa densité. Si son contenu n'avait pas attiré son attention, le simple poids du volume dans ses mains l'aurait fait. Il regorgeait de tant de coupures de presse qu'une courroie de cuir était prévue pour le maintenir fermé. Les fragments déchirés ou découpés aux ciseaux qui se succédaient page après page procuraient un indéniable plaisir tactile, et Blue fit courir son doigt sur les morceaux de papier : papier épais et crémeux d'artiste, couvert de caractères fins et élégants ; papier mince et brun, avec des lettres aux jambages comme des araignées ; papier ordinaire, blanc et lisse, à la laide typographie moderne ; papier journal aux bords déchiquetés, jaunissant et friable.

Et il y avait les notes, rédigées avec une demi-douzaine de stylos et de feutres différents, mais toutes de la même écriture nerveuse et nette. Des mots entourés, soulignés et marqués *très urgent,* des salves de listes, des points d'exclamation émaillant les marges, des lignes qui s'entrecroisaient, tournaient au griffonnage et devenaient des montagnes, qui se muaient en traces de pneus derrière des voitures de course.

Il fallut à Blue un bon moment pour avoir une vue d'ensemble. Le carnet était divisé en sections approximatives, mais son auteur avait de toute évidence manqué de place dans certaines d'entre elles et les avait reprises plus loin. L'une portait sur les lignes de ley, et une autre sur Owain Glyndŵr, le prince au corbeau. Un chapitre traitait des légendes des rois assoupis, qui attendent sous des montagnes d'être découverts et ramenés à la vie. Une partie était pleine d'histoires étranges sur des monarques sacrifiés, de vieilles divinités des eaux et toutes les choses anciennes associées aux corbeaux.

Mais le carnet paraissait avant tout *insatiable*. Il semblait vouloir plus qu'il ne pouvait contenir, plus que des mots ne pouvaient décrire ou des schémas illustrer. Cette fringale sourdait de ses pages, transparaissait dans chaque ligne hâtivement tracée, dans chaque croquis fiévreux, chaque définition en épais traits noirs. L'objet exsudait un je-ne-sais-quoi de douloureux et de mélancolique.

Un dessin familier lui sauta aux yeux : trois lignes qui se croisaient pour former un long triangle en bec, ce signe que Neeve avait tracé dans la poussière sur le muret du cimetière de l'église et sa mère dessiné du doigt sur la porte embuée de la douche.

Blue aplanit la page de la main pour mieux voir. C'était dans la section traitant des lignes de ley, ces « mystérieuses voies d'énergie qui relient les endroits spirituels ». Tout au long du carnet, l'auteur avait reproduit ce triangle encore et encore, près d'un croquis maladroit de Stonehenge, de silhouettes de chevaux étrangement étirées et du dessin d'un tumulus avec légende, mais nulle part elle ne trouva l'explication du symbole.

Ce ne pouvait être une coïncidence.

Impossible que ce document appartienne à ce Corbeau aux allures de président. Quelqu'un avait dû le lui donner.

C'est peut-être à Adam, pensa-t-elle.

Le garçon dégageait la même impression de magie, de potentiel et de péril latents que le carnet, un peu comme ce qu'elle avait ressenti dans le cimetière quand Neeve lui avait dit qu'on venait de lui effleurer les cheveux.

Si seulement tu étais Gansey ! songea Blue, avant de se raviser aussitôt : le dénommé Gansey, lui, n'avait plus longtemps à vivre.

CHAPITRE 9

Gansey se réveilla en pleine nuit et se rendit compte simultanément que la clarté de la pleine lune illuminait son visage et que le téléphone sonnait.

Il retrouva à tâtons l'appareil niché au creux des couvertures. Aveugle sans ses lunettes ni ses lentilles de contact, il dut tenir l'écran à deux centimètres de ses yeux pour déchiffrer l'identifiant d'appel : MALORY, R. Il comprenait maintenant pourquoi l'appareil sonnait de si bon matin : le docteur Roger Malory vivait dans le Sussex, à cinq heures de décalage horaire de Henrietta. Autrement dit, à minuit en Virginie, il était cinq heures pour Malory-le-lève-tôt. Un des meilleurs spécialistes des lignes de ley de Grande-Bretagne, celui-ci, qui pouvait avoir aussi bien quatre-vingts que cent ou deux cents ans, avait écrit trois livres sur le sujet, tous des classiques dans ce domaine, à vrai dire au nombre fort restreint de connaisseurs. Gansey l'avait rencontré alors que le docteur partageait son temps entre le pays de Galles et Londres, et Malory avait été le premier à prendre au sérieux le garçon âgé de quinze ans à l'époque, ce dont Gansey lui serait à jamais reconnaissant.

— Allô, Gansey ? dit Malory, qui n'allait pas commettre l'erreur de l'appeler par son scabreux prénom.

Il se lança sans plus de préambule dans un long monologue sur le temps, les quatre dernières réunions de la Société historique, et combien son voisin au colley lui portait sur les nerfs. Gansey en saisissait environ les trois quarts. Après presque une année entière passée au Royaume-Uni, il déchiffrait bien les accents, mais celui de Malory s'avérait souvent difficile, en raison à la fois de son âge avancé, de sa manie de marmonner, de son manque de savoir-vivre et, en l'occurrence, de la ligne, qui était mauvaise.

Quittant son lit pour aller s'accroupir près de la maquette de Henrietta, Gansey l'écouta poliment d'une oreille pendant une douzaine de minutes, avant de l'interrompre :

— C'est gentil à vous d'appeler !

— J'ai découvert une source textuelle extrêmement intéressante, déclara alors Malory.

Il y eut un bruit, de mâchouillis, ou de cellophane, ou peut-être même les deux, songea Gansey, qui avait vu son appartement.

— Une source suggérant que les lignes de ley sont assoupies. Dormantes. Cela vous rappelle quelque chose ?

— Comme Glendower ! Mais qu'est-ce que ça signifie ?

— Cela pourrait expliquer pourquoi elles sont si difficiles à suivre. Si elles sont bien présentes, mais inactives, leur courant d'énergie doit être très faible et irrégulier. Au Surrey, j'ai suivi une ligne avec un type – vingt-deux bons kilomètres, par un temps épouvantable, des gouttes de pluie de la taille d'un navet – quand soudain, plus rien !

Saisissant un tube de colle et des bardeaux découpés dans du carton, Gansey mit à profit la forte clarté de la lune pour poursuivre la couverture d'un toit, tandis que Malory s'étendait sur la pluie.

— Est-ce que le document parle de réveiller les lignes ? S'il est possible de tirer Glendower de son sommeil, peut-être pourrait-on faire de même avec les lignes de ley, n'est-ce pas ?

— Effectivement.

— Mais, pour réveiller Glendower, il suffit de le découvrir, alors que bien des gens ont déjà parcouru les lignes de ley !

— Eh non, c'est là où vous faites erreur, Gansey ! Les voies spirituelles sont souterraines. Même si cela n'a pas toujours été le cas, à présent plusieurs mètres de terre accumulée au cours des siècles les recouvrent. Personne ne les a véritablement touchées depuis des centaines d'années. Nous ne suivons pas les lignes, vous et moi, nous suivons seulement leur écho.

Gansey se remémora comment les lignes qu'Adam et lui exploraient semblaient apparaître et disparaître sans raison. La théorie de Malory paraissait plausible, et il n'en demandait pas plus. Il brûlait de se replonger dans ses livres à la recherche d'éléments corroborant cette nouvelle hypothèse. Au diable le lycée ! Il eut un brusque sursaut d'humeur à l'idée qu'il restait un adolescent, prisonnier d'Aglionby. C'était peut-être ça que Ronan ressentait continuellement.

— Très bien, allons donc les chercher dans le sous-sol ! Dans des grottes, peut-être ?

— Oh, les grottes sont des choses affreuses, dit Malory. Savez-vous combien de personnes y laissent la vie chaque année ?

Gansey répondit qu'il n'en avait pas la moindre idée.

— Des milliers ! assura Malory. Elles ressemblent à des cimetières d'éléphants. Il vaut bien mieux rester à la surface. La spéléologie s'avère infiniment plus dangereuse que les courses de motos. Non, le texte mentionne un rite pour réveiller les voies spirituelles à partir de la surface, en leur faisant connaître votre présence. Vous effectueriez une imposition symbolique des mains sur l'énergie là où vous vous trouvez, à Marianna.

— Henrietta, rectifia Gansey.

— Au Texas ?

Chaque fois que Gansey parlait des États-Unis à un Britannique, ce dernier semblait croire qu'il s'agissait immaquablement du seul Texas.

— En Virginie.

— Précisément, approuva Malory avec chaleur. Songez à combien il serait facile de suivre cette route spirituelle jusqu'à Glendower, si elle criait au lieu de chuchoter ! Trouvez-la, faites le rituel, et suivez-la jusqu'à votre roi !

Dans la bouche de Malory, ça paraissait aller de soi.

Suivez-la jusqu'à votre roi.

Gansey ferma les yeux pour tenter de calmer les battements désordonnés de son cœur. Il vit l'image grise et indistincte d'un souverain gisant, mains croisées sur la poitrine, entre une épée reposant à son flanc droit et une coupe disposée à main gauche. Pour Gansey, cette silhouette assoupie revêtait une importance vertigineuse, qu'il ne pouvait ni comprendre ni véritablement appréhender. C'était là une chose qui dépassait tout et comptait énormément, une chose capitale et sans étiquette de prix, une chose à conquérir.

— Le texte n'est malheureusement pas très clair sur la façon d'accomplir le rituel, admit Malory, qui embraya sur les vicissitudes des documents historiques – et Gansey l'écouta distraitement jusqu'à la fin de la tirade. Je vais effectuer des essais sur la ligne de Lockyer. Je vous tiendrai au courant, conclut le professeur.

— Fantastique ! dit Gansey. Je vous remercie infiniment.

— Saluez bien votre mère de ma part !

— Je n'y man...

— Vous avez de la chance qu'elle soit toujours en vie. Je devais avoir à peu près votre âge quand la mienne a été assassinée par le système de santé britannique. Elle se portait comme un charme, jusqu'à ce que, à la suite d'une légère toux, elle soit admise…

Gansey n'écoutait plus qu'à moitié pendant que Malory lui narrait une nouvelle fois par le menu comment le gouvernement avait échoué à guérir le cancer de la gorge de sa mère. La voix du professeur semblait presque joyeuse au moment de raccrocher.

Repris par l'ivresse de sa quête, Gansey éprouvait le besoin d'en parler à quelqu'un avant que son excitation ne le dévore de l'intérieur. Adam aurait été le plus à même de l'écouter, mais il y avait des chances pour que Ronan, qui oscillait sauvagement entre insomnie et hypersomnie, ne dorme pas.

À mi-chemin, Gansey songea que la chambre pouvait être vide. Sur le seuil de la pièce, il chuchota dans l'obscurité le nom de Ronan puis, en l'absence de réponse, le héla à voix haute.

Personne n'avait le droit d'entrer chez Ronan, mais Gansey passa outre. Il posa une main sur le lit, qu'il trouva froid et défait : les couvertures rejetées sur le côté témoignaient de la hâte avec laquelle on l'avait quitté. Gansey tambourina du poing sur la porte de la chambre de Noah, tout en composant à tâtons de l'autre main le numéro de Ronan sur son portable. La sonnerie retentit par deux fois, puis le répondeur annonça laconiquement : « Ronan Lynch. »

Gansey interrompit à mi-parcours l'annonce enregistrée. Son pouls avait des ratés. Il réfléchit, hésita longuement et composa un autre numéro.

— Gansey ? fit la voix défiante et alourdie de sommeil d'Adam.

— Ronan est parti !

Adam resta silencieux. Le problème n'était pas simplement que Ronan ait disparu, mais qu'il se soit éclipsé juste après sa bagarre avec Declan. Quitter le foyer Parrish en pleine nuit n'était pas pour autant une chose allant de soi : se faire prendre entraînerait des conséquences physiquement visibles, et il commençait à faire trop chaud pour porter des manches longues. Gansey avait honte de devoir demander cela à Adam.

Dehors, un oiseau nocturne lança un cri perçant. La petite maquette de Henrietta prenait dans le clair-obscur un aspect étrange, avec ses voitures miniatures qui semblaient s'être immobilisées à l'instant. Gansey avait toujours l'impression que, la nuit une fois tombée, tout pouvait advenir. Henrietta lui apparaissait alors ensorcelée, et sa magie pouvait prendre un visage effroyable.

— Je vais inspecter le parc, murmura finalement Adam. Et… le pont, aussi.

Il raccrocha si furtivement que Gansey ne réalisa pas aussitôt que la communication était coupée. Le garçon pressa l'extrémité de ses doigts contre ses paupières, et c'est dans cette attitude que Noah le trouva.

— Tu pars à sa recherche ? Pense à aller voir à l'église ! lui conseilla celui-ci, qui avait l'air pâle et irréel dans la lumière jaune de la chambre.

Ses cernes étaient plus sombres que jamais, et il ressemblait moins à lui-même qu'à une ombre de Noah.

Il ne proposa pas de l'accompagner, et Gansey ne le lui demanda pas non plus. Six mois auparavant, Noah avait trouvé Ronan baignant dans une flaque de son propre sang et, depuis lors, il était définitivement dispensé de le chercher. Ce jour-là, comme Noah n'était pas allé à l'hôpital et qu'Adam avait été surpris alors qu'il essayait de faire le mur, Gansey était resté seul aux côtés de Ronan pendant qu'on le recousait. Beaucoup d'eau avait coulé à présent sous les ponts, mais l'incident n'en semblait pas moins tout frais.

Gansey avait parfois l'impression que sa vie se composait d'une douzaine d'heures qu'il ne parvenait pas à oublier.

Enfilant sa veste, il sortit dans la lumière glauque du parking. Le capot de la BMW de Ronan était froid, celui-ci ne l'avait donc pas utilisée récemment. Où qu'il soit, il était parti à pied. Ni l'église, dont le clocher se dressait, illuminé par la clarté jaune de l'aube, ni chez Nino, ni le vieux pont, avec le fort courant qui bouillonnait au-dessous, ne se trouvaient très loin.

Il se mit à marcher. Son esprit fonctionnait avec logique, mais le cœur, à chaque battement, paraissait lui manquer. Il ne se berçait pas d'illusions et ne croyait guère retrouver un jour le Ronan qu'il avait connu avant la mort de Niall Lynch. Il craignait simplement de perdre celui qu'il lui restait.

La lune brillait, mais le parvis de Sainte-Agnès était plongé dans l'obscurité. Gansey frissonna en posant la main sur le gros anneau de fer de la porte et se demanda si l'église serait ouverte. Il n'y était entré qu'à une seule occasion, pour Pâques, quand Matthew, le frère cadet de Ronan, leur avait demandé à tous de venir. Il n'aurait pas pensé que Ronan puisse se rendre dans un tel endroit en pleine nuit, mais il n'imaginait pas non plus autrefois Ronan en pratiquant, et pourtant les frères Lynch fréquentaient tous assidûment Sainte-Agnès chaque dimanche. Eux qui ne supportaient pas que leurs regards se croisent par-dessus une table de restaurant parvenaient alors à rester assis une heure côte à côte sur un même banc.

Noah a du flair, pensa Gansey.

Il poussa le vantail et franchit l'arche sombre de l'entrée.

L'église l'enveloppa de ses effluves d'encens, un parfum qu'il ne rencontrait que rarement et qui lui remit aussitôt en mémoire une douzaine de mariages, d'obsèques et de baptêmes familiaux, tous en été. Comme il était étrange de sentir une saison piégée dans un souffle d'air confiné !

— Ronan ?

Le mot se perdit dans le vide et, tout là-haut, rebondit contre la coupole invisible qui le renvoya en écho.

La pénombre des bas-côtés projetait des ombres pointues sur les voûtes. L'obscurité et l'incertitude comprimaient la cage thoracique de Gansey comme un poing. Son souffle oppressé le renvoyait à un autre jour d'été, à ce lointain après-midi, quand il avait réalisé qu'il existait au monde une chose nommée *magie*.

Ronan gisait là, affalé sur un banc, un bras pendant, l'autre rejeté en biais au-dessus de la tête. Sa silhouette inerte trouait l'obscurité d'une tache encore plus sombre.

Non, pas cette nuit. Pas cette nuit, s'il vous plaît !

Gansey se glissa sur le banc derrière Ronan et lui mit une main sur l'épaule, comme s'il pouvait tout bonnement le réveiller, et comme si le supposer suffirait à le faire. L'épaule était chaude sous sa main, et il sentit une odeur d'alcool.

— Hé, réveille-toi, mon pote !

Ronan bougea et tourna son visage. Un instant, un fol instant, Gansey fut transpercé par l'idée qu'il arrivait trop tard, que Ronan était mort, et que ce corps ne se mouvait qu'en réponse à son propre désir, puis Ronan ouvrit les yeux et l'image se dissipa.

Gansey laissa échapper un soupir.

— Espèce de salaud !

— Je n'arrivais pas à rêver, dit Ronan sans détour. Je t'avais promis que ça ne se reproduirait plus, ajouta-t-il devant l'air affolé de Gansey.

— Parole de menteur ? plaisanta Gansey, qui tentait en vain de prendre un ton léger.

— Je crois, répliqua Ronan, que tu me prends pour mon frère !

L'église baignait dans la quiétude. Maintenant que Ronan avait ouvert les yeux, elle semblait plus claire, comme si elle aussi venait de se réveiller.

— Quand je t'ai dit que je ne voulais pas que tu te soûles à la manufacture, ça ne voulait pas dire que je voulais que tu le fasses ailleurs !

— L'hôpital se fout de la charité ! ricana Ronan.

— Je bois. Je ne m'enivre pas, répliqua Gansey avec dignité.

Ronan baissa les yeux sur ses mains serrées contre sa poitrine.

— Qu'est-ce que tu as là ?

Ronan tenait une forme noire. Quand Gansey essaya de lui déplier les doigts, il sentit un pouls rapide, une chose chaude et vivante. Il retira précipitamment la main.

— Misère ! s'exclama-t-il en s'efforçant de donner un sens à ses perceptions. C'est un oiseau ?

Ronan se redressa sans cesser de serrer la chose contre lui, et une bouffée d'haleine alcoolisée flotta vers Gansey.

— Un corbeau, dit Ronan, qui contempla ses mains un bon moment en silence avant de poursuivre : Ou une corneille, peut-être, mais j'en doute. Oui, j'en doute vraiment. *Corvus corax.*

Même ivre, Ronan n'avait pas oublié le nom latin du corbeau.

Dans les mains de Ronan se nichait un minuscule oisillon déplumé, au bec tout fragile, aux ailes encore très loin de pouvoir le porter. Gansey hésitait à toucher une créature d'apparence aussi vulnérable.

Le corbeau était le fétiche de Glendower, lui-même issu d'une longue lignée de rois associés à cet oiseau. À en croire la légende, il savait parler aux corbeaux et comprenait leur langage. Gansey sentit sa peau le picoter.

— D'où tu le sors ?

Les doigts de Ronan enserraient telle une cage protectrice le poitrail de la bestiole. L'animal avait l'air irréel entre ses mains.

— Je l'ai trouvé.

— On trouve des pièces de monnaie, dit Gansey, ou des clefs de voiture, ou des trèfles à quatre feuilles.

— Ou des corbeaux, insista Ronan. T'es juste jaloux parce que… (il s'interrompit pour rassembler ses esprits embrumés par la bière) parce que t'en as pas trouvé un aussi !

L'oiseau venait de s'oublier à travers les doigts de Ronan, une petite flaque s'étalait sur le banc en dessous. Le transférant dans une seule main, le garçon utilisa un bulletin paroissial pour gratter sur le bois le plus gros de la fiente et la faire tomber par terre, puis il tendit le papier souillé à Gansey. Les demandes de prières hebdomadaires étaient éclaboussées de blanc.

Gansey prit la feuille uniquement parce qu'il ne faisait pas confiance à Ronan pour trouver un endroit convenable où la jeter.

— Et si je décide d'interdire les animaux domestiques dans l'appartement ? demanda-t-il, non sans une certaine répugnance.

— Hé, mec, tu ne peux quand même pas virer Noah comme ça ! répliqua Ronan avec un sourire féroce.

Quand Gansey réalisa que son ami plaisantait, il était déjà trop tard pour rire et, en voyant la façon dont le garçon tenait l'oiseau, il comprit qu'il n'avait pas le choix. Déjà le corbeau tendait la tête et fixait Ronan, bec ouvert, dans l'expectative.

Gansey céda.

— Bon, d'accord. Allez, on rentre, maintenant. Lève-toi !

Ronan s'exécuta en chancelant, et le corbeau se blottit dans sa paume. Seul dépassait le bec, comme si le volatile n'avait plus ni corps ni cou.

— Faudra t'habituer à un minimum de mouvement, petite fripouille ! lui dit le garçon.

— Tu ne peux pas l'appeler comme ça !

— Il s'appelle Tronçonneuse, répliqua Ronan sans lever la tête. Noah, tu flanques la trouille, planqué là-bas, ajouta-t-il.

Ce dernier avait surgi, silencieux, sur le seuil obscur de l'église. Une seconde, on ne vit que son visage blême. Ses vêtements noirs se fondaient dans la pénombre, et ses yeux semblaient des gouffres ouverts sur un ailleurs inconnu. Puis, avançant d'un pas dans la lumière, il redevint le garçon à l'air absent qu'ils connaissaient.

— Je croyais que tu étais resté à la manufacture, dit Gansey.

Le regard de Noah erra des garçons à l'autel, puis à la voûte sombre de la coupole.

— L'appartement faisait peur.

— T'es vraiment complètement givré ! lui lança Ronan, ce dont Noah ne sembla pas s'émouvoir.

Gansey ouvrit la porte latérale donnant sur la rue. Aucun signe de la présence d'Adam. Il se sentait coupable de l'avoir dérangé pour une fausse alerte. Quoique… il n'était pas absolument certain qu'il s'agisse d'une fausse alerte. *Quelque chose* s'était bel et bien produit, même s'il ignorait quoi.

— Où as-tu trouvé cet oiseau, déjà ?

— Dans ma tête, répondit Ronan en partant d'un rire aigu de chacal.

— Un endroit dangereux, commenta Noah.

Ronan tituba, toute sa lucidité émoussée par l'alcool, et du corbeau dans sa main fusa un faible son, qui tenait plus de la percussion que de la voix.

— Pas pour une tronçonneuse !

En sortant dans la nuit froide, Gansey renversa la tête en arrière. Maintenant qu'il savait Ronan sain et sauf, Henrietta lui semblait un endroit magnifique, un patchwork brodé de branches noires.

Parmi tous les oiseaux que Ronan aurait pu dénicher, c'est un corbeau qu'il avait trouvé !

Gansey ne croyait pas aux coïncidences.

CHAPITRE 10

Whelk ne dormait pas.

À l'époque où il faisait ses études à Aglionby, le sommeil lui venait aisément – et, du reste, pourquoi en eût-il été autrement ? À l'instar de Czerny et de ses camarades, il dormait alors en semaine six, quatre, voire deux heures par nuit, se couchait tard, se levait tôt, et se livrait le week-end à des marathons de sommeil. Et, quand il dormait, c'était comme une bûche et sans rêves. En fait non, car tout le monde fait des rêves, mais certains les oublient.

Il lui arrivait rarement à présent de fermer l'œil plus de quelques heures d'affilée. Il se tournait et se retournait dans ses draps et se redressait soudain, réveillé par des chuchotis. Il piquait du nez sur son canapé de cuir, l'unique meuble que les huissiers n'avaient pas saisi. Son rythme de sommeil et son niveau d'énergie semblaient dictés par une force plus grande et plus puissante que lui, qui déferlait et refluait telle une marée capricieuse. Ses quelques tentatives pour en dresser un graphique l'avaient laissé frustré : Whelk semblait plus alerte à la pleine lune et après un orage, mais cela ne l'avançait guère. Il s'imaginait sous l'influence de la pulsation magnétique de la ligne de ley elle-même, qui se serait d'une façon ou d'une autre invitée dans son corps à la faveur de la mort de Czerny.

Le manque de sommeil donnait à sa vie un aspect irréel, comme si ses jours se dévidaient, sans but, au fil de l'eau.

On approchait de la pleine lune, il avait plu récemment, et Whelk était éveillé.

Assis en tee-shirt et caleçon devant l'écran de son ordinateur, il maniait la souris avec la brutalité et l'imprécision des gens fourbus. Des myriades de voix envahissaient sa tête, chuchotaient et sifflaient, avec le bruit des parasites qui bourdonnent dans les fils téléphoniques près de la ligne de ley ou du vent quand la tempête se lève, à croire que les arbres eux-mêmes conspirent. Comme toujours, Whelk ne saisissait ni les mots ni le sens de la conversation, mais il avait compris une chose : un événement étrange venait d'avoir lieu à Henrietta, et les voix ne cessaient d'en parler.

Pour la première fois depuis bien des années, Whelk alla chercher ses vieilles cartes du comté dans le minuscule placard de l'entrée. Comme il n'avait pas de table, et que des barquettes de lasagnes micro-ondables et des assiettes émaillées de croûtes de pain rassis encombraient le plan de travail, il les étala dans la salle de bains. Une araignée s'esquiva en glissant quand il aplanit une des feuilles contre le fond de la baignoire.

Je te soupçonne d'être logé à meilleure enseigne que moi, Czerny !

Mais il ne le croyait pas vraiment. Il n'avait pas la moindre idée de ce qu'il était advenu de l'âme de Czerny, ou de son esprit, ou de ce qu'était Czerny, mais, si Whelk était affligé de ces voix chuchotantes simplement pour la part qu'il avait prise dans le rituel, le sort de Czerny avait dû être bien pire.

Il fit un pas en arrière, croisa les bras et passa en revue les multiples marques et notes ajoutées aux cartes au cours de ses recherches. Czerny avait indiqué en rouge, de son écriture épouvantable, les niveaux d'énergie le long du cours hypothétique de la ligne de ley. À l'époque, il s'agissait presque d'une sorte de chasse au trésor, et il importait peu que le but soit réel ou non. C'était un exercice en stratégie, avec la côte Est pour terrain de jeu. Dans l'espoir de faire apparaître des motifs, Whelk avait laborieusement tracé sur l'une des cartes des cercles autour des régions particulièrement intéressantes. L'un entourait un bosquet de vieux frênes où les niveaux d'énergie s'avéraient toujours élevés, un autre une église en ruine que les animaux semblaient éviter. Un troisième marquait l'endroit où Czerny avait péri.

Un cercle qu'il avait tracé *avant* la mort de Czerny, bien sûr. L'endroit, un sinistre boqueteau de chênes, avait attiré son attention à cause des mots anciens gravés sur l'un des troncs. Du latin. Whelk avait interprété l'inscription, incomplète et malaisée à traduire, comme « la seconde voie ». Il avait mesuré là des niveaux d'énergie irréguliers mais prometteurs. Ces arbres devaient se trouver sur la ligne de ley.

Czerny et Whelk y étaient retournés une demi-douzaine de fois. Ils avaient effectué des relevés (près du cercle, Czerny avait inscrit pas moins de six nombres différents), creusé la terre à la recherche d'éventuelles reliques, veillé quelques nuits dans l'espoir de surprendre des signes d'activité surnaturelle. Whelk avait conçu la plus complexe et la plus sensible de toutes ses baguettes de sourcier, deux fils de métal recourbés à angle droit et insérés dans une poignée faite d'un tube métallique, de sorte qu'ils puissent se mouvoir librement. Whelk et Czerny l'avaient utilisée pour explorer le terrain alentour et tenter de déterminer avec exactitude l'endroit où passait la ligne.

Mais les données étaient restées fragmentaires, tour à tour se précisant et se brouillant, tels les signaux d'une station de radio trop lointaine. Les lignes avaient besoin qu'on les réactive, qu'on aiguise leurs fréquences, qu'on les règle plus fort. Les deux garçons prévoyaient de tenter le rituel dans le boqueteau de chênes, mais n'étaient pas très sûrs de la procédure à suivre. Whelk avait fini par comprendre que la ligne appréciait réciprocité et sacrifice, ce qui restait désespérément vague, et, en l'absence d'autres informations, ils ne cessaient de différer leur projet : après les vacances de Noël, puis les congés de printemps, puis la fin de l'année scolaire.

La mère de Whelk lui avait alors téléphoné pour lui apprendre que son père venait d'être arrêté pour pratiques commerciales contraires à l'éthique et évasion fiscale. Il apparut que l'entreprise de celui-ci entretenait des relations avec des criminels de guerre, ce que sa femme savait et dont son fils lui-même s'était douté. Le FBI les surveillait depuis des années. En une nuit, les Whelk perdirent tout.

Les jours suivants, la soudaine faillite de la famille fit la une des journaux. Les deux petites amies de Whelk le quittèrent (mais la seconde, en fait techniquement celle de Czerny, ne comptait peut-être pas). L'affaire défraya la chronique. Le play-boy de Virginie, l'héritier de la fortune Whelk, soudain chassé de sa chambre à Aglionby, mis au ban de la société, privé de tout espoir d'intégrer l'une des huit universités les plus prestigieuses de la côte Est, regardait sa voiture partir sur une remorque et sa chambre vidée de ses meubles et de ses enceintes.

La dernière fois que Whelk avait contemplé cette carte, il était debout dans sa chambre et savait qu'il n'avait en poche qu'un billet de dix dollars. Aucune de ses cartes de crédit ne fonctionnait plus.

Czerny était arrivé dans sa Mustang rouge. Il n'était pas sorti du véhicule.

— Alors, t'es devenu un pauvre, maintenant ? avait-il demandé.

Czerny n'avait pas vraiment le sens de l'humour, mais il disait parfois des choses drôles par hasard. Whelk, cerné par le naufrage de sa vie, n'avait pas ri cette fois-là.

La ligne de ley n'était plus un jeu.

— Ouvre-moi la portière ! lui avait dit Whelk. On va faire le rituel !

CHAPITRE 11

Une heure et vingt-trois minutes avant que son réveil soit censé sonner, Blue fut tirée de son sommeil par le bruit de la porte d'entrée qui se refermait. La lumière grise de l'aube filtrant à travers la fenêtre de sa chambre changeait les feuilles pressées contre la vitre en ombres imprécises, et Blue tâcha de refouler son amertume à l'idée de ses quatre-vingt-trois minutes de sommeil perdues.

Des pas retentirent dans l'escalier, et elle entendit la voix de sa mère :

— ... a veillé en t'attendant.

— Il vaut mieux faire certaines choses de nuit, lui répondit celle de Neeve, moins forte, mais plus nette et plus sonore. Henrietta est un endroit remarquable, non ?

— Je ne t'ai pas demandé de t'intéresser à notre ville, répliqua Maura dans un murmure théâtral.

Elle parlait d'un ton presque protecteur.

— C'est difficile à éviter. Elle hurle ! dit Neeve, dont les mots suivants se perdirent dans un grincement de marches.

La réponse de Maura, brouillée elle aussi, ressemblait à quelque chose comme : « J'aimerais mieux que tu laisses Blue en dehors de tout ça. »

L'intéressée se figea.

— Je te fais seulement part de mes découvertes, protesta Neeve. S'il a disparu au moment où... possible que ce soit lié. Tu préfères qu'elle ne sache pas qui elle est ?

Une autre marche craqua. *Pourquoi diable ne peuvent-elles pas parler sans faire grincer l'escalier !* pensa Blue.

— Je ne vois pas ce que quiconque y gagnerait ! répliqua sèchement Maura. (Neeve murmura une réponse.) Les choses commencent déjà à nous échapper, poursuivit-elle. Au début, il ne s'agissait de guère plus que taper le nom de cet homme dans un moteur de recherche, et voilà que maintenant...

Blue tendit l'oreille. À l'exception de Gansey, il lui semblait qu'elle n'avait pas entendu sa mère mentionner un homme depuis longtemps.

Il n'était pas impossible, songea-t-elle après mûre réflexion, que sa mère ait voulu parler de son père. Aucune des conversations embarrassées que Blue avait amorcées avec elle ne lui avait jamais apporté la moindre information à ce propos, hormis quelques plaisanteries qui variaient d'une fois sur l'autre (« C'est le Père Noël. Il braquait des banques. Il se trouve actuellement en orbite »). Blue se représentait son père comme un personnage héroïque et flamboyant qu'un passé tragique, peut-être un programme de protection de témoins, avait contraint à disparaître. Elle aimait à l'imaginer la guettant à la dérobée par-dessus la clôture du jardin de derrière et contemplant avec fierté sa fille plongée dans ses rêveries sous le hêtre.

Blue était extraordinairement attachée à son père, compte tenu du fait qu'elle ne l'avait jamais rencontré.

Quelque part dans les profondeurs de la maison, une porte se referma, puis il régna de nouveau cette sorte de silence nocturne difficile à troubler. Blue tendit le bras vers le casier de plastique qui lui servait de table de nuit et prit le carnet. Elle posa une main sur le cuir frais de la couverture. Sa surface avait la texture froide et lisse de l'écorce du hêtre derrière la maison, et elle éprouva le même mélange de réconfort et d'inquiétude que lorsqu'elle touchait l'arbre.

« Henrietta est un endroit remarquable », avait dit Neeve. Le carnet semblait du même avis. Blue se demandait en quoi.

Elle n'avait pas eu l'intention de se rendormir, mais, quand elle se réveilla à nouveau, une heure et douze minutes avaient passé. Là non plus, ce ne fut pas la sonnerie du réveil qui la tira du sommeil. Une pensée résonnait dans sa tête :

C'est aujourd'hui que Gansey va venir pour sa consultation !

Dans la routine quotidienne des préparatifs pour aller en cours, la conversation qu'elle avait surprise entre Maura et Neeve lui parut plus ordinaire. Le carnet, quant à lui, n'avait rien perdu de sa magie. Assise au bord de son lit, Blue posa le doigt sur une des citations :

Le souverain repose, immobile, sous une montagne, entouré de ses guerriers, de ses troupeaux et de ses richesses. Sa coupe placée près de sa main droite déborde de puissance. Son épée nichée sur sa poitrine attend, elle aussi, d'être réveillée. Heureux celui qui le trouvera et aura l'audace de le tirer de son sommeil, car le roi lui accordera la faveur la plus merveilleuse qu'un mortel puisse imaginer.

Elle referma le carnet. Il lui semblait être habitée par une seconde Blue, plus grande et infiniment plus curieuse, sur le point de jaillir de la Blue initiale, plus petite et raisonnable, qui la contenait. Elle resta longtemps le carnet posé sur les genoux, la couverture fraîche sous ses paumes.

Une faveur.

Si on lui accordait une faveur, que demanderait-elle ? Ne plus avoir de soucis d'argent ? Savoir qui était son père ? Faire le tour du monde ? Avoir le même don que sa mère ?

La pensée s'éleva de nouveau dans sa tête :

Aujourd'hui, Gansey va venir pour sa consultation.

Je me demande à quoi il ressemble.

Si elle se tenait devant le roi, peut-être lui demanderait-elle de sauver la vie de Gansey.

— Blue, j'espère que tu ne dors pas ! brailla Orla d'en bas.

Blue devait partir sans tarder si elle voulait arriver à l'heure en cours. Encore quelques semaines, et le trajet à vélo deviendrait désagréablement chaud.

Ou peut-être demanderait-elle au roi une voiture, tout compte fait.

Si seulement je pouvais sécher le lycée, aujourd'hui !

Non que Blue craigne d'y aller, mais ça lui semblait juste… une routine immuable. Elle n'était pas brimée par ses camarades. Elle avait découvert assez rapidement que, plus elle avait une allure bizarre – autrement dit, plus elle faisait, d'emblée, sentir aux autres sa différence – et moins on risquait de la tourmenter ou de l'ignorer. Au lycée, son originalité et sa crânerie étaient même devenues des atouts, on l'avait soudain trouvée branchée, et elle aurait pu avoir toutes les amies qu'elle voulait. Elle avait même essayé, mais le problème avec le fait d'être bizarre, c'était que tous les autres paraissaient par contraste si *normaux.*

Ses meilleures amies étaient donc toujours les membres de sa famille, l'école demeurait une corvée, et Blue continuait à espérer en secret que, quelque part dans le monde, il existait d'autres personnes bizarres comme elle.

Il n'était pas impossible, songea-t-elle, qu'Adam en fasse partie.

— *Blue !* hurla derechef sa cousine. *Tu as cours !*

Serrant le carnet contre sa poitrine, Blue se dirigea vers la porte peinte en rouge au bout du couloir. En chemin, elle passa devant la pièce polyvalente téléphone/couture/chat, pleine d'une activité frénétique, et devant la salle de bains, où la bataille faisait rage. La porte rouge de la chambre de Persephone, l'une des deux meilleures amies de Maura, était entrouverte, mais Blue frappa quand même doucement. Si Persephone dormait peu, elle le faisait avec énergie, et il lui arrivait de se mettre à crier et à agiter les jambes en pleine nuit, raison pour laquelle elle n'avait jamais eu à partager sa chambre. Blue ne voulait pas la réveiller.

— Je suis disponible, chuchota la voix fluette de Persephone. Je veux dire, c'est ouvert !

Blue poussa la porte. Persephone était assise à la table pliante près de la fenêtre. Interrogés, les gens se souvenaient d'ordinaire de ses cheveux, une longue crinière ondulée d'un blond presque blanc qui lui tombait à mi-cuisses, puis il leur arrivait de mentionner ses tenues – de complexes robes vaporeuses ou des sarraus déroutants. S'ils se rappelaient autre chose, ils parlaient de ses yeux d'un noir intense, aux prunelles invisibles dans l'obscurité, qui les déconcertaient.

Elle serrait un crayon entre ses doigts d'un geste curieusement enfantin. En voyant Blue, elle fronça les sourcils d'un air scrutateur.

— Bonjour, dit Blue.

— Bonjour, dit-elle en écho. Il est encore trop tôt pour que mes propres mots agissent. Je vais employer autant que possible ceux qui fonctionnent pour toi.

Son bras dessina une vague arabesque, que Blue interpréta comme une invitation à trouver un endroit où s'asseoir. Le lit était jonché de jambières brodées et de collants écossais avec des mailles filées, mais elle dénicha un coin sur le bord duquel elle posa une fesse. La pièce sentait une odeur familière d'orange, de talc ou de livre neuf.

— Tu as mal dormi ?

— Oui, j'ai mal dormi, répéta Persephone. En fait non, rectifia-t-elle, ce n'est pas tout à fait exact. Il va me falloir utiliser mes propres mots, en fin de compte.

— Qu'est-ce que tu fais ?

Persephone travaillait le plus souvent à sa thèse de doctorat, mais, étant donné que le processus semblait devoir s'accompagner d'une musique pour le moins discutable et de fréquents en-cas, elle ne s'y adonnait que rarement aux heures de pointe du matin.

— Juste un petit quelque chose, répondit Persephone tristement, ou pensivement peut-être – les deux n'étaient pas faciles à distinguer, et Blue préférait éviter de l'interroger sur son état d'esprit.

Persephone avait un amant ou mari mort ou à l'étranger – elle ne se montrait jamais prodigue de détails – et qui semblait lui manquer ou, du moins, elle semblait remarquer son absence, ce qui pour elle n'était pas rien. Là encore, Blue se refusait à l'interroger. Blue, qui avait hérité de Maura une aversion pour le spectacle des larmes, n'orientait jamais la conversation dans une direction qui risquait d'en provoquer.

Persephone inclina sa feuille de papier pour que Blue puisse la voir. Elle avait seulement écrit le mot *trois* trois fois, de trois écritures différentes et, quelques centimètres plus bas, copié la recette de la tarte à la crème de banane.

— Jamais deux sans trois ? hasarda Blue en reprenant l'un des aphorismes favoris de Maura.

Persephone souligna le mot *petite cuillère* à côté de *vanille*.

— Ou sept. Ça fait vraiment beaucoup de vanille, on en vient à se demander s'il n'y a pas une erreur.

— On se le demande, en effet, approuva Blue.

— *Blue !* hurla Maura d'en bas. Tu n'es pas encore partie ?

Comme Persephone n'aimait pas qu'on crie, Blue ne lui répondit pas mais déclara à l'amie de sa mère :

— J'ai trouvé quelque chose. Si je te le montre, tu me promets de n'en parler à personne ?

Question stupide, dans la mesure où Persephone ne disait presque jamais rien à qui que ce soit, même lorsqu'il ne s'agissait pas d'un secret. Blue lui tendit le carnet.

— Je dois l'ouvrir ?

Blue eut un geste impatient de la main. *Oui, et vite !* Elle se tortilla nerveusement sur le lit, tandis que Persephone feuilletait les pages d'un air indéchiffrable.

— Alors ?

— Très joli, répondit Persephone poliment.

— Ce n'est pas à moi.

— *Ça,* ça me paraît évident !

— Quelqu'un l'a oublié chez Ni… Attends, pourquoi tu dis ça ?

Persephone examinait toujours le carnet. Sa voix était si faible et délicate que Blue dut retenir son souffle pour l'entendre.

— C'est visiblement le carnet d'un garçon. Du reste, il prend un temps fou pour découvrir ce qu'il cherche. Tu aurais déjà trouvé, toi.

— *Blue !* s'époumona Maura. *Pour la dernière fois !*

— Qu'est-ce que je dois en faire, à ton avis ? demanda Blue.

À son tour, Persephone caressa du doigt les différents morceaux de papier, et Blue comprit qu'elle avait vu juste : si le carnet avait été le sien, Blue aurait recopié les informations dont elle avait besoin au lieu de recourir à tout ces découpages et collages. Les textes insérés dans le carnet s'avéraient curieux et intrigants, mais superflus. Son auteur aimait sans doute la quête pour elle-même, et les qualités esthétiques du carnet ne devaient rien au hasard : c'était une véritable œuvre d'art.

— Eh bien, tu pourrais commencer par trouver à qui il appartient, dit Persephone.

Les épaules de Blue s'affaissèrent. C'était là une réponse imparable, et à laquelle elle se serait attendue de la part de Maura ou de Calla. Elle savait, bien sûr, qu'il convenait de restituer le carnet à son propriétaire, mais que resterait-il d'amusant, dans ce cas ?

— Et ensuite, je crois qu'il faudrait que tu essayes de découvrir si tout cela est vrai, non ?

CHAPITRE 12

Ce matin-là, Adam n'attendait pas près des boîtes aux lettres.

La première fois que Gansey était venu le prendre en voiture, il était passé devant l'entrée du quartier où vivait Adam, ou, plus exactement, il avait utilisé l'endroit pour faire demi-tour. Le chemin se réduisait à une paire d'ornières coupant à travers champs et, à première vue, on avait du mal à croire qu'il puisse mener à une quelconque habitation, et encore moins à plusieurs. Quand il avait trouvé la maison d'Adam, les choses étaient allées de mal en pis. En voyant le polo d'Aglionby de Gansey, le père d'Adam avait été pris d'un déchaînement de colère et, par la suite et pendant des semaines, Ronan avait appelé Gansey *FRR*, où le premier R était pour « Richard », le second pour « Ramollo », et le F pour... autre chose.

Depuis, Adam rejoignait Gansey là où l'asphalte s'arrêtait.

Mais ce jour-là personne ne se tenait près du groupe de boîtes aux lettres serrées les unes contre les autres. L'endroit était désert et dégagé. De ce côté-ci de Henrietta, la vallée n'avait aucun relief, et ce champ en particulier paraissait toujours, on ne sait pourquoi, beaucoup plus sec et plus morne que ses voisins, comme boudé par la pluie et les routes principales, et, même à huit heures du matin, il n'y avait d'ombre nulle part.

Les yeux fixés sur le chemin desséché, Gansey essaya d'appeler le poste fixe des Parrish, mais l'appareil sonna dans le vide. À en croire sa montre, il ne lui restait plus que dix-huit minutes pour faire le trajet d'un quart d'heure jusqu'au lycée.

Il attendit. Tête de lard tournait au ralenti en tressautant. Gansey contempla le levier de vitesse qui vibrait. Les huit cylindres du moteur lui cuisaient les pieds, et l'habitacle commençait à puer l'essence.

Il appela la manufacture. Noah décrocha. Il avait l'air endormi.

— Noah, lui demanda Gansey d'une voix forte pour couvrir le bruit du moteur, est-ce que tu te rappelles si Adam a dit qu'il travaillait après les cours, aujourd'hui ?

Les jours où Adam travaillait, il partait souvent à vélo, de façon à être libre de ses mouvements par la suite.

Noah grogna que non.

Encore seize minutes avant la sonnerie.

— S'il appelle, contacte-moi !

— Je ne serai pas là, répondit Noah. En fait, je suis presque déjà parti.

Gansey raccrocha et essaya de nouveau de contacter le domicile des Parrish, en vain. Il n'était pas impossible que la mère d'Adam soit là et refuse de répondre, mais il n'avait pas vraiment le temps d'aller jusque chez eux pour s'en assurer.

Il pouvait sécher les cours.

Il lança le portable sur le siège du passager.

Allez, Adam, viens !

De tous les établissements où Gansey avait été pensionnaire – et il en avait connu beaucoup durant ses quatre années de nomadisme juvénile –, Aglionby Academy était celui que son père préférait, autrement dit, celui qui avait les meilleures chances de vous faire entrer dans une université d'élite, ou au Sénat. Cela signifiait également que c'était l'école la plus exigeante de toutes celles qu'il avait fréquentées. Avant de venir à Henrietta, Gansey se consacrait en priorité à sa quête de Glendower, et les cours passaient au second plan, un second plan assez lointain. Comme il ne manquait pas d'intelligence et qu'il était bon élève, sécher les cours ou mettre les devoirs à rendre tout en bas de sa liste de préoccupations ne lui avait pas posé de problème, mais Aglionby ne tolérait pas les mauvaises notes. Ceux dont la moyenne chutait plus bas que B étaient automatiquement renvoyés. Or, Dick Gansey II avait fait savoir à son fils que, si ce dernier se montrait incapable de mener à bien ses études dans une école privée, il serait déshérité.

Il le lui avait annoncé affablement, devant une assiette de fettuccine.

Non, impossible de sécher, pas après avoir manqué les cours la veille. On en revenait donc à ça : quatorze minutes maintenant pour effectuer un trajet qui en prenait quinze, et pas d'Adam.

Gansey sentit une angoisse familière sourdre lentement de ses poumons.

Pas de panique ! Tu t'es trompé hier soir, pour Ronan. Il faut que tu cesses d'angoisser. La mort ne rôde pas aussi près de toi que tu l'imagines.

Découragé, Gansey essaya une dernière fois d'appeler le fixe des Parrish. Rien. Il fallait partir. Adam devait avoir pris son vélo, il allait sans doute travailler, il avait eu des choses à faire et avait oublié de le prévenir. Le chemin restait toujours aussi désert.

Allez, Adam !

Gansey essuya ses paumes contre son pantalon, remit les mains sur le volant et démarra.

Il n'eut pas l'occasion de voir si Adam était présent avant la troisième heure, quand Adam, Ronan et lui avaient latin – le seul cours que Ronan ne séchait jamais. Celui-ci était premier en latin. Il étudiait sans plaisir, mais inlassablement et comme si sa vie en dépendait. Adam, le meilleur élève de tout le lycée, était deuxième, lui qui par ailleurs avait la première place dans toutes les autres matières. Adam étudiait lui aussi sans relâche car, contrairement à celui de ses camarades, son avenir en dépendait vraiment.

Quant à Gansey, il préférait le français. Il avait dit à sa sœur Helen qu'une langue comme le latin qui ne servait à rien pour lire un menu n'avait à ses yeux que très peu de raisons d'être, mais en réalité il trouvait tout simplement le français plus facile à apprendre, et sa mère le parlait un peu. À l'origine, il s'était résigné à étudier le latin pour pouvoir traduire les textes historiques concernant sa quête de Glendower, mais les compétences de Ronan en la matière enlevaient à ses efforts toute leur urgence.

Le cours de latin avait lieu à Borden House, un petit pavillon carré situé de l'autre côté du campus par rapport à Welch Hall, le bâtiment principal. Gansey traversait en toute hâte la pelouse centrale, lorsque Ronan arriva et lui donna un petit coup dans le bras.

— Où est Parrish ? siffla-t-il.

— Il n'est pas venu avec moi aujourd'hui, répondit Gansey, qui sentit son estomac se nouer – habituellement, Ronan et Adam avaient cours ensemble en deuxième heure. Tu ne l'as pas vu ?

— Non.

Quelqu'un qui passait derrière Gansey lui envoya une bourrade dans l'épaule et s'exclama : « Gansey Boy ! » Gansey leva sans grand enthousiasme trois doigts en réponse, le signal du club d'aviron.

— J'ai essayé d'appeler chez lui.

— Le pauvre aurait bien besoin d'un portable, répliqua Ronan.

Quelques mois plus tôt, Gansey avait proposé à Adam de lui en acheter un, ce qui avait déclenché la plus longue dispute qu'ils aient jamais eue. Pendant toute une semaine, Adam avait refusé de lui parler, et les choses n'étaient rentrées dans l'ordre que lorsque Ronan avait commis un acte si choquant que les deux autres en étaient restés complètement abasourdis.

— Lynch !

Gansey tourna la tête, mais Ronan ne réagit pas. Le garçon qui venait de le héler se trouvait au milieu de la pelouse centrale, et sa silhouette, dans l'uniforme d'Aglionby, était difficilement identifiable.

— Lynch ! cria derechef le garçon. Je vais te casser la figure !

Ronan ajusta la courroie de son sac sur son épaule sans lever les yeux et continua d'avancer à grandes enjambées sur l'herbe, dans la direction opposée.

— Qu'est-ce qui se passe ? lui demanda Gansey en le suivant.

— Il y a juste des gens qui supportent mal de perdre.

— C'était Kavinsky ? Ne me dis pas que tu as encore fait la course !

— Si tu ne veux pas que je te le dise, ne me pose pas la question !

Gansey se demanda s'il pouvait imposer à Ronan un couvre-feu à la manufacture, ou s'il devait renoncer à l'aviron pour passer plus de temps avec lui le vendredi – il *savait* que c'était à ce moment-là que Ronan s'attirait des ennuis avec la BMW. Peut-être pourrait-il le convaincre de…

Ronan rectifia de nouveau la position de la courroie, et Gansey le regarda plus attentivement. Le sac de Ronan semblait bien plus volumineux qu'à l'accoutumée, et le garçon le manipulait avec précaution, comme s'il craignait que le contenu ne se renverse.

— Qu'est-ce que tu transportes là-dedans ? demanda Gansey. Oh, non, par pitié ! C'est ton oiseau, c'est ça ?

— Il faut la nourrir toutes les deux heures.

— Comment le sais-tu ?

— Bon sang, Gansey, à ton avis ? Internet, voyons !

Ronan tira la lourde porte de Borden House. Le sol et les murs à l'intérieur étaient uniformément recouverts de moquette bleu marine.

— Si tu te fais prendre avec ça… (Gansey n'arrivait pas à trouver une menace adéquate. Qu'encourait un élève qui apportait en douce un oiseau vivant en cours ? Il n'était pas sûr qu'il y ait eu des précédents.) S'il crève dans ton sac, je t'interdis de le jeter en classe !

— *Elle*, rectifia Ronan. C'est une femelle.

— J'y croirai quand ça aura des caractéristiques sexuelles bien définies. J'espère qu'il n'a pas la grippe aviaire ou un truc comme ça !

Mais le corbeau de Ronan le préoccupait moins que l'absence d'Adam en cours.

Tous deux s'installèrent à leurs places habituelles au fond de la salle. À l'autre bout de la pièce, Whelk écrivait des verbes au tableau.

Quand Gansey et Ronan étaient entrés, Whelk s'était interrompu au milieu du mot *internec*… et, bien qu'il n'y ait aucune raison de penser que celui-ci s'intéressait à leur conversation, Gansey soupçonna leur professeur d'avoir cessé d'écrire pour les écouter. La méfiance d'Adam commençait vraiment à déteindre sur lui.

Ronan croisa le regard de Whelk et le soutint sans amabilité. Malgré son intérêt pour le latin, Ronan avait décrété un peu plus tôt dans l'année que Whelk était un crétin socialement inepte, précisant par la suite qu'il ne l'aimait pas. Ronan méprisait tout le monde en bloc et n'était pas un bon juge en matière de caractères, mais Gansey devait bien admettre que l'individu avait quelque chose de déconcertant. Gansey, qui connaissait les effets bénéfiques qu'un échange académique enthousiaste pouvait avoir sur des résultats scolaires médiocres, avait tenté à l'occasion de lui parler d'histoire romaine, mais Whelk s'avérait trop jeune pour un rôle de mentor et trop âgé pour celui de camarade, et Gansey n'avait pas trouvé le moyen d'établir le contact.

Ronan continuait à dévisager Whelk effrontément. Il était très fort pour cela : il y avait dans sa façon de vous fixer un je-ne-sais-quoi qui vous arrachait quelque chose.

Le professeur détourna les yeux d'un air gêné. Satisfait de son effet, Ronan demanda :

— Qu'est-ce que tu comptes faire, pour Parrish ?

— Je suppose que je vais aller chez lui après les cours.

— Il est sans doute malade.

Ils échangèrent un regard. *On commence déjà à lui chercher des excuses,* se dit Gansey.

Ronan jeta de nouveau un coup d'œil à l'intérieur de son sac. Gansey ne distinguait dans l'ombre que le bec de l'oiseau. En temps normal, il aurait médité une fois de plus sur les chances que Ronan avait de trouver un corbeau, mais pour l'heure, avec l'absence d'Adam, sa quête avait perdu son aspect enchanteur et ne lui apparaissait plus que comme des années passées à assembler des coïncidences en une étoffe étrange, trop lourde pour être portée et trop légère pour être utile.

— Monsieur Gansey ? Monsieur Lynch ?

Whelk s'était soudain matérialisé près de leurs tables. Les deux garçons relevèrent la tête et le regardèrent, Gansey avec courtoisie et Ronan d'un air hostile.

— Vous me semblez avoir un très gros sac, aujourd'hui, monsieur Lynch, fit remarquer l'enseignant.

— Vous savez ce qu'on dit de ceux qui ont de gros sacs, répliqua Ronan : « *Ostendes tuum et ostendam meum.* »

Gansey n'avait pas compris un traître mot de ce que venait de déclarer Ronan, mais, à en juger par la grimace moqueuse de son camarade, ce n'était pas précisément poli.

L'expression sur le visage de Whelk confirma ses craintes, mais le professeur se borna à tambouriner des doigts sur la table avant de s'éloigner.

— Se montrer désagréable en cours n'est pas la meilleure façon d'obtenir des A en latin.

Ronan souriait jusqu'aux oreilles.

— Ça marchait l'année dernière !

À l'autre bout de la salle, Whelk commença son cours.

Et Adam n'apparut pas.

CHAPITRE 13

— Pourquoi Neeve est-elle ici, maman ? demanda Blue.

Sa mère et elle étaient perchées sur la table de la cuisine. À peine Blue était-elle rentrée de l'école que Maura l'avait réquisitionnée pour l'aider à changer les ampoules de la création de vitrail mal conçue suspendue au-dessus de la table. L'opération, compliquée et qui nécessitait pas moins de deux personnes, tendait à être repoussée jusqu'à ce que la plupart des lampes aient grillé. Donner un coup de main n'ennuyait pas Blue : elle avait besoin de quelque chose pour la distraire de la pensée du rendez-vous de Gansey, qui se profilait à l'horizon, et du fait qu'Adam n'avait pas appelé. À l'idée que, la veille au soir, elle lui avait donné son numéro, elle se sentait flotter, en proie à l'incertitude.

— Elle fait partie de la famille, répondit sombrement sa mère, qui agrippa d'un air féroce la chaîne du lustre en luttant avec une ampoule récalcitrante.

— De la famille qui rentre à n'importe quelle heure de la nuit ?

Maura lui lança un regard menaçant.

— Tu es née avec des oreilles plus longues que je ne le croyais. Elle m'aide juste à chercher quelque chose, pendant son séjour chez nous.

La porte d'entrée s'ouvrit. Calla et Persephone se trouvant toutes les deux dans les parages, ni Blue ni sa mère n'y firent attention. Il ne s'agissait sans doute pas de Calla, cette créature aux habitudes régulières, sédentaire et irascible, mais Persephone avait tendance à vaguer de façon étrange.

— Quelle sorte de *quelque chose* ? demanda Blue en affermissant sa prise sur le vitrail.

— Blue !

— Quelle sorte de *quelque chose* ?

— Une *personne,* répondit finalement Maura.

— Quelle personne ?

Avant que sa mère ait le temps de répondre, elles entendirent une voix d'homme :

— Drôle de façon de travailler !

Elles se retournèrent lentement. Blue tenait les bras levés depuis si longtemps que, lorsqu'elle les baissa, ils lui parurent en caoutchouc. L'homme qui avait parlé se tenait dans l'encadrement de la porte d'entrée, les mains dans les poches. Il n'était pas vieux, il pouvait avoir dans les vingt-cinq ans, et sa tête s'ornait d'une épaisse chevelure noire. Il était beau, mais d'une beauté qui demandait un certain effort de la part de la personne qui le regardait. Ses traits semblaient tous légèrement trop grands pour son visage.

Maura regarda Blue, un sourcil levé. Blue haussa une épaule en réponse. Il n'avait pas l'air d'être venu les assassiner ou leur dérober du matériel électronique.

— Drôle de façon d'entrer chez les gens ! répliqua Maura en relâchant la malheureuse suspension.

— Désolé, s'excusa l'homme, mais j'ai vu une plaque professionnelle à l'entrée.

Près de la porte, en effet, un écriteau peint à la main – Blue ignorait par qui – annonçait MÉDIUM.

— « Uniquement sur rendez-vous », précisa Maura en citant la ligne suivante de la pancarte.

Blue parcourut la cuisine du regard et fit une grimace. Elle avait laissé un panier de linge propre près du plan de travail, et l'un des soutiens-gorge de dentelle mauve de sa mère trônait en évidence tout en haut de la pile. Blue s'interdit de se sentir coupable : après tout, elle ne s'attendait pas à voir surgir un inconnu dans la cuisine.

— Dans ce cas, je désirerais en prendre un, dit l'homme.

Tous les trois se retournèrent en entendant une voix s'élever de la porte qui donnait sur l'escalier :

— Nous pourrions vous proposer une triple.

Petite, pâle et composée surtout de cheveux, Persephone se tenait au pied des marches. L'homme la dévisagea, et Blue se demanda s'il réfléchissait à son offre ou s'il était surpris par son apparence inhabituelle.

— Qu'est-ce que c'est ? demanda-t-il finalement.

Blue mit un moment à comprendre qu'il parlait de la « triple », et non de Persephone. Maura sauta d'un bond de la table et atterrit si brutalement que les verres tintèrent dans le placard. Blue, qui tenait la boîte pleine d'ampoules, descendit plus posément.

— Cela signifie que nous vous tirons les cartes toutes les trois – Persephone, Calla et moi – en même temps et que nous comparons nos interprétations, expliqua Maura. Persephone ne le propose pas à tout le monde, vous savez.

— Ça coûte plus cher ?

— Pas si vous vous chargez de changer pour nous cette fichue ampoule ! répondit Maura en essuyant ses mains sur son jean.

— Parfait, dit l'homme, mais son ton laissait deviner qu'il était vexé.

Maura fit signe à Blue de donner une ampoule au visiteur.

— Tu veux bien aller chercher Calla ? demanda-t-elle à Persephone.

— Oh là là ! s'exclama cette dernière d'une toute petite voix (sa voix étant naturellement fluette, sa toute petite voix paraissait vraiment inaudible) avant de disparaître dans l'escalier, pieds nus et parfaitement silencieuse.

Maura fixa Blue d'un air interrogateur, et celle-ci haussa les épaules en signe d'assentiment.

— Si cela ne vous dérange pas, ma fille Blue assistera à la séance. Sa présence clarifie les choses.

L'homme lui lança un coup d'œil indifférent et grimpa sur la table, qui grinça un peu sous son poids. Il grommela en essayant de dévisser l'ampoule grillée.

— Vous voyez maintenant où est le problème, dit Maura. Comment vous appelez-vous ?

— Ah ! s'exclama-t-il en secouant l'ampoule. Je préférerais rester anonyme.

— Nous sommes des médiums, pas des strip-teaseuses, l'assura Maura.

Blue rit, mais pas l'inconnu, ce qu'elle trouva un peu injuste de sa part. D'accord, la plaisanterie n'était peut-être pas du meilleur goût, mais il fallait bien admettre qu'elle était drôle.

L'homme vissa une nouvelle ampoule en place et la cuisine s'illumina soudain. Il descendit de la table sur une chaise, puis de la chaise sur le sol, sans faire de commentaire.

— Vous n'avez rien à craindre, nous sommes discrètes, lui promit Maura en l'invitant à la suivre.

Dans la salle de séjour où se tenaient les consultations, l'homme regarda autour de lui avec un vif intérêt. Il passa en revue les bougies, les plantes en pots, les brûle-parfums, le lustre alambiqué, la table rustique qui occupait la majeure partie de la pièce, les rideaux de dentelle et, finalement, la photographie encadrée de Steve Martin.

— Signée, précisa non sans fierté Maura, qui avait suivi son regard. Ah, voici Calla !

Celle-ci entrait en trombe dans la pièce les sourcils froncés, irritée d'avoir été dérangée. Elle arborait un rouge à lèvres d'une virulente couleur prune qui faisait de sa bouche un petit diamant pincé sous la pointe de son nez. Elle lança à l'homme un regard assassin qui pénétra jusqu'aux tréfonds de son âme – qu'elle jugea médiocre –, puis, saisissant son jeu de cartes sur l'étagère près de la tête de Maura, elle se laissa tomber sur une chaise au bout de la table. Sur le seuil, derrière elle, Persephone croisait et décroisait les doigts. Blue se glissa à la hâte sur une chaise à l'autre bout de la table. La pièce lui paraissait beaucoup plus petite que quelques minutes auparavant, surtout en raison de la présence de Calla.

— Asseyez-vous, dit Persephone avec gentillesse.

— Que désirez-vous savoir ? s'enquit Calla sans une once d'amabilité.

L'homme prit place. Maura s'installa en face de lui, entre Calla et Persephone et sa chevelure. Blue se tenait comme d'habitude un peu en retrait.

— J'aimerais mieux garder cela secret, répondit l'inconnu, mais peut-être me le direz-vous.

Le sourire prune de Calla était positivement sulfureux.

Maura fit glisser son jeu de cartes sur la table vers l'homme et lui demanda de les battre. Il s'exécuta avec brio et sans trahir d'embarras. Puis Persephone et Calla firent de même.

— Vous avez déjà assisté à une séance, fit remarquer Maura.

Il grommela un vague assentiment, et Blue comprit qu'il craignait que la moindre information ne fausse la donne et ne leur permette de tricher. Ce n'était pas un sceptique, mais il se méfiait d'*elles,* visiblement.

Maura refit glisser la pile de cartes devant elle. Blue avait toujours vu sa mère utiliser ce jeu, et la tranche des cartes était tout émoussée par l'usure. C'était un jeu de tarot standard, dont les images n'avaient que la puissance qu'on leur conférait. Maura sélectionna dix cartes qu'elle étala. Calla l'imita avec son jeu à elle, un peu moins vieux – elle en avait fait l'acquisition quelques années auparavant, après un incident malheureux qui l'avait dégoûtée du précédent. Seul le bruissement des cartes contre la surface irrégulière et mouchetée de la table troublait le silence.

Persephone, qui tenait les siennes entre ses mains effilées, fixa l'homme pendant un instant lourd de sens, puis plaça à son tour deux cartes seulement, une au début et l'autre à la fin de la rangée. Blue adorait la voir à l'œuvre : le mouvement fluide du poignet et le claquement sec des cartes évoquaient un tour de passe-passe ou un mouvement de ballet, et les cartes elles-mêmes semblaient alors venues d'un autre monde. Celles qu'utilisait Persephone, légèrement plus grandes que celles de Maura ou de Calla, étaient ornées de curieuses images formées de minces lignes enchevêtrées sur un arrière-plan flou. Blue n'avait jamais vu un autre jeu de ce type, mais, Maura lui ayant dit un jour qu'il était difficile de poser à Persephone des questions pour lesquelles une réponse ne s'avérait pas impérativement nécessaire, elle n'avait jamais pu savoir d'où venait ce jeu.

Maura, Persephone et Calla se penchèrent pour étudier les cartes étalées sur la table. Blue tâchait de voir par-dessus leurs têtes tout en tentant d'ignorer la puissante odeur chimique et parfumée du gel douche masculin qui émanait de l'homme. Un de ces produits vendus en flacons noirs et portant un nom comme Shock ou Excite ou Brut de Trauma.

Calla parla en premier. Elle retourna le Trois d'Épée pour que l'homme le voie. Sur sa carte, les trois épées transperçaient un cœur saignant et sombre, de la teinte de ses lèvres.

— Vous avez perdu un proche.

L'homme considéra ses mains.

— J'ai perdu... commença-t-il, avant de se raviser : beaucoup de choses.

Maura fit la moue. L'un des sourcils de Calla migra vers ses cheveux. Elles échangèrent un bref regard. Blue les connaissait toutes les deux suffisamment pour comprendre leur échange. Les yeux de Maura interrogeaient : *Qu'en penses-tu ?* Ce à quoi ceux de Calla répondaient : *On laisse tomber !* Persephone, elle, se taisait.

Maura effleura le bord du Cinq de Pentacle.

— Vous avez des soucis d'argent, fit-elle remarquer.

Sur sa carte, un homme appuyé sur une canne s'avançait dans la neige sous le vitrail d'une fenêtre, tandis qu'une femme tenait un châle sous son menton.

— À cause d'une femme, poursuivit Maura.

L'inconnu ne cilla pas.

— Mes parents étaient très riches, dit-il. Mon père fut impliqué dans un scandale financier. Ils sont divorcés, à présent, et il ne reste plus d'argent. Plus pour moi.

C'était là une façon étrangement désagréable de tourner la chose. Implacablement terre à terre.

Maura essuya ses paumes sur son pantalon et désigna une autre carte.

— Vous faites à présent un travail que vous trouvez fastidieux, une chose pour laquelle vous êtes doué mais dont vous vous êtes lassé.

Les lèvres pincées de l'homme lui donnaient raison.

Persephone toucha la première carte qu'elle avait tirée. Le Chevalier de Pentacle : un cavalier en armure, une pièce de monnaie à la main, contemplait une plaine d'un regard froid. Blue observa la pièce de près et crut y discerner une forme. Trois lignes incurvées semblaient délimiter un long triangle pointu, où Blue crut reconnaître le dessin de Neeve dans le cimetière, celui que Maura avait tracé machinalement dans la douche et qu'elle-même avait retrouvé dans le carnet de cuir, mais, en l'examinant mieux, elle vit qu'il s'agissait d'une étoile à cinq branches faiblement esquissée : le Pentacle, d'où la carte tirait son nom.

Persephone prit enfin la parole :

— Vous êtes à la recherche de quelque chose, annonça-t-elle de sa petite voix précise.

L'homme sursauta et tourna la tête dans sa direction.

La carte de Calla, près de celle de Persephone, montrait également le Chevalier de Pentacle. Il était rare que deux jeux s'accordent aussi exactement et, plus étrange encore, la carte de Maura était elle aussi un Chevalier de Pentacle. Trois chevaliers aux yeux froids contemplaient la lande en contrebas.

— Vous êtes prêt à tout pour trouver ce que vous cherchez, déclara amèrement Calla. Cela fait des années que vous poursuivez ce but.

— *Oui !* concéda l'homme, d'un ton si sec qu'elles furent surprises de sa férocité. Mais combien de temps encore cela va-t-il durer ? Et est-ce que je trouverai ce que je cherche ?

Les trois femmes scrutèrent à nouveau les cartes, en quête d'une réponse. Blue les observait. Bien que n'étant pas médium, elle n'ignorait pas ce que les cartes étaient censées signifier. Son attention passa de la Tour, qui indiquait que la vie de l'homme était sur le point de changer radicalement, à la toute dernière carte, le Page de Coupe. Blue jeta un coup d'œil à sa mère, qui fronçait les sourcils. Le Page de Coupe n'était pourtant pas une mauvaise carte : c'était même celle dont Maura, quand elle tirait les cartes pour elle-même, disait toujours qu'elle croyait qu'elle représentait Blue.

« Tu es le Page de Coupe, lui avait-elle affirmé un jour. Regarde tout ce potentiel qu'il tient dans sa coupe ! Tu vois, il te ressemble ! »

Il n'y avait pas seulement un Page de Coupe cette fois-ci. À l'instar du Chevalier de Pentacle, il était apparu à trois reprises. Trois jeunes gens tenant une coupe pleine de possibilités, dont tous avaient les traits de Blue. Maura avait pris un air terriblement sombre.

La peau de Blue la picota. Elle se sentait soudain liée à d'innombrables destins : Gansey, Adam, le néant dans le saladier divinatoire de Neeve, et ce drôle de type assis non loin d'elle. Son pouls battait à toute vitesse.

Maura se dressa si brusquement que sa chaise bascula et alla donner contre le mur.

— La séance est terminée ! coupa-t-elle brutalement.

Persephone leva sur elle un regard stupéfait. Calla parut déroutée, mais enchantée à la perspective d'un conflit. Blue ne reconnaissait plus l'expression sur le visage de sa mère.

— Plaît-il ? demanda l'homme. Les autres cartes…

— Vous avez bien entendu, l'interrompit Calla d'un ton acide – et Blue se demanda si elle se sentait, elle aussi, mal à l'aise, ou si elle soutenait seulement Maura. La séance est terminée !

— Sortez, sortez immédiatement ! ordonna Maura. Merci et bonne journée ! ajouta-t-elle, dans un effort visible pour se montrer polie.

Calla recula pour laisser passer Maura, qui se dirigea aussitôt vers la porte pour indiquer d'un geste la sortie.

— Je me sens terriblement insulté, dit l'homme en se levant.

Maura ne lui répondit pas. À peine avait-il franchi le seuil qu'elle claquait le battant derrière lui. La vaisselle du placard tinta derechef.

Calla était allée à la fenêtre. Elle repoussa un peu les rideaux et appuya son front contre la vitre pour voir partir l'individu.

Maura arpentait la pièce de long en large près de la table. Blue faillit poser une question, se ravisa, puis changea de nouveau d'avis, avant de se reprendre et d'hésiter encore. Il lui semblait déplacé d'être la seule à interroger.

— Quel jeune homme désagréable ! s'exclama Persephone.

Calla laissa retomber les rideaux.

— J'ai relevé son numéro, annonça-t-elle.

— J'espère qu'il ne trouvera *jamais* ce qu'il cherche ! gronda Maura.

Persephone ramassa ses deux cartes.

— Il ne ménage pas ses efforts, énonça-t-elle avec une pointe de regret. Je ne serais pas étonnée s'il trouvait *quelque chose.*

Maura se tourna brusquement vers sa fille.

— Si jamais tu le rencontres à nouveau, Blue, ordonna-t-elle, pars aussitôt dans la direction opposée !

— Non, corrigea Calla. Donne-lui d'abord un bon coup de pied où je pense et, après, *cours* dans la direction opposée !

CHAPITRE 14

Helen, la sœur aînée de Gansey, l'appela juste au moment où il arrivait au chemin de terre battue menant chez les Parrish. Répondre au téléphone dans l'habitacle de Tête de lard s'avérait toujours problématique. Non seulement la Camaro n'avait pas de boîte automatique et faisait autant de bruit qu'un semi-remorque, mais il fallait compter avec toute une série de problèmes de direction, d'interférences électriques et de levier de vitesse crasseux. Il en résultait que la voix de sa sœur était à peine audible, et qu'il manqua d'expédier la voiture dans le fossé.

— C'est quand, l'anniversaire de maman ? demanda Helen.

Gansey se sentit à la fois content d'entendre sa voix et contrarié qu'on le dérange pour un détail aussi trivial. La plupart du temps, Helen et lui étaient en bons termes. Gansey et sa sœur formaient une espèce rare et complexe et, entre eux, ils n'avaient pas besoin de faire semblant d'être quelqu'un d'autre que ce qu'ils étaient.

— C'est toi, l'organisatrice de mariages, répondit Gansey, alors qu'un chien surgissait de nulle part et aboyait furieusement en tentant de mordre les pneus de la Camaro. Ça devrait être de ton ressort, les dates, non ?

— Autrement dit, tu ne t'en souviens pas, répliqua Helen. Et je ne m'occupe plus de mariages, ou du moins plus qu'à temps partiel. Ou plutôt à temps complet, mais pas tous les jours.

Helen n'avait pas *besoin* de faire quoi que ce soit. Elle n'avait pas de carrière, mais des loisirs qui impliquaient la vie des autres.

— Si, je m'en souviens, dit Gansey, crispé. C'est le 10 mai !

Un bâtard attaché devant la première maison hurla douloureusement à son passage. L'autre chien continuait à s'en prendre aux pneus avec un grondement hargneux qui s'amplifiait de concert avec le bruit du moteur. Dans une des cours, trois gosses en chemise sans manches qui tiraient sur des bidons à lait avec des carabines à air comprimé crièrent « Hey, Hollywood ! » et braquèrent gentiment leurs armes sur les pneus de Tête de lard, avant de faire mine de tenir un portable à leur oreille. Gansey se sentit curieusement ému devant ces jeunes garçons et leur camaraderie : des enfants du quartier, façonnés par leur environnement. Il ne savait pas très bien s'il les enviait ou s'il avait pitié d'eux. Tout était poussiéreux.

— Où es-tu ? demanda Helen. Au bruit, je dirais dans un film de Guy Ritchie !

— En route pour aller voir un ami.

— Le méchant ou le pauvre ?

— Helen !

— Désolée, je voulais dire Capitaine Frigide ou Trailer Park Boy ?

— *Helen !*

Adam n'habitait pas à proprement parler dans un parc de mobil-homes. Il avait raconté à Gansey que les derniers avaient été déplacés ailleurs plusieurs années auparavant, mais sur un ton ironique, comme s'il savait que cela ne changeait en fait pas grand-chose.

— Papa leur donne des noms bien pires, fit remarquer Helen. Maman a dit qu'un de tes drôles de livres New Age avait été livré à la maison hier. Tu comptes revenir bientôt ?

— Peut-être.

Pour une raison ou une autre, voir ses parents rappelait toujours à Gansey le peu de choses qu'il avait accomplies dans sa vie, combien Helen et lui se ressemblaient, combien de cravates rouges il possédait et comment, avec l'âge, il devenait peu à peu tout ce que Ronan craignait de devenir. Il s'arrêta devant la maison bleu clair où vivaient les Parrish.

— Peut-être pour l'anniversaire de maman. Il faut que je raccroche, les choses pourraient mal tourner.

Le haut-parleur du portable transformait le rire de Helen en sifflement atone.

— Tu devrais t'entendre rouler des mécaniques, alors que je parie que tu es seulement en train d'écouter un CD intitulé *Les Sons du crime* pendant que tu traînes dans ta Camaro devant le Old Navy en espérant ramasser une fille.

— Salut, Helen.

Gansey coupa la communication et sortit de la voiture.

Des nuées d'abeilles charpentières grassouillettes et luisantes, distraites de leur travail de sape de l'escalier, se précipitèrent sur lui. Il frappa à la porte, puis contempla la laide étendue plate d'herbe morte. L'idée qu'à Henrietta la beauté était une chose pour laquelle il fallait payer aurait déjà dû l'effleurer, mais non. Adam avait beau lui répéter qu'il jetait l'argent par les fenêtres, il semblait incapable de se corriger.

Il n'y a pas de printemps, par ici, constata Gansey, et cela le rendit étonnamment triste.

La mère d'Adam ouvrit la porte. Elle ressemblait à une ombre de son fils – les mêmes traits allongés, les mêmes yeux écartés. Comparée à la mère de Gansey, elle avait l'air vieille et sévère.

— Adam est derrière, dit-elle sans lui laisser le temps de demander quoi que ce soit.

Elle lui jeta un coup d'œil, puis détourna le regard sans soutenir le sien. Gansey était toujours stupéfait par la façon dont les parents d'Adam réagissaient à la vue du polo d'Aglionby. Celui-ci leur révélait tout ce qu'il y avait à savoir sur son compte avant même qu'il ait ouvert la bouche.

— Merci, dit Gansey – mais le mot eut un goût de sciure dans sa bouche et, du reste, elle refermait déjà la porte.

Il lui fallut un moment pour trouver Adam : allongé sous une antique Pontiac Bonneville montée sur une rampe dans le vieil abri derrière la maison, il était presque invisible dans l'ombre bleutée et froide. Un carter vide dépassait de sous la voiture. Adam ne faisait aucun bruit, et Gansey le soupçonna d'être venu ici moins pour travailler que pour éviter de rester dans la maison.

— Salut, le Tigre ! dit Gansey.

Les genoux d'Adam se replièrent comme s'il allait s'extraire de sa retraite, mais il n'en fit rien.

— Qu'est-ce qu'il y a ? demanda-t-il d'un ton plat.

Gansey, qui n'ignorait pas ce que signifiait le fait que son ami ne se montre pas aussitôt, sentit son cœur se serrer de colère et de honte. Le plus frustrant était qu'il ne pouvait rien faire, absolument rien, pour aider Adam. Il laissa tomber un cahier sur l'établi.

— Je t'ai apporté les notes de cours d'aujourd'hui. Je ne pouvais pas leur raconter que tu étais malade. Tu as manqué trop souvent le mois dernier.

— Qu'est-ce que tu leur as dit, alors ? demanda Adam d'une voix monocorde.

Un des outils sous la voiture émit un grattement peu enthousiaste.

— Allez, Parrish, sors de là ! dit Gansey. Qu'on en finisse !

Il sursauta quand une truffe froide vint se fourrer dans la paume de sa main pendante – c'était le chien qui avait si sauvagement agressé ses pneus à l'instant. Il caressa à contrecœur une des oreilles courtaudes et écarta en toute hâte sa main quand l'animal se rua sur la voiture, aboyant contre les pieds d'Adam qui venaient de bouger. Les genoux en loques du pantalon de camouflage d'Adam surgirent en premier, suivis de son tee-shirt Coca-Cola défraîchi puis, finalement, de son visage.

L'hématome rougeâtre qui couvrait sa pommette enflait comme une galaxie. Un autre, plus sombre, chevauchait l'arête de son nez.

— Je t'emmène, dit aussitôt Gansey.

— Ça ne ferait qu'empirer les choses quand je reviendrai, objecta Adam.

— Pour de bon, je veux dire. Viens habiter à la manufacture. Trop, c'est trop !

Adam se leva, et le chien, ravi, lui fit fête comme s'il revenait d'une autre planète.

— Et quand Glendower t'entraînera loin de Henrietta ?

Gansey ne pouvait pas jurer que cela ne se produirait pas.

— Tu m'accompagneras.

— T'accompagner ? Explique-moi un peu. Je perdrais tout le bénéfice de mon travail à Aglionby. Je serais obligé de repartir de zéro dans une autre école !

Adam avait un jour dit à Gansey que *De Grandes Espérances* n'était pas une histoire à lire sans la fin, mais c'en était également une difficile à mener à bien, alors qu'Adam venait une fois de plus de manquer les cours. Il n'y avait pas d'heureux dénouement sans un minimum de bonnes notes.

— Tu n'aurais pas besoin d'aller dans une école comme Aglionby. Tu n'es pas obligé d'intégrer une des huit meilleures universités de la côte. Il y a plusieurs façons de réussir.

— Moi, je ne porte pas de jugement sur ce que tu fais, Gansey, rétorqua aussitôt Adam.

C'était là un point gênant, dans la mesure où Gansey savait qu'Adam avait beaucoup de mal à accepter sa quête de Glendower. Son ami avait en effet toutes les raisons du monde de rester indifférent devant l'anxiété nébuleuse de Gansey, sa façon de se demander pourquoi il était né riche et de s'interroger sur le sens de sa vie. Gansey *savait* que les avantages dont il bénéficiait d'emblée l'obligeaient moralement à agir, à laisser une empreinte sur le monde : il serait le pire des minables de ne pas le faire.

« Les pauvres sont tristes d'être pauvres, avait déclaré un jour Adam, songeur. Et voilà que les riches le sont aussi, mais eux, c'est d'être riches !

— Hé, moi aussi, je suis riche, mais ça ne m'empêche pas de dormir ! » avait répliqué Ronan.

— Alors, parfait ! dit Gansey à voix haute. On te trouve une autre bonne école, on joue le jeu et on t'organise une nouvelle vie.

Adam tendit le bras pour attraper un chiffon derrière Gansey et se mit à essuyer la graisse entre ses doigts.

— Il me faudrait aussi du travail, et ça ne se trouve pas comme ça. Tu sais combien de temps il m'a fallu ?

Il ne parlait pas de ce qu'il faisait dans l'atelier de mécanique de son père, ce n'était qu'une corvée. Adam cumulait trois jobs, dont le plus important à l'usine de caravanes, juste à la sortie de Henrietta.

— Je pourrais t'aider jusqu'à ce que tu trouves quelque chose.

Un très long silence s'ensuivit, pendant lequel Adam continua de se frotter les doigts. Il ne releva pas la tête. Ils avaient déjà eu maintes et maintes fois cette conversation, et des journées entières de disputes se rejouaient durant ces quelques instants. Les mots avaient été prononcés si souvent qu'ils en devenaient superflus.

La réussite n'avait de prix aux yeux d'Adam que s'il en était lui-même l'artisan.

Gansey s'efforça de garder une voix égale, mais une certaine chaleur s'y glissa :

— C'est donc ta fierté qui t'empêche de partir ? Il te tuera !

— Tu as regardé trop de séries policières.

— Je regarde les informations le soir, Adam ! dit Gansey brutalement. Pourquoi tu ne laisses pas Ronan t'apprendre à te battre ? C'est la deuxième fois qu'il te le propose. Il est sérieux !

Adam replia avec un soin méticuleux le chiffon graisseux et le posa sur une boîte à outils. Il y avait beaucoup de choses dans l'atelier : des panneaux à outils, des calendriers illustrés de photos de femmes aux seins nus, des compresseurs à air industriels et toutes sortes d'objets qui, aux yeux de M. Parrish, avaient plus de valeur que l'uniforme scolaire de son fils.

— Parce que, alors, il me réglera mon compte pour de bon.

— Je ne te suis pas

— Il a un fusil.

— Seigneur ! s'exclama Gansey.

Posant une main sur la tête du chien – ce qui déclencha des transports de joie –, Adam se pencha hors de l'atelier pour inspecter du regard le chemin de terre battue. Gansey n'avait pas besoin qu'on lui explique ce que son ami guettait.

— Allez, Adam ! dit-il. On se débrouillera pour que ça marche !

Je t'en prie ! supplia-t-il *in petto*.

Une ride se creusa entre les sourcils d'Adam, qui détourna les yeux, non vers les maisons au premier plan mais au-delà, vers l'étendue monotone et parsemée de touffes d'herbe sèche du champ. Tant de choses, par ici, survivaient sans vraiment vivre.

— Ça voudrait dire que je n'ai pas la possibilité d'être pleinement moi-même. Si je te laisse m'entretenir, c'est que je dépends de toi. Pour le moment, je dépends de lui, mais là, ce serait de toi.

Les mots d'Adam portèrent plus que Gansey ne l'aurait imaginé. Certains jours, seul le fait de savoir que son amitié avec Adam existait et que l'argent n'y avait pas prise parvenait à le rassurer. Tout ce qui témoignait du contraire blessait Gansey plus qu'il ne l'aurait admis.

— Alors, c'est comme ça que tu me perçois ?

— Tu ne sais pas, toi, Gansey, dit Adam. Même si tu en as plein les poches, tu ignores tout de l'argent. Tu ne sais pas de quel œil les gens nous regardent, toi et moi, à cause de ça. Ils ne veulent rien savoir d'autre à notre sujet. On me prendrait pour ton singe.

Je ne suis rien de plus que ma fortune. C'est tout ce qu'on voit de moi, même Adam.

— Tu te figures que ta stratégie va payer, quand tu manques les cours et que tu es absent au travail parce que ton père t'a passé à tabac ? Tu ne vaux pas mieux que ta mère. Tu t'imagines que tu le mérites.

Adam fit valdinguer sans crier gare une petite boîte de clous de l'étagère près de lui, et sa chute sur le sol en béton les fit sursauter tous les deux.

Adam croisa les bras et tourna le dos à Gansey.

— Ne fais pas semblant de savoir, dit-il. Ne t'avise pas de venir ici et de prétendre que tu comprends tout !

Gansey s'ordonna à lui-même de partir. De se taire. Mais il reprit la parole :

— Alors, de ton côté, ne fais pas semblant d'avoir quelque chose dont tu peux être fier !

À peine avait-il fini de parler qu'il savait qu'il se montrait injuste et que, même si ce n'était pas le cas, il avait eu tort de dire ça. Pourtant il ne le regrettait pas.

Il retourna à la Camaro et sortit son portable pour appeler Ronan, mais il n'y avait plus de réseau du tout, comme souvent à Henrietta. D'habitude, Gansey supposait alors qu'une activité surnaturelle affectait l'énergie dans les environs de la ville, interférant avec les ondes des portables et parfois même avec le courant électrique.

Aujourd'hui, il pensa que cela voulait simplement dire que la ligne ne passait pas.

Fermant les yeux, il songea à l'ecchymose qui envahissait le visage d'Adam et à la méchante marque rouge étalée sur son nez. Il s'imagina venir ici un jour pour découvrir qu'Adam n'était plus là mais à l'hôpital ou, pire encore, qu'il était bien là mais qu'à force de coups on l'avait dépouillé de quelque chose d'important.

Rien qu'à l'idée, Gansey se sentait malade.

La voiture tressaillit, et il rouvrit les yeux. La portière côté passager grinça.

— Gansey, attends ! dit Adam, tout essoufflé.

Il devait se plier en deux pour voir dans la voiture. Son hématome prenait un aspect épouvantable et faisait paraître sa peau translucide.

— Ne pars pas comme...

Gansey laissa glisser ses mains du volant et leva la tête. C'était le moment où Adam allait lui dire de ne pas prendre ses propos personnellement. Mais Gansey, lui, les percevait comme tels.

— J'essaie juste de t'aider.

— Je sais bien, répondit Adam, mais je ne peux pas suivre tes conseils. Si je le faisais, je ne pourrais plus vivre avec moi-même.

Gansey hocha la tête sans comprendre. Qu'on en finisse ! Il aurait voulu être à nouveau la veille, quand Ronan, Adam et lui écoutaient l'enregistrement, et que le visage d'Adam était encore intact. Il aperçut derrière son ami la silhouette de Mme Parrish, qui les épiait de la véranda.

Adam ferma les yeux un instant. Gansey voyait ses pupilles bouger sous la peau fine des paupières.

Soudain, Adam se coula en souplesse sur le siège passager. La bouche de Gansey s'ouvrit sur une question, qu'il ne posa pas.

— Partons ! dit Adam sans un regard pour Gansey ni sa mère qui les fixait toujours. On avait décidé d'aller interroger un médium, non ? Alors, on le fait !

— Oui, mais...

— Je dois être rentré pour dix heures.

Adam le regardait à présent, avec dans ses yeux cette chose féroce et glaçante, impossible à nommer, dont Gansey avait toujours craint qu'elle en vienne à prendre complètement le dessus chez son ami. Il savait que cette proposition était un compromis, une offre hasardeuse qu'il pouvait choisir de refuser.

Il hésita un instant, puis tous deux se choquèrent le poing au-dessus du levier de vitesse. Adam baissa sa vitre et agrippa le toit comme s'il avait besoin d'un ancrage.

Alors que la Camaro quittait lentement le chemin de terre battue, un pick-up Toyota bleu qui arrivait en face leur barra la route. Gansey entendit Adam retenir son souffle et croisa à travers le pare-brise le regard de son père. Robert Parrish était un homme massif et aussi incolore qu'un mois d'août, couvert de la poussière omniprésente du quartier. Gansey ne retrouvait rien d'Adam dans ses petits yeux sombres.

Robert Parrish cracha par la vitre baissée. Il ne se rangea pas pour les laisser passer. Adam fixait le champ de maïs, mais Gansey ne détourna pas le regard.

— Tu n'es pas obligé de venir, dit Gansey – parce qu'il devait le dire.

La voix d'Adam vint de très loin :

— Je t'accompagne.

Gansey tourna brusquement le volant et fit rugir le moteur. Tête de lard quitta le chemin en trombe en soulevant sous ses roues des geysers de terre et franchit brutalement le fossé peu profond. Gansey mourait d'envie et craignait tout à la fois de vider son sac et de crier au père d'Adam ses quatre vérités.

Quand ils s'engagèrent sur la route en abandonnant la Toyota derrière eux, il sentit Robert Parrish les suivre des yeux, et ce regard lui parut peser sur l'avenir plus lourdement que tout ce qu'un médium pourrait lui raconter.

CHAPITRE 15

Bien entendu, il était en retard à son rendez-vous. L'heure vint et passa. Pas de Gansey, et, ce qui était peut-être une plus grosse déception, pas de coup de téléphone d'Adam non plus. Blue écarta les rideaux pour jeter un coup d'œil de chaque côté de la rue, mais ne vit que la circulation habituelle à ce moment de la journée. Maura inventait des excuses :

— Il a pu se tromper en notant l'heure.

Blue ne pensait pas qu'il s'était trompé en notant l'heure. Dix minutes passèrent encore en lambinant.

— Ou il a eu un problème avec sa voiture.

Blue ne pensait pas qu'il avait eu un problème avec sa voiture.

Calla prit le roman qu'elle lisait et disparut dans les escaliers. Sa voix flotta jusqu'en bas :

— Ça me rappelle qu'il faudrait faire contrôler cette courroie, sur la Ford. Je vois une panne dans ton avenir, Maura, près de ce drôle de magasin de meubles ; un homme très laid avec un portable qui s'arrêtera et se montrera excessivement prévenant.

Il n'était pas impossible qu'elle dise vrai, mais il n'était pas impossible non plus qu'elle exagère. Quoi qu'il en soit, Maura nota la chose sur le calendrier.

— Je lui ai peut-être dit par erreur demain après-midi, au lieu d'aujourd'hui.

— *Ça peut toujours arriver,* murmura Persephone. Je crois que je vais faire un gâteau.

Blue la regarda avec inquiétude. Faire un gâteau était un processus long et alambiqué, pendant lequel Persephone n'aimait pas être dérangée. Jamais elle ne se lancerait dans la pâtisserie si elle pensait qu'elle risquait d'être interrompue par l'arrivée de Gansey.

Maura lui jeta elle aussi un coup d'œil, puis sortit un sac de courgettes jaunes et une plaquette de beurre du réfrigérateur. À présent, Blue savait exactement comment le reste de la journée allait se dérouler. Persephone préparerait quelque chose de sucré, et Maura quelque chose avec du beurre. Par la suite, Calla réapparaîtrait et concocterait un plat à base de saucisses ou de bacon. C'était ainsi les soirs où un repas n'avait pas été organisé d'avance.

Blue ne croyait pas que Maura avait dit à Gansey demain après-midi au lieu d'aujourd'hui. Elle supposait plutôt que Gansey, après avoir consulté l'horloge du tableau de bord de sa Mercedes-Benz ou le cadran de sa radio Aston Martin, avait décidé que son rendez-vous empiétait sur sa séance d'escalade ou de squash. Du coup, il n'était pas venu, tout comme Adam n'avait pas téléphoné. Elle n'en était pas autrement surprise. Ils se comportaient exactement comme elle s'y attendait de la part de Corbeaux.

Juste au moment où elle s'apprêtait à aller bouder à l'étage avec sa boîte de couture et ses devoirs, Orla poussa un cri :

— Il y a une Camaro 1973 devant la maison ! Assortie à *mes ongles !*

La dernière fois que Blue avait vu les ongles de sa cousine, ceux-ci étaient ornés d'un motif complexe de cachemire. Elle n'était pas très sûre de ce à quoi pouvait ressembler une Camaro 1973, mais elle ne doutait pas que la voiture devait avoir l'air vraiment impressionnante, et elle était également certaine qu'Orla parlait encore au téléphone, car, sinon, sa cousine serait déjà descendue avec des yeux écarquillés comme des soucoupes.

— C'est parti ! dit Maura en abandonnant ses courgettes dans l'évier.

Calla réapparut dans la cuisine et échangea avec Persephone un regard perçant.

L'estomac de Blue chuta dans ses talons.

Gansey. Du calme, c'est juste Gansey.

La sonnette retentit.

— Prête ? demanda Calla à Blue.

Gansey, celui qu'elle devait tuer, ou dont elle devait tomber amoureuse. Si ce n'était les deux. Comment pourrait-elle se sentir *prête* ! Maura ouvrit la porte.

Le soleil couchant découpait sur le seuil trois silhouettes de garçons, comme celle de Neeve quelques semaines auparavant. Trois paires d'épaules : une carrée, une musclée, et une maigre et nerveuse.

— Désolé pour le retard, dit le premier, celui aux épaules carrées, qui sentait la menthe comme dans le cimetière. J'espère que cela ne vous pose pas de problème.

Blue connaissait cette voix.

Elle mit la main sur la rampe de l'escalier pour se stabiliser, tandis que Président au portable pénétrait dans le hall.

Oh, non ! Pas lui ! Elle avait passé tant de temps à se demander comment Gansey périrait, et voilà qu'elle allait devoir l'étrangler ! Chez Nino, sa voix avait été noyée dans le vacarme de la musique et son effluve de menthe dans l'odeur d'ail omniprésente.

Mais, maintenant qu'elle avait fait le rapprochement, cela semblait évident.

Ici, dans l'entrée, il faisait un peu moins président, mais uniquement parce que, à cause de la chaleur, il avait remonté les manches de sa chemise en les roulant de travers et ôté sa cravate, et que ses cheveux châtains étaient tout ébouriffés. Restaient la montre, assez grande pour assommer un braqueur de banques, et l'éclat rayonnant de sa peau : le teint d'un garçon qui n'a jamais connu la pauvreté, et dont ni le père, ni le grand-père, ni l'arrière-grand-père ne l'ont connue non plus. Blue n'arrivait pas à décider s'il était très beau ou juste très riche ; cela revenait peut-être au même.

Gansey. C'était lui, Gansey.

Donc le carnet lui appartenait.

— Non, il n'est pas trop tard, dit Maura, dont la curiosité l'emportait visiblement sur toutes les règles d'organisation. Venez dans le salon de lecture. Puis-je vous demander vos noms ?

Car, bien entendu, Président au portable avait ramené de chez Nino la majeure partie de ses troupes. Seul le garçon à l'air absent n'était pas là. À eux trois, les autres semblaient investir l'entrée tout entière, bruyants, mâles et si à l'aise dans leur propre compagnie qu'ils en excluaient tout le monde. Avec leurs montres, leurs mocassins et leurs uniformes sur mesure, on aurait dit une meute d'animaux raffinés, et le tatouage chevauchant les reliefs de l'échine du garçon agressif, au-dessus du col de sa chemise, parut à Blue une arme dont le tranchant la menaçait.

— Gansey, dit Président au portable en pointant un doigt vers lui-même. Adam, Ronan. Où devons-nous aller ? Là-bas ?

Il eut un geste en direction du salon, paume à plat, comme s'il dirigeait la circulation.

— Oui, approuva Maura. À propos, voici ma fille. Elle assistera à la séance, si vous n'y voyez pas d'inconvénient.

Gansey souriait poliment, mais son regard se posa sur Blue, et son visage se figea.

— Rebonjour, dit-il. Quelle situation embarrassante !

— Vous vous *connaissez*?

Maura lança un regard assassin à Blue, qui se sentit injustement persécutée.

— Oui, répondit Gansey non sans dignité. Nous avons eu une conversation sur les choix de carrière des femmes. Je ne savais pas que c'était votre fille. *Adam?*

Il lança à son camarade un regard presque aussi assassin que celui de Maura. Adam, le seul à ne pas porter l'uniforme, écarquillait les yeux et couvrait de ses doigts écartés son tee-shirt Coca-Cola délavé.

— Je ne le savais pas moi non plus ! assura-t-il.

Si Blue s'était attendue à ce que *lui aussi* vienne, peut-être n'aurait-elle pas mis son top bleu layette avec des plumes sur le col. Il le regardait fixement.

— Je l'ignorais, je le jure ! répéta-t-il à son intention.

— Qu'est-ce qui est arrivé à ton visage ? s'enquit-elle.

Il haussa les épaules d'un air piteux. Ronan et lui sentaient tous deux le cambouis.

— Tu trouves que ça me donne l'air d'un dur ? répliqua-t-il comme pour se moquer de lui-même.

En réalité, cela le faisait paraître plus fragile et plus sale, comme une tasse exhumée du fond d'un jardin, mais Blue ne pouvait quand même pas lui dire ça.

— Ça te donne une tête de loser, dit Ronan.

— Ronan ! gronda Gansey.

— *Je demande à tout le monde de s'asseoir !* cria Maura.

Elle avait réussi à se faire entendre, et presque tous obtempérèrent, se laissant tomber ou se jetant sur un des sièges dépareillés du salon de lecture. Adam se frotta la pommette comme pour en effacer l'ecchymose. Assis dans un fauteuil en bout de table, les mains étalées sur ses bras croisés tel un président de conseil, un sourcil levé, Gansey contemplait le portrait encadré de Steve Martin.

Seuls Calla et Ronan étaient restés debout. Ils se regardaient avec méfiance.

Blue avait de nouveau l'impression qu'il n'y avait jamais eu autant de monde à la maison, bien qu'elle sache que ce n'était pas vrai. Peut-être jamais autant d'hommes et, en tout cas, jamais autant de Corbeaux.

Leur simple présence paraissait lui voler quelque chose et avait suffi à donner un air minable à sa famille.

— Le son est fichtrement trop fort dans cette pièce ! dit Maura.

À sa façon de parler, un doigt pressé contre son pouls, juste sous l'os de la mâchoire, Blue comprenait que c'était moins les voix qui étaient trop fortes que quelque chose que sa mère entendait dans sa tête. Persephone faisait la grimace, elle aussi.

— Est-ce que je dois sortir ? demanda Blue à contrecœur.

— Pourquoi devriez-vous sortir ? interrogea aussitôt Gansey.

— Elle amplifie les choses pour nous, lui expliqua Maura, qui fronçait les sourcils en considérant l'assemblée comme si elle s'efforçait de tirer la situation au clair. Et vous êtes déjà... *terriblement* bruyants, tous les trois.

Blue sentait sa peau chauffer. Elle imaginait son corps comme un circuit électrique qui lançait des étincelles crépitantes partout où le courant passait. Qu'avaient donc ces Corbeaux pour assourdir ainsi sa mère ? Était-ce la conjonction des trois, ou seulement Gansey ? L'énergie du garçon hurlait-elle le compte à rebours avant sa mort ?

— Qu'entendez-vous exactement par *le son est trop fort* ? demanda-t-il.

C'était de toute évidence le meneur du groupe. Les deux autres tournaient sans cesse les yeux vers lui pour savoir comment réagir.

— Je veux dire par là qu'il y a quelque chose au sujet de vos énergies qui est très...

Mais, se désintéressant de sa propre explication, Maura se tourna vers Persephone sans achever sa phrase, et Blue reconnut le regard qu'elles échangeaient : *Qu'est-ce qui se passe ?*

— Hmmm, comment allons-nous procéder ? dit Maura.

Devant sa façon distraite et vague de poser la question, l'estomac de Blue se noua. Sa mère était *déconcertée*. Pour la seconde fois, une séance de voyance semblait la mettre dans une posture inconfortable.

— Chacun son tour ? suggéra Persephone d'une voix à peine audible.

— Une simultanée simple, intervint Calla. Il n'y a rien d'autre à faire, sinon certains devront sortir. Ils sont beaucoup trop bruyants.

Les regards d'Adam et de Gansey se croisèrent. Ronan tripota les courroies de cuir enroulées autour de son poignet.

— Qu'est-ce que c'est ? voulut savoir Gansey. En quoi est-ce différent d'une voyance ordinaire ?

Calla l'ignora.

— Ce qu'ils veulent ne compte pas, dit-elle à Maura. C'est à prendre ou à laisser !

Maura appuyait toujours un doigt sous sa mâchoire.

— Dans une simultanée simple, répondit-elle à Gansey, chacun de vous tire une carte d'un jeu de tarot, et nous les interprétons.

Gansey et Adam eurent une sorte de conversation en aparté avec leurs yeux. Blue surprenait souvent ce genre de chose entre sa mère et Persephone ou Calla, mais n'avait jamais vraiment cru que d'autres en soient capables. Elle se sentait curieusement jalouse : elle aurait aimé, elle aussi, avoir avec quelqu'un un lien assez fort pour se passer des mots.

La tête d'Adam opina en réponse à ce que Gansey lui avait transmis en silence.

— Faites comme il vous conviendra le mieux, dit ce dernier à voix haute.

Persephone et Maura discutèrent entre elles un moment. Rien ne paraissait pouvoir véritablement leur convenir, à cet instant.

— Attends ! intervint Persephone alors que Maura posait sur la table son jeu de cartes. Que Blue les distribue !

Ce n'était pas la première fois qu'on lui demandait de donner les cartes. Il arrivait, lors de voyances difficiles ou particulièrement importantes, qu'on la prie de toucher le jeu avant les autres, afin de renforcer les messages dont les cartes seraient porteuses. Blue prit le jeu que lui tendait sa mère avec une conscience exacerbée de l'attention des garçons et, pour leur bénéfice, le battit d'un geste un peu théâtral, en faisant passer les cartes d'une main à l'autre. Elle était très douée pour les tours qui ne nécessitent pas de dons occultes et, tandis que les garçons, impressionnés, regardaient les cartes voler entre ses doigts, Blue songea qu'elle ferait un excellent faux médium.

Personne ne se portant volontaire pour passer en premier, elle offrit le paquet à Adam. Il la regarda dans les yeux avec une expression un peu forcée, plus agressive que le soir où il l'avait abordée.

Adam tira une carte et la tendit à Maura.

— Deux d'Épée, annonça-t-elle.

Son accent de Henrietta parut soudain à Blue campagnard et inculte. Blue parlait-elle *comme ça*, elle aussi ?

— Vous êtes confronté à un choix difficile que vous évitez de faire. Vous agissez en n'agissant pas. Vous êtes ambitieux, mais vous avez l'impression que quelqu'un veut de vous quelque chose que vous n'avez pas envie de donner, ou que l'on vous demande de compromettre vos principes. Un proche, je crois. Un père ?

— Un frère, selon moi, intervint Persephone.

— Je n'en ai pas, madame, répondit Adam – et Blue le vit jeter un coup d'œil éclair à Gansey.

— Souhaitez-vous poser une question ? demanda Maura.

Adam réfléchit.

— Quel est le bon choix ?

Maura et Persephone délibérèrent.

— Il n'y a pas de bon choix, dit Maura, il y a seulement un choix acceptable. Il se peut qu'il existe une troisième possibilité qui vous convienne mieux, mais pour l'instant vous ne la voyez pas, car vous êtes trop impliqué dans les deux autres. D'après ce que je perçois, je dirais que toute autre voie vous obligerait à abandonner les deux autres options et à élaborer vous-même la vôtre. Je sens également en vous un esprit très analytique. Vous avez passé beaucoup de temps à apprendre à ignorer vos émotions, cependant je ne crois pas que ce soit à présent la bonne façon de procéder.

— Je vous remercie, madame, dit Adam.

Ce n'était pas exactement la bonne réplique, mais ce n'était pas non plus une erreur. Blue appréciait sa politesse, différente de celle de Gansey : celle de Gansey lui donnait un pouvoir, celle d'Adam en donnait aux autres.

Blue, qui trouvait correct de faire passer Gansey en dernier, se tourna vers Ronan. Bien qu'il n'ait encore rien dit, le garçon l'effrayait un peu. Elle sentait sourdre de lui une sorte de venin qui, chose affreuse, donnait à Blue l'envie de s'attirer ses bonnes grâces et de gagner son approbation.

Ronan étant resté près de Calla sur le seuil, elle dut se lever pour lui proposer les cartes. Calla et lui avaient l'air prêts à en venir aux poings.

Blue ouvrit les cartes en éventail. Ronan inspecta du regard les femmes dans la pièce.

— Non, je n'en tirerai pas, dit-il. Racontez-moi d'abord quelque chose de vrai.

— Pardon ? répondit Calla avec raideur à la place de Maura.

Ronan parlait d'une voix froide et cassante :

— Tout ce que vous avez dit à Adam aurait pu s'appliquer à n'importe qui. Quiconque dont le pouls bat a des doutes. N'importe quelle personne vivante s'est déjà disputée avec son frère ou son père. Dites-moi quelque chose que personne d'autre ne peut me dire. Ne me proposez pas une carte à jouer pour me fourguer vos salades à la Jung. Je veux un truc précis !

Blue plissa les yeux. Persephone tira un petit peu la langue, signe chez elle d'incertitude. Maura s'agita, contrariée.

— Nous ne faisons pas de...

— Un secret a tué votre père, coupa Calla. Et vous connaissez ce secret.

Un silence de mort tomba dans la pièce. Persephone et Maura ne quittaient pas Calla des yeux. Gansey et Adam fixaient Ronan. Blue contemplait la main de Calla.

Maura proposait souvent à Calla de faire avec elle des voyances doubles, et Persephone la priait d'interpréter ses rêves, mais il n'arrivait qu'exceptionnellement que quelqu'un lui demande de mettre en œuvre l'un de ses dons les plus étranges : la psychométrie. Elle pouvait en effet, simplement en tenant un objet dans ses mains, percevoir son origine, lire les pensées de son propriétaire et visualiser les endroits où l'objet en question s'était trouvé.

Calla avait tendu le bras pour effleurer le tatouage de Ronan à l'endroit où celui-ci disparaissait sous le col de la chemise. Elle retira sa main, mais, la tête légèrement tournée, garda les yeux rivés sur l'emplacement que ses doigts venaient de quitter.

Ronan et elle auraient aussi bien pu être seuls dans le salon.

Il la dépassait d'une bonne tête, mais paraissait jeune auprès d'elle, tel un chat sauvage dégingandé, qui n'a pas atteint sa taille adulte. Calla, par contre, évoquait une lionne.

— Qui êtes-vous ? siffla-t-elle entre ses dents.

Le sourire de Ronan glaça Blue.

— Ronan ? demanda Gansey d'une voix soucieuse.

— Je vous attends dans la voiture !

Sans autre forme de procès, le garçon sortit en claquant la porte à toute volée.

Gansey lança un regard accusateur à Calla.

— Son père est mort !

— Je sais, répliqua Calla.

Ses yeux étaient des fentes.

La voix de Gansey passa sans transition de polie à brutale :

— J'ignore comment vous avez fait pour le savoir, mais c'est vraiment un truc pourri à dire à un gosse !

— Dites plutôt un serpent, gronda Calla en retour. Et pourquoi êtes-vous venus, si vous nous pensiez incapables de faire notre travail ? Il a demandé une chose précise, c'est ce que je lui ai donné. Désolée que ce ne soit pas que de l'eau de rose et de mignons chatons !

— Calla ! dit Maura.

— Gansey ! s'écria Adam juste au même moment.

Adam murmura quelque chose à l'oreille de Gansey, puis se pencha en arrière. Le maxillaire de Gansey se contracta, et Blue le vit repasser en mode Président au portable. Elle ne s'était pas rendu compte qu'il avait une tout autre attitude avant et regretta de ne pas l'avoir mieux observé.

— Je suis désolé, dit Gansey. Ronan ne mâche pas ses mots, et l'idée de venir ne lui souriait guère pour commencer. Je ne mettais absolument pas en doute vos compétences. Pouvons-nous poursuivre ?

Il paraissait curieusement *âgé* et formel, à côté des autres, pensa Blue. Il y avait en lui quelque chose de profondément déconcertant. Il la faisait se sentir si viscéralement *autre* qu'elle devait en quelque sorte se blinder pour préserver ses émotions. S'il se mettait à lui plaire, elle risquait d'être submergée par cette chose chez ces garçons qui emplissait toute la pièce et étouffait les pouvoirs psychiques de sa mère.

— Pas de problème, répondit Maura.

Elle fixait Calla, qui avait l'air furieuse.

En changeant de place pour rejoindre Gansey, Blue entrevit sa voiture garée le long du trottoir. D'un orange cru invraisemblable et, en effet, une de ces couleurs dont Orla pouvait peindre ses ongles, ce n'était pas exactement le genre de véhicule qu'on aurait attendu d'un élève d'Aglionby – les Corbeaux affectionnaient les objets neufs et brillants, alors que celui-ci était vieux et brillant –, mais ça n'en restait pas moins de toute évidence une voiture de Corbeau. Blue fut prise d'un vertige, comme si les événements se déroulaient trop vite pour qu'elle puisse les appréhender correctement. Elle percevait chez tous ces garçons une chose étrange et compliquée – étrange et compliquée à la manière du carnet. Leurs vies s'entremêlaient comme les fils d'une toile au bord de laquelle elle avait, sans trop savoir comment, réussi à s'empêtrer, et que cela ait eu lieu dans le passé ou doive se produire dans l'avenir semblait accessoire : dans cette pièce, avec Maura, Calla et Persephone, le temps revenait sur lui-même.

Blue s'arrêta devant Gansey. Elle sentit de nouveau l'odeur de menthe, et son cœur manqua un battement.

Gansey se pencha vers le jeu de cartes déployé dans ses mains, et Blue, qui regardait la courbe de ses épaules et sa nuque, repensa non sans émotion à l'esprit dans le cimetière, à ce garçon dont elle avait craint de tomber amoureuse, et qui n'avait rien de l'assurance aisée et enjouée du Corbeau devant elle.

Que se passe-t-il, Gansey, quand tu deviens cet autre ? songea-t-elle.

Il leva les yeux vers elle. Un pli vertical s'était formé sur son front.

— Je ne sais pas comment choisir. Pourriez-vous le faire pour moi ? Cela fonctionnerait-il ?

Du coin de l'œil, Blue vit Adam s'agiter sur son siège, les sourcils froncés.

— Oui, si c'est ce que vous souhaitez vraiment, intervint Persephone derrière Blue.

— C'est une question d'intention, ajouta Maura.

— Alors, faites-le, s'il vous plaît.

Blue étala les cartes sur la surface de la table. Elle laissa ses doigts flotter au-dessus. Maura lui avait dit un jour que les bonnes cartes lui semblaient parfois dégager de la chaleur ou lui picoter les doigts quand elle les approchait. Pour Blue, bien sûr, toutes paraissaient semblables, mais l'une avait glissé loin des autres, et ce fut celle qu'elle choisit.

Elle la retourna et ne put réprimer un petit rire.

Le Page de Coupe la fixait, lui renvoyant son image. Blue avait l'impression qu'on se moquait d'elle, mais ne pouvait rendre personne responsable de la carte qu'elle avait elle-même sélectionnée.

— Pas celle-là, dit Maura d'un ton plat. Qu'il en tire une autre !

— Maura ! s'exclama doucement Persephone, mais Maura balaya d'un geste toute objection.

— Une autre, insista-t-elle.

— Qu'est-ce qui ne va pas avec celle-ci ? demanda Gansey.

— Elle porte l'énergie de Blue, expliqua Maura. Ce n'était pas censé être votre carte. Vous allez devoir en tirer une vous-même.

Persephone remua les lèvres, mais ne dit rien. Blue remit la carte dans le paquet et battit le jeu avec moins d'emphase que précédemment.

Quand elle lui présenta à nouveau les cartes, Gansey détourna le visage comme s'il tirait un billet de loterie. Ses doigts les effleurèrent, hésitants, puis il en prit une et la retourna de sorte que tous puissent la voir.

Le Page de Coupe.

Gansey regarda le visage du personnage sur la carte, puis celui de Blue, et elle comprit qu'il avait noté la ressemblance.

Maura se pencha en avant et lui arracha la carte des mains.

— Prenez-en une autre !

— *Encore ?* dit Gansey. Qu'est-ce qui cloche avec celle-ci ? Que signifie-t-elle ?

— Il n'y a rien qui cloche avec cette carte, répondit Maura, sinon que ce n'est pas la vôtre.

Blue vit alors et pour la première fois une ombre de contrariété sur le visage de Gansey, et elle l'en apprécia un peu plus : quelque chose se dissimulait donc peut-être sous son masque de Corbeau. Visiblement excédé, il saisit d'une main négligente une autre carte, la retourna et la fit claquer contre la table.

Blue déglutit.

— Celle-ci, c'est bien la vôtre, dit Maura.

L'image montrait un chevalier noir monté sur un cheval blanc. Son heaume relevé dévoilait un crâne nu où tranchaient les cavités vides des orbites. Le soleil se couchait derrière lui, et un cadavre gisait au pied de sa monture.

On entendit, derrière la fenêtre, le vent souffler dans les arbres.

— La Mort, lut Gansey en bas de la carte.

Il ne semblait ni surpris ni alarmé, et avait lu le mot comme s'il était écrit *œufs* ou *Cincinnati*.

— Excellent travail, Maura ! commenta Calla, les bras fermement croisés sur la poitrine. Tu comptes interpréter ça pour ce gosse ?

— On devrait peut-être le rembourser, tout simplement, suggéra Persephone, bien que Gansey n'ait pas encore payé.

— Je croyais que les voyants ne prédisaient pas la mort, dit Adam doucement. J'ai lu quelque part que la carte de la Mort n'avait qu'une valeur symbolique.

Maura, Calla et Persephone émirent quelques bruits vagues. Blue, qui ne savait que trop ce que le destin réservait à Gansey, se sentait mal. Corbeau ou non, il était à peine plus âgé qu'elle, il avait des amis qui tenaient à lui, une vie, une voiture orange vif. Savoir qu'il serait mort dans moins de douze mois était affreux.

— En fait, tout ça, je m'en moque, ajouta Gansey.

Tous le fixaient, tandis qu'il tenait la carte verticalement pour mieux l'examiner.

— Je veux dire que je trouve les cartes très intéressantes (il le disait comme un autre aurait dit « très intéressant » devant un gâteau bizarre qu'il n'avait pas très envie de finir), et je ne veux pas dévaloriser ce que vous faites, mais, pour être franc, je ne suis pas venu pour qu'on me raconte mon avenir. Ça ne me gêne absolument pas de le découvrir par moi-même.

Il lança en parlant un rapide coup d'œil à Calla, visiblement conscient qu'il naviguait dans des eaux dangereuses entre « poli » et « Ronan ».

— En réalité, je suis venu vous poser une question sur l'énergie, poursuivit Gansey. Je sais que vous vous occupez de ça, et je suis à la recherche d'une ligne de ley. Je crois qu'elle se trouve dans les environs de Henrietta. Savez-vous quoi que ce soit à ce sujet ?

Le carnet !

— Une ligne de ley ? répéta Maura. Peut-être. Je ne sais pas si je connais ça sous ce nom-là... Qu'est-ce que c'est ?

Blue, qui avait toujours considéré sa mère comme la personne la plus honnête de son entourage, en fut estomaquée.

— Ce sont des lignes d'énergie qui quadrillent le globe et relient les principaux endroits spirituels du monde, expliqua Gansey. Adam pensait que vous étiez peut-être au courant, puisque vous travaillez sur les forces.

Il parlait de toute évidence du chemin des morts, mais Maura se borna à serrer les lèvres. Elle se tourna vers Persephone et Calla.

— Ça vous dit quelque chose, vous deux ? leur demanda-t-elle.

Persephone leva un doigt.

— Et ma tourte que j'oublie !

Elle s'éclipsa.

— Il faudrait que j'y réfléchisse, dit Calla. Les détails ne sont pas mon fort.

Le léger sourire amusé sur le visage de Gansey montrait bien qu'il n'était pas dupe et qu'il savait qu'elles mentaient. C'était une expression étrangement sagace, et Blue trouva de nouveau qu'il paraissait plus âgé que ses camarades.

— Je vais me renseigner, affirma Maura. Laissez-moi votre numéro, et je vous appellerai si je trouve quelque chose.

— Je vous en saurais gré, répondit Gansey avec une politesse froide. Combien vous dois-je pour cette consultation ?

— Oh, juste vingt dollars, dit Maura en se levant.

Blue fut horrifiée. Gansey avait visiblement dépensé plus que ça pour le cirage de ses mocassins.

Il fronça les sourcils à l'adresse de Maura par-dessus son épais portefeuille, qui aurait pu être rempli de billets de un dollar – mais Blue en doutait. Elle aperçut son permis de conduire dans un étui transparent. Elle était trop loin pour distinguer les détails, mais le nom imprimé sur le document semblait beaucoup plus long que juste *Gansey*.

— Vingt ? répéta-t-il.

— Par personne, précisa Blue.

Calla toussa dans son poing.

Le visage de Gansey s'éclaira, et il tendit à Maura soixante dollars. C'était plus qu'il n'avait escompté, et le monde retrouvait donc sa cohérence.

Blue remarqua alors qu'Adam la fixait d'un regard pénétrant, et elle se sentit percée à jour et coupable. Non seulement d'avoir fait monter les prix, mais aussi à cause du mensonge de Maura. En outre, elle avait vu l'esprit de Gansey marcher sur le chemin des morts et elle connaissait son nom avant même qu'il ait franchi la porte, or, à l'instar de sa mère, elle s'était tue : elle était donc complice.

— Je vous raccompagne, dit Maura, qui avait manifestement hâte de se débarrasser des garçons.

Un instant, Gansey eut l'air de vouloir partir au plus vite, lui aussi, puis il s'arrêta. Il referma avec un soin excessif son portefeuille, le remit dans sa poche, leva les yeux sur Maura et pinça fermement les lèvres.

— Écoutez, nous sommes tous des adultes, ici, commença-t-il.

Calla esquissa une moue de protestation.

Gansey redressa les épaules et poursuivit :

— Alors, je crois que vous nous devez la vérité ! Dites-moi que vous savez quelque chose mais que vous refusez de m'aider, si tel est le cas. Ne me mentez pas.

C'étaient là des paroles courageuses ou arrogantes, peut-être les deux. Toutes les têtes se tournèrent vers Maura.

— Je sais quelque chose mais je ne veux pas vous aider, déclara-t-elle.

Pour la deuxième fois de la journée, Calla eut l'air ravie. La bouche de Blue béait. Elle la referma.

Gansey, lui, se contenta d'opiner d'un air guère plus ému qu'au restaurant, lorsque Blue l'avait apostrophé d'un ton cinglant.

— Très bien ! Non, ne vous dérangez pas, nous trouverons la sortie.

Sur ce, les garçons quittèrent la pièce, Adam lançant à Blue un dernier regard qu'elle ne sut interpréter. Un instant plus tard, on entendit le moteur de la Camaro ronfler et les pneus hurler sur l'asphalte, puis la maison retomba dans un silence profond, comme si les Corbeaux avaient emporté tous les bruits avec eux.

Blue pivota vers sa mère.

— *Maman !*

Elle s'apprêtait à poursuivre, mais y renonça.

— *Maman !* répéta-t-elle seulement plus fort, d'un ton impuissant.

— Voilà qui était très impoli, Maura ! Ça m'a bien plu, commenta Calla.

Maura l'ignora et se tourna vers Blue.

— Je ne veux plus jamais que tu le voies !

— Toi qui répètes sans cesse qu'« on ne doit jamais donner d'ordre aux enfants » ? lui rappela Blue, indignée.

— C'était avant Gansey ! (Maura retourna la carte de la Mort, pour bien montrer à Blue le crâne dans son heaume.) Je te le dis comme je te dirais de ne pas traverser devant un bus.

Plusieurs répliques possibles traversèrent l'esprit de Blue avant qu'elle trouve la bonne :

— Pourquoi ? Neeve ne m'a pas vue *moi* sur le chemin des morts ! Ce n'est pas *moi* qui vais disparaître dans l'année à venir !

— D'abord, le chemin des morts est une promesse, et non une certitude, répliqua Maura. Et il y a toutes sortes d'autres destins affreux. Veux-tu que je te parle d'amputation ? De paralysie ? De traumatisme psychologique récurrent ? Quelque chose ne va vraiment pas avec ces garçons. Si ta mère te dit de ne pas traverser devant le bus, c'est qu'elle a une bonne raison de le faire !

La petite voix douce de Persephone s'éleva de la cuisine :

— Si quelqu'un ne t'avait pas empêchée de traverser devant un bus, Maura, Blue ne serait pas là !

Maura fronça les sourcils dans sa direction et passa la main sur la table comme si elle balayait des miettes.

— Au mieux, tu deviendrais l'amie d'un garçon qui va mourir bientôt.

— Ah ! s'exclama Calla d'un ton entendu. Je comprends, à présent !

— Ne t'avise pas de chercher à me psychanalyser ! dit Maura.

— C'est déjà fait, et je répète : Ah !

Maura ricana, ce qui ne lui ressemblait pas.

— Qu'est-ce que tu as vu quand tu as touché l'autre garçon ? demanda-t-elle à Calla. Le Corbeau ?

— Ce sont tous des Corbeaux, intervint Blue.

Sa mère secoua la tête.

— Lui plus que les autres.

Calla frotta le bout de ses doigts les uns contre les autres comme pour en effacer le souvenir du tatouage de Ronan.

— Ça m'a fait le même effet que lorsque j'explore un endroit étrange. Il déborde de tant de choses que cela ne devrait pas être possible. Vous vous souvenez de cette femme qui est venue consulter, celle qui était enceinte de quadruplés ? Ça ressemblait à ça, mais en pire !

— Il attend un enfant ? interrogea Blue.

— Il crée, dit Calla. C'est aussi une forme de création. Je ne sais pas comment le dire mieux.

Blue se demanda de quoi elle parlait exactement. *Elle-même* était continuellement en train de créer – de récupérer de vieux objets qu'elle démontait et réassemblait pour les transformer en d'autres plus intéressants et plus beaux. Pour elle, c'était de cela que la plupart des gens parlaient quand ils disaient d'une personne qu'elle était *créative*.

Elle soupçonnait pourtant que Calla avait une autre idée en tête et qu'elle donnait au mot *créer* son sens plein : faire exister une chose là où, auparavant, elle n'avait pas d'existence.

Maura surprit l'expression de sa fille.

— Je ne t'ai encore jamais donné d'ordre, Blue, mais je le fais maintenant : ne fréquente pas ces garçons !

CHAPITRE 16

La nuit suivante, Gansey fut réveillé par un bruit totalement inhabituel. Il chercha à tâtons ses lunettes. On aurait dit que l'un de ses amis habitant là se faisait étriper par un écureuil volant, ou qu'on assistait aux derniers instants d'une bagarre meurtrière entre chats déchaînés. Sans avoir une idée très précise des détails, il ne doutait pas qu'il y ait une mort à la clef.

Noah se tenait sur le seuil de sa chambre avec la mine pathétique de celui qui n'a que trop souffert.

— Fais en sorte que ça cesse ! implora-t-il.

Pour la deuxième fois de la semaine, Gansey poussa la porte du territoire interdit qu'était la chambre de Ronan. Il trouva la lampe allumée et son ami en caleçon, recroquevillé sur son lit. Six mois plus tôt, le garçon s'était fait faire un tatouage noir qui couvrait la plus grande partie de son dos et remontait en ondulant sur son cou, et le tracé monochrome ressortait à présent crûment sous l'éclairage violent de l'ampoule, paraissant plus réel que tout le reste de la pièce. Chaque fois que Gansey regardait le dessin étrange et complexe, à la fois cruel et beau, il y voyait autre chose. Cette nuit, dans un vallon noir de magnifiques fleurs vénéneuses, un bec pointait là où auparavant surgissait une faux.

Le bruit dissonant s'éleva à nouveau.

— Qu'est-ce que c'est encore que tout ce boucan ? s'enquit Gansey affablement.

Ronan portait comme toujours un casque audio. Gansey tendit le bras juste assez pour le tirer sur le cou du garçon. La musique déchira doucement l'air.

Quand Ronan releva la tête, les fleurs sur son dos ondoyèrent et disparurent derrière ses omoplates saillantes. Dans le creux de ses jambes se nichait le jeune corbeau, tête renversée en arrière, bec béant.

— Je croyais qu'on s'était mis d'accord sur ce que ça veut dire, une porte fermée ! dit Ronan, une pince à épiler à la main.

— Je croyais qu'on s'était mis d'accord que la nuit c'est fait pour dormir !

Ronan haussa les épaules.

— Pour toi, peut-être.

— Pas celle-ci, en tout cas, ton ptérodactyle m'a réveillé ! Pourquoi il fait ce bruit-là ?

Pour toute réponse, Ronan plongea la pince à épiler dans un sac en plastique posé devant lui sur la couverture. Gansey n'était pas sûr d'avoir envie de connaître la nature de la substance grise prise entre les branches de la pince. Dès que le corbeau entendit le froissement du sac, il réitéra son cri affreux, un grincement éraillé qui se mua en gargouillement lorsqu'il déglutit, et Gansey ressentit un curieux mélange de nausée et de pitié.

— Eh bien, ça ne va pas ! Tu vas devoir le faire taire.

— Il faut bien que je la nourrisse, répliqua Ronan. (Le corbeau engloutit un autre morceau, avec un bruit d'aspirateur avalant de la salade de pommes de terre.) Toutes les deux heures, pendant les six premières semaines.

— Tu ne peux pas la garder en bas ?

Ronan fit basculer légèrement l'oisillon vers lui.

— Qu'est-ce que t'en penses, toi ?

Gansey n'aimait pas qu'on fasse appel à ses bons sentiments, surtout quand ceux-ci entraient en conflit avec son envie de dormir. Il n'avait aucun moyen d'obliger Ronan à installer le corbeau au rez-de-chaussée. La bestiole semblait bien assez grande pour lui donner un coup de bec. Il n'arrivait pas à décider s'il la trouvait mignonne ou affreusement laide, et l'idée qu'elle puisse cumuler les deux le perturbait.

— Je n'aime pas ce drôle d'oiseau, dit derrière lui Noah d'un ton misérable. Il me rappelle…

Il n'acheva pas sa phrase, ce qui lui arrivait souvent. Ronan pointa vers lui la pince à épiler.

— Hé, toi, tu ne mets pas les pieds dans ma chambre, mec !

— Fermez-la, vous tous ! coupa Gansey. Et quand je dis *vous tous,* ça veut dire toi aussi, l'oiseau !

— Elle s'appelle Tronçonneuse !

Noah se retira, mais Gansey resta. Il regarda quelques minutes le corbeau enfourner sa pâtée grise, tandis que Ronan lui parlait en roucoulant. Il ne reconnaissait pas le Ronan auquel il s'était habitué, et ce n'était pas non plus celui de leur première rencontre. Les gémissements qui fuyaient des écouteurs provenaient de cornemuses irlandaises, et Gansey ne se souvenait plus de la dernière fois où Ronan avait écouté de la musique celtique, la musique de son père. Soudain, Niall Lynch lui manqua, lui aussi. Mais Gansey regrettait plus que tout la perte du Ronan d'alors, et le garçon recroquevillé devant lui, un fragile oiseau entre les mains, lui paraissait un compromis.

Il y eut un silence.

— Qu'est-ce qu'elle voulait dire, tout à l'heure, la voyante, à propos de ton père ? demanda finalement Gansey.

Ronan ne releva pas la tête, mais les muscles de son dos se tendirent, comme chargés d'un poids soudain.

— Ça, c'est une vraie question à la Declan !

Gansey considéra la chose.

— Non, je ne crois pas.

— Elle racontait des salades !

Gansey considéra la chose derechef.

— Je ne pense pas qu'elle racontait des salades.

Ronan dénicha son lecteur de musique près de lui et le mit sur pause. Quand il reprit la parole, ce fut d'une voix atone et nue :

— C'est une de ces bonnes femmes qui entrent dans la tête des gens et les manipulent. Elle a dit ça parce qu'elle se doutait que ça allait causer des problèmes.

— Comme quoi ?

— Comme quand tu me poses de fichues questions à la Declan ! (Ronan présenta une autre boulette de substance grise au corbeau, mais l'oiseau se borna à le fixer d'un air fasciné.) Quand tu m'obliges à penser à des choses auxquelles je ne veux pas penser, des problèmes de ce genre-là. Entre autres. Au fait, qu'est-ce qui est arrivé à ton visage ?

Gansey se frotta le menton d'un air chagrin. Sa peau était rugueuse sous ses doigts. Il savait que Ronan détournait la conversation, mais le laissa faire.

— Ça pousse ?

— Hé, mon pote, tu ne vas quand même pas te lancer dans ce truc de barbe, non ? Je croyais que c'était une blague ! Tu sais bien, ça a cessé d'être cool depuis le quatorzième, ou en tout cas l'époque de Paul Bunyan. (Gansey vit sur le menton de Ronan cette ombre dense qu'il semblait, lui, pouvoir faire surgir à toute heure de la journée.) Laisse tomber, je te dis ! Ça te donne un air miteux.

— Non, le problème, c'est que ça ne pousse pas. Je suis fichu, condamné à garder une tête de chérubin !

— Si tu continues à dire des trucs comme *chérubin,* c'est pour le coup qu'on sera fichus, dit Ronan. Ne te laisse pas démoraliser, mec ! Quand tes roupettes descendront, ta barbe se mettra à pousser super bien, un vrai tapis, elle filtrera les bouts de pomme de terre quand tu mangeras de la soupe, genre bavoir. T'as du poil aux pattes ? J'ai jamais fait gaffe.

Gansey ne jugea aucune de ces remarques digne de réponse. Il se détacha avec un soupir du mur contre lequel il s'adossait et pointa le doigt vers le corbeau.

— Je retourne me coucher. Débrouille-toi pour que cette bestiole se tienne tranquille. Tu me revaudras ça, Lynch !

— Comme tu voudras.

Gansey regagna son lit, mais ne s'endormit pas. Il tendit le bras pour saisir son carnet, puis se rappela qu'il l'avait oublié chez Nino la nuit de la bagarre. Il songea à appeler Malory, mais ne savait pas quoi lui demander. Il lui semblait être habité par une chose qui s'apparentait à la nuit, une nuit avide et noire, et il revit les orbites sombres dans le crâne du squelette de chevalier sur la carte de la Mort.

Un insecte bourdonnait contre la vitre, avec un de ces bruits entrecoupés de légers chocs caractéristiques des petites bêtes qui ont déjà atteint une certaine taille. Gansey pensa à son EpiPen resté dans la boîte à gants de la voiture, trop loin pour être utile en cas de nécessité. Il s'agissait probablement d'une mouche, d'un cousin ou d'un moustique, mais plus il restait allongé là, plus il craignait que ce ne soit une guêpe ou une abeille.

Mais non, sans doute pas.

Il rouvrit les yeux, sortit discrètement de son lit et se pencha pour saisir une chaussure qui traînait, gisant sur le côté. Il s'approcha prudemment de la fenêtre et chercha à localiser l'intrus. L'ombre du télescope dessinait une élégante forme de monstre sur le sol près de lui.

Le bourdonnement avait cessé, mais Gansey trouva presque aussitôt l'insecte sur la fenêtre : une guêpe escaladait l'huisserie en zigzaguant. Il resta sans bouger à l'observer monter et s'arrêter, monter et s'arrêter encore. Les réverbères derrière la vitre projetaient sur le bois l'ombre fine de ses pattes, de son corps cintré et de la pointe acérée de son dard.

Dans la tête de Gansey se déroulaient parallèlement deux scénarios : l'un lui montrait la guêpe telle qu'elle était, gravissant l'encadrement de la fenêtre sans se soucier de sa présence, et l'autre, issu de son imagination, l'insecte tournoyant dans les airs, trouvant sa peau et y plongeant son aiguillon mortel.

Lorsque, autrefois, son cœur avait cessé de battre, les frelons n'avaient pas renoncé pour autant à grouiller sur sa peau.

Ce souvenir lui nouait la gorge.

— Gansey ?

Quand il reconnut la voix derrière lui, il ne se retourna pas. La guêpe agita les ailes et faillit s'envoler.

— Bordel, mec ! s'exclama Ronan.

Il se tenait à trois pas de Gansey. Le plancher craqua brièvement, puis Ronan lui arracha la chaussure des mains, le poussa sur le côté et frappa avec une force telle que le verre aurait dû casser. Le corps sans vie de la guêpe retomba. Ronan le chercha dans l'obscurité et l'écrasa derechef.

— Bordel ! répéta-t-il. T'es idiot, ou quoi ?

Gansey cherchait en vain les mots pour dire le choc qui l'avait paralysé à la pensée de la mort rampant tout près de lui, à l'idée qu'en quelques secondes il serait passé du statut d'« élève prometteur » à celui d'« élément perdu ». Il se tourna vers Ronan, qui ramassait la guêpe en la tenant par l'aile pour éviter qu'il ne marche dessus.

— Qu'est-ce que tu voulais ?

— Quoi ?

— Tu es bien venu me voir pour une raison ?

Ronan lança le petit cadavre dans la corbeille à papiers près du bureau. Le corps rebondit sur les feuilles de papier froissées et retomba par terre, obligeant le garçon à se baisser pour le ramasser.

— Je ne me souviens plus.

Gansey se borna à attendre la suite. Ronan fourra la guêpe dans la corbeille, puis reprit en détournant les yeux :

— C'est quoi, cette histoire de toi et Parrish qui partiriez ?

Gansey fut pris au dépourvu. Il ne savait pas très bien comment s'expliquer sans blesser Ronan, et il ne pouvait pas lui mentir.

— Dis-moi ce que tu as entendu, et je te dirai si c'est vrai.

— Noah m'a raconté que, si tu partais, t'emmènerais Parrish.

La voix de Ronan trahissait une certaine jalousie.

— Et il t'a raconté quoi d'autre ? interrogea Gansey non sans froideur.

Ronan se reprit avec un effort visible. Aucun des frères Lynch n'aimait avoir l'air d'hésiter, ce qui les rendait parfois cruels.

— Tu ne veux pas que je vienne ? demanda-t-il à la place.

Quelque chose se coinça dans la poitrine de Gansey.

— Je voudrais vous emmener tous partout avec moi !

La clarté de la lune sculptait le visage de Ronan comme un portrait brut et inachevé réalisé par un artiste faisant l'impasse sur la compassion. Le garçon tira une bouffée de sa cigarette, inspira à fond par les narines, puis expira légèrement la fumée entre ses dents.

— L'autre nuit, énonça-t-il après un silence. Il y a quelque chose...

Il se tut. C'était là une véritable interruption, de celles que Gansey associait au secret et à la honte, et qui se produisent quand une personne résolue à passer aux aveux sent au dernier moment ses lèvres la trahir.

— Il y a quoi ?

Ronan murmura indistinctement et secoua la corbeille à papiers.

— Il y a *quoi,* Ronan ?

— Ces trucs avec Tronçonneuse, et la voyante, et Noah. Je crois qu'il se passe quelque chose d'étrange.

Gansey ne put s'empêcher de prendre un ton exaspéré :

— « Étrange », ça ne m'aide pas beaucoup. Je ne sais pas ce que tu entends par là.

— Je ne sais pas, mec, ça me semble complètement fou ! Je ne sais pas, étrange comme ta voix sur l'enregistrement, comme la fille de la voyante. J'ai l'impression que les choses grandissent. C'est pas clair, ce que je te raconte, mais je pensais que toi, au moins, tu me croirais.

— Je ne sais même pas ce que tu me demandes de croire.

— Les choses s'amorcent ! dit Ronan.

Gansey croisa les bras et regarda l'aile sombre et noire de la guêpe morte pressée contre le grillage de la corbeille. Il attendit que Ronan développe sa pensée, mais le garçon se contenta de dire :

— Si je te reprends à mater une guêpe comme tout à l'heure, je la laisse te tuer. Va te faire foutre !

Et, sans attendre une réponse, il pivota sur ses talons et repartit dans sa chambre.

Gansey se baissa lentement pour ramasser sa chaussure là où Ronan l'avait laissée, et réalisa en se redressant que Noah avait surgi sans bruit et promenait un regard inquiet de Gansey à la corbeille. Le cadavre de la guêpe avait glissé de quelques centimètres vers le bas, mais il restait visible.

— Qu'est-ce qu'il y a ? demanda Gansey.

L'expression troublée de Noah lui rappelait les visages effrayés qui l'entouraient, les frelons sur sa peau et le bleu funeste du ciel au-dessus de sa tête. Naguère, une seconde chance avait été donnée à Gansey, et avec elle une responsabilité dont le poids lui semblait dernièrement s'alourdir.

Gansey détourna les yeux vers les fenêtres qui couvraient le mur. Il croyait sentir la pression des montagnes toutes proches, comme si l'espace qui l'en séparait était une substance tangible, et il songea à Glendower et à son sommeil atroce.

Ronan avait raison. Gansey n'avait pas encore trouvé la ligne de ley, mais quelque chose était en train de se produire, quelque chose s'amorçait.

— Ne jette pas la guêpe ! dit Noah.

CHAPITRE 17

Quelques jours plus tard, Blue se réveilla bien avant l'aube. La veilleuse du couloir projetait des ombres déchiquetées dans toute sa chambre. Comme chaque matin depuis la séance de voyance, le souvenir des traits fins du visage d'Adam et de la tête penchée de Gansey se bousculèrent dans sa tête dès qu'elle ouvrit les yeux. Elle ne pouvait s'empêcher de ressasser la scène, la réaction explosive de Calla face à Ronan, le langage secret d'Adam et de Gansey, et le fait que ce dernier ne soit pas seulement un esprit sur le chemin des morts. À présent, songeait-elle non sans tristesse, Adam ne la rappellerait sans doute pas, mais ce qui la troublait le plus était que sa mère lui ait défendu de faire quelque chose : l'interdiction l'étouffait comme un col trop serré.

Elle repoussa les couvertures. Elle se leva.

Blue avait pour l'architecture étrange du 300 Fox Way une sorte d'affection née plus de l'habitude que de tout autre sentiment, mais elle aimait par contre sans réserve le jardin derrière la maison. Le grand hêtre l'ombrageait entièrement. Son feuillage splendide et parfaitement symétrique, si dense qu'il teignait d'un vert luxuriant jusqu'à la plus chaude journée d'été, s'étendait d'une clôture à l'autre, et seules les averses les plus violentes le traversaient. Elle s'était maintes fois abritée près de son tronc lisse et massif, écoutant la pluie siffler et tambouriner sur les frondaisons sans atteindre le sol. Debout là, il lui semblait être devenue l'arbre et sentir l'eau rouler sur les feuilles et l'écorce comme sur sa peau.

Elle soupira et se rendit à la cuisine. Puis elle sortit par la porte de derrière et referma silencieusement le battant en le poussant des deux mains. Après la tombée de la nuit, le jardin se muait en un monde sombre et singulier. La haute palissade envahie par le chèvrefeuille interceptait les lumières des vérandas des maisons voisines, et le feuillage sombre du hêtre la clarté de la lune. En temps normal, il aurait fallu plusieurs longues minutes avant que les yeux de Blue ne s'adaptent à la pénombre, mais pas cette nuit.

Cette nuit, une lueur incertaine, étrange et inquiétante, palpitait sur le tronc de l'arbre. Blue hésita, essayant de comprendre d'où provenait cette clarté changeante qui courait sur la pâle écorce grise. Elle posa une main sur le mur de la maison – il dégageait encore la chaleur de la journée – et se pencha en avant. De l'autre côté de l'arbre, une bougie était fichée entre les racines nues comme des serpents. La petite flamme tremblotante disparaissait puis s'allongeait, disparaissait puis s'allongeait de nouveau.

Blue avança d'un pas sur le dallage craquelé de la terrasse, en fit un autre, et elle jeta un coup d'œil derrière elle pour voir si quelqu'un la surveillait de la maison. Qui avait allumé cette bougie ? Un peu plus loin, une flaque s'était formée dans un autre nœud de racines. L'eau noire reflétait la lueur vacillante, comme si une flamme brûlait sous l'eau.

Blue fit encore un pas en retenant son souffle.

Vêtue d'un pull large et d'une jupe marron, Neeve se tenait agenouillée près de la bougie et de la petite flaque entre les racines. Ses belles mains croisées sur ses genoux, elle restait figée, aussi immobile que l'arbre et aussi sombre que le ciel tout là-haut.

Blue leva les yeux sur le visage presque invisible de Neeve et, le souffle coupé, dut prendre à nouveau une grande inspiration.

— Oh! Je suis désolée, je ne savais pas que tu étais ici, murmura-t-elle.

Neeve ne répondit rien. Blue vit que son regard était perdu dans le vide, mais ce furent ses sourcils qui l'impressionnèrent le plus : les deux lignes droites, parfaitement neutres, semblaient dépourvues d'expression et plus vacantes même que ses yeux.

Blue pensa d'abord à un problème médical – n'y avait-il pas des attaques dont les symptômes étaient que le sujet restait assis sans bouger ? Comment appelait-on ça, déjà ? – puis elle se souvint du saladier de jus de fruits raisin-cranberry sur la table de la cuisine. Il était bien plus probable qu'elle ait interrompu une séance de méditation.

Cela n'y ressemblait pourtant pas. Ça avait plutôt l'air... d'un rituel. Sa mère ne se livrait pas à ces pratiques. Maura avait déclaré un jour, non sans chaleur, à un client « Je ne suis pas une sorcière ! » et avait répété la phrase à une autre occasion, mais tristement cette fois, à Persephone. Neeve, elle, en était peut-être une, et Blue ne savait pas très bien comment se comporter dans une telle situation.

— Qui est là ? demanda Neeve d'une voix grave et lointaine, qui n'était pas la sienne.

Un méchant petit frisson remonta le long des bras de Blue. Dans l'arbre au-dessus de sa tête, un oiseau siffla ; du moins, Blue supposa qu'il s'agissait d'un oiseau.

— Venez dans la lumière ! dit Neeve.

L'eau – ou était-ce l'image mouvante de la bougie solitaire ? – frémit entre les racines. Blue regarda alentour et vit une étoile à cinq branches tracée autour du tronc du hêtre. À une pointe se trouvait la bougie, à une autre la flaque, une bougie éteinte occupait la troisième et un bol vide la quatrième. Un instant, Blue crut qu'elle s'était trompée et que l'étoile n'avait pas cinq branches, avant de réaliser que Neeve marquait le dernier point.

— Je sais que vous êtes là ! déclara cette Non-Neeve d'une voix qui semblait sourdre de lieux obscurs et retranchés. Je sens votre présence !

Un frémissement parcourut très lentement le cou de Blue, une sensation si horriblement réelle qu'elle dut se retenir de s'assener une grande claque ou de se gratter.

Elle aurait voulu rentrer à la maison et prétendre qu'elle n'en était jamais sortie, mais elle ne pouvait pas abandonner ainsi Neeve. Si jamais...

Elle aurait préféré ne pas achever sa pensée, mais le fit.

Elle ne voulait pas abandonner Neeve, au cas où quelque chose se serait emparé d'elle.

— Je suis ici, dit-elle.

La flamme de la bougie s'étira très longuement.

— Quel est votre nom ? demanda Non-Neeve.

Blue n'aurait pu jurer avoir vu ses lèvres bouger. Son visage était difficile à regarder.

— Neeve, mentit Blue.

— Approchez, venez là où je peux vous voir.

Il n'y avait maintenant plus aucun doute : quelque chose bougeait dans la petite flaque noire. L'eau reflétait des couleurs qu'on ne voyait pas dans la flamme, et qui se mouvaient sur un rythme totalement différent.

Blue frissonna.

— Je suis invisible.

— Ahhhhhhh, soupira Non-Neeve.

— Qui êtes-vous ? demanda Blue.

La flamme de la bougie grandissait et s'amincissait tant qu'elle menaçait de se rompre. Elle ne s'étirait pas vers le ciel, mais vers Blue.

— Neeve, dit Non-Neeve.

Blue décelait à présent dans la voix une nuance de ruse, de méchanceté, qui lui donnait envie de regarder par-dessus son épaule, mais elle craignait, si elle quittait des yeux la bougie, que la flamme ne la touche.

— Où êtes-vous ? demanda-t-elle.

— Sur le chemin des morts, gronda Non-Neeve.

L'haleine de Blue formait un nuage devant elle. Une subite chair de poule lui picota douloureusement les bras. Au-dessus de la flaque, le souffle de Neeve, visible, lui aussi, se scindait en deux, comme si un objet matériel monté de la surface de l'eau lui bloquait le passage.

Blue se précipita, renversa d'un coup de pied le bol vide et la bougie éteinte, et projeta de la terre dans la flaque d'eau noire.

La bougie s'éteignit.

Pendant une minute régna une obscurité totale. Pas le moindre bruit, à croire que l'arbre et le jardin alentour ne se trouvaient plus à Henrietta. Malgré le silence, Blue sentait une présence, et c'était là une impression affreuse.

Je suis dans une bulle, se répétait-elle farouchement. *Je suis dans une forteresse. Entourée de verre. Je peux voir au-dehors, mais rien ne peut entrer. Je suis invulnérable.* Toutes ces projections visuelles que Maura lui avait enseignées pour se protéger d'une attaque psychique paraissaient insignifiantes, face à la voix étrange de Neeve.

Puis plus rien. La chair de poule avait disparu aussi vite qu'elle était apparue. Les yeux de Blue s'adaptèrent peu à peu à l'obscurité – elle eut l'impression d'être aspirée à nouveau dans le monde réel – et elle vit Neeve, toujours agenouillée près de la flaque d'eau.

— Neeve, murmura-t-elle.

Un instant, rien ne se passa, puis sa demi-tante leva le menton et les mains.

Faites que ce soit Neeve ! Pourvu que ce soit Neeve !

Tout le corps de Blue se tenait prêt à détaler.

Elle vit alors que les sourcils de Neeve, malgré le tremblement de ses mains, avaient repris leur aspect habituel, et elle poussa un soupir de soulagement.

— Blue ? demanda Neeve d'une voix parfaitement ordinaire. *Oh !* Tu n'en parleras pas à ta mère, d'accord ? ajouta-t-elle en réalisant soudain ce qui venait de se produire.

Blue la dévisagea.

— Bien sûr que je vais lui en parler ! Qu'est-ce que c'était, *ça ?* Que faisais-tu ?

Son cœur battait encore la chamade, et elle comprit qu'elle était terrifiée.

Neeve parcourut du regard le pentagramme brisé, la bougie et le bol renversés.

— J'explorais, répondit-elle d'un ton posé qui mit Blue en fureur.

— Explorer, c'est ce que tu faisais avant. Ça, ce n'était pas pareil !

— J'explorais cet espace que j'ai vu plus tôt. J'espérais entrer en contact avec quelqu'un là-bas, pour découvrir ce que c'est.

La voix de Blue fut bien moins assurée qu'elle ne l'aurait voulu :

— Ça a *parlé !* Ce n'était pas *toi,* quand je suis sortie de la maison !

— Eh bien, c'était ta faute ! répliqua Neeve, un peu fâchée. Tu amplifies tout. Je n'avais pas prévu que tu serais là, sinon j'aurais...

Elle s'interrompit et regarda le morceau de bougie, la tête penchée, dans une posture bizarre qui rappela à Blue le méchant frisson qui l'avait saisie.

— Tu aurais quoi ? demanda Blue, elle aussi un peu fâchée d'être, en quelque sorte, tenue pour responsable de ce qui venait de se produire. Qu'est-ce que c'était que cette *créature* ? Elle m'a dit qu'elle était sur le chemin des morts. C'est la même chose qu'une ligne de ley ?

— Bien sûr, dit Neeve. Henrietta se trouve sur une ligne de ley.

Ce qui voulait dire non seulement que Gansey avait raison, mais aussi que Blue savait exactement où passait la ligne, puisqu'elle avait vu l'esprit de Gansey sur le chemin quelques jours auparavant.

— Il n'est pas difficile d'être médium dans cette région, dit Neeve. L'énergie est forte par ici.

— L'énergie… comme la mienne ?

Neeve fit un drôle de geste de la main, puis ramassa la bougie. Elle la tint à l'envers devant elle et pinça la mèche pour s'assurer qu'elle était bien éteinte.

— Oui, comme la tienne. L'énergie nourrit des choses, elle – comment l'exprimais-tu ? – elle monte le son des conversations, elle rend les ampoules plus lumineuses. Tout ce qui a besoin d'énergie pour continuer à vivre en raffole, exactement comme de la tienne.

— Qu'as-tu vu, demanda Blue, quand tu… ?

— Quand j'explorais, poursuivit à sa place Neeve, bien que Blue ne soit pas du tout sûre que ce soit là le mot qu'elle aurait choisi. Il y a quelqu'un là-bas qui connaît ton nom, et quelqu'un d'autre qui est à la recherche de la même chose que toi.

— À la recherche de la même chose que *moi* ! reprit Blue, estomaquée.

Elle ne recherchait rien, *elle*. Sauf si Neeve faisait allusion au mystérieux Glendower. Elle se rappela cette impression de connexion, quand elle s'était sentie prise dans ce réseau de garçons, de rois assoupis et de lignes de ley, puis elle se souvint de sa mère lui ordonnant d'éviter les Corbeaux.

— Oui, tu sais de quoi je parle, répliqua Neeve. Ah, tout me semble beaucoup plus clair à présent !

Blue songea à la longue flamme de la bougie qui s'étirait, aux lumières changeantes à la surface de la flaque, et elle ressentit un grand froid tout au fond d'elle-même.

— Tu ne m'as toujours pas dit ce que c'était, dans l'eau !

Neeve, son attirail dans les bras, releva alors la tête. Elle avait retrouvé son regard déterminé et insoutenable.

— Je n'en ai pas la moindre idée, déclara-t-elle.

CHAPITRE 18

Le jour suivant, avant le début des cours, Whelk prit la liberté de fouiller le casier de Gansey.

C'était l'un des rares à être utilisés et il ne se trouvait qu'à deux portes de l'ancien casier de Whelk. En l'ouvrant, celui-ci se sentit envahi par un flot de souvenirs nostalgiques. Il y avait eu une époque où *lui* était l'un des élèves les plus riches d'Aglionby, où il pouvait choisir librement les cours qu'il avait envie de suivre, avoir tous les amis qu'il voulait, séduire toutes les filles de la ville qui retenaient son attention. Son père faisait sans le moindre scrupule un don ici ou là pour lui donner un coup de pouce et l'aider à réussir l'examen d'un cours qu'il avait séché pendant quelques semaines. Whelk regrettait aussi sa vieille voiture. Dans ce temps-là, la police, qui connaissait bien son père, ne se donnait même pas la peine de lui faire signe de s'arrêter sur le bas-côté.

À présent, Gansey régnait ici-bas et le garçon ne savait pas utiliser son pouvoir.

En raison du code d'honneur d'Aglionby, aucun casier n'était muni de cadenas, et Whelk ouvrit donc celui de Gansey sans la moindre difficulté. Il y trouva plusieurs carnets à spirale couverts de poussière, dont seules quelques pages avaient été utilisées. Il s'en empara, laissa un message *(Ce casier a été provisoirement vidé dans le cadre d'une opération de désinsectisation)*, dans le cas où Gansey déciderait de venir à l'école avec deux heures d'avance, et se réfugia dans les toilettes désaffectées des professeurs pour les examiner tout à loisir.

Assis en tailleur sur le carrelage récuré mais couvert de poussière, près du lavabo, il put ainsi constater que Richard Gansey III était plus que jamais obsédé par la ligne de ley. Sa quête avait un côté presque… frénétique.

Qu'est-ce qui cloche, chez ce gosse ? se demanda-t-il, et il se sentit aussitôt déconcerté à l'idée qu'il avait lui-même assez vieilli pour penser à Gansey en ces termes.

Des talons cliquetèrent dans le couloir. Un arôme de café filtra sous la porte. Aglionby commençait à s'animer. Whelk ouvrit le carnet suivant.

Celui-ci ne traitait pas de lignes de ley, il racontait l'histoire du roi gallois Owen Glendower. Cela n'intéressait pas Whelk. Il le feuilleta, lut en diagonale quelques pages, jusqu'au moment où il comprit que les deux sujets étaient liés. Force lui était de reconnaître que Gansey savait raconter une histoire.

Whelk poursuivit sa lecture.

À celui ou celle qui éveillera Glendower sera accordé un vœu (sans limites ?) (miraculeux ?) (réciproque, à en croire certaines sources/qu'est-ce que cela peut bien signifier ?).

À l'origine, ni Whelk ni Czerny ne se passionnaient outre mesure pour l'issue finale de leur quête. Seule l'énigme les séduisait. Puis, un après-midi, les deux garçons, qui se tenaient au centre de ce qui ressemblait à un cercle naturel de pierres magnétiquement chargées, en avaient déplacé une, pour voir. Un crépitement d'énergie les avait alors projetés à terre et une vague silhouette de femme était apparue.

La ligne de ley était constituée d'énergie à l'état pur, d'un fluide aussi incontrôlable qu'inexplicable ; l'étoffe dont sont tissées les légendes.

Celui qui la maîtriserait serait bien plus que riche : il atteindrait ce à quoi les autres élèves d'Aglionby ne pouvaient que rêver.

Czerny n'avait pas pour autant montré plus d'intérêt, pas vraiment. C'était la créature la plus douce et la plus dépourvue d'ambition que Whelk ait jamais rencontrée, ce qui expliquait sans doute pourquoi il appréciait tant sa compagnie. Czerny ne cherchait pas à rivaliser avec les autres élèves d'Aglionby, il se contentait de suivre Whelk. Ces derniers temps, celui-ci tentait de se consoler en se répétant que son camarade n'était qu'un mouton, mais son sentiment d'autorité reprenait le dessus et il se souvenait alors de sa loyauté.

Non qu'un mouton et une personne loyale soient forcément différents, n'est-ce pas ?

— Glendower, énonça Whelk à voix haute, et sa voix se répercuta, creuse et métallique, contre les murs des toilettes.

Il se demanda quelle faveur Gansey – cet étrange élève lancé dans une quête désespérée – envisageait de demander.

Whelk se releva et ramassa les carnets. Les photocopier dans la salle des professeurs ne prendrait que quelques minutes et, si on lui posait des questions, il répondrait tout simplement que Gansey l'avait prié de le faire.

Glendower.

Si Whelk le trouvait, il lui demanderait de lui accorder ce dont il avait toujours rêvé.

Le contrôle de la ligne de ley.

CHAPITRE 19

Le lendemain après-midi, Blue sortit pieds nus dans la rue et s'assit au bord du trottoir, à l'ombre bleutée des arbres, pour attendre Calla. Neeve s'était claquemurée dans sa chambre, et Maura avait tiré le tarot des anges pour un groupe d'étrangers venus faire une retraite et participer à un atelier d'écriture. Blue avait donc eu tout son temps pour réfléchir et décider de ce qu'elle devait faire au sujet de Neeve dans le jardin. Or, ce qu'elle devait faire impliquait Calla.

Elle commençait tout juste à s'impatienter quand le véhicule de covoiturage de celle-ci ralentit et vint se ranger devant elle.

— Tu comptes te jeter avec les ordures ? demanda Calla en sortant de la voiture.

Elle portait une robe étonnamment classique et des sandales de strass d'un style douteux. Elle eut un geste nonchalant à l'adresse du chauffeur, qui redémarra, et se retourna vers Blue.

— J'ai besoin de te poser une question, lui dit celle-ci.

— Une question qui sonne mieux près d'une poubelle ? Tiens-moi ça !

Calla transféra malaisément un des grands sacs de son bras à celui de Blue. Elle sentait le jasmin et le piment, ce qui voulait dire qu'elle avait eu une mauvaise journée au travail. Blue n'était pas très sûre de ce que faisait Calla pour gagner sa vie, mais savait que cela impliquait Aglionby, des documents administratifs et des invectives contre des élèves, que cela empiétait souvent sur le week-end et que, les mauvais jours, elle devait compenser en dévorant des burritos.

Elle se dirigea à grandes enjambées vers la porte d'entrée.

Blue lui emboîta le pas plus lentement, en portant le sac, sans doute rempli de livres ou de cadavres.

— Il y a plein de monde à la maison !

Un seul des sourcils de Calla l'écoutait.

— C'est toujours le cas.

Elles avaient presque atteint la porte. L'intérieur semblait grouiller de tantes, de cousines ou de mères, et Blue entendait déjà la musique tonitruante inséparable de la thèse de Persephone. Le seul endroit où l'on pouvait espérer s'isoler un peu était le jardin.

— Je veux savoir pourquoi Neeve est ici ! dit Blue.

Calla s'arrêta et tourna la tête pour la regarder par-dessus son épaule.

— Rien que ça ! s'exclama-t-elle d'un ton sarcastique. Moi aussi, j'aimerais bien savoir à quoi est dû le changement climatique, mais personne ne veut me répondre.

— Je n'ai plus six ans, insista Blue en agrippant le sac de Calla comme un otage. Tous les autres peuvent trouver ce qu'ils cherchent dans un jeu de cartes, alors moi, j'en ai assez qu'on me laisse dans le noir !

Elle avait à présent réussi à capter l'attention des deux sourcils de Calla.

— Droit au but ! approuva-t-elle. Je me demandais quand tu allais commencer à te révolter contre nous. Pourquoi ne pas interroger ta mère ?

— Parce que je suis en colère qu'elle m'ait donné des ordres.

Calla fit passer le poids de son corps d'une jambe sur l'autre.

— Prends-en un autre ! Que suggères-tu ?

Blue accepta un second sac. Celui-ci, marron foncé, avec des angles droits, avait l'air de contenir une boîte.

— Que tu me répondes, tout simplement.

Calla se tapota la lèvre d'un doigt de la main qu'elle venait de libérer. Son ongle était, comme sa bouche, peint d'un bleu indigo profond, de la couleur de l'encre de seiche et des ombres les plus sombres du jardin rocailleux de devant.

— Le hic, c'est que je ne suis pas sûre que ce que l'on nous a raconté soit vrai.

Blue tressaillit. L'idée même de vouloir mentir à Calla, Maura ou Persephone lui semblait ridicule. Elles pouvaient ne pas savoir la vérité, mais ne manqueraient jamais de détecter un mensonge. Il n'en restait pas moins que Neeve, qui se livrait à d'étranges rituels à des heures indues, quand elle se croyait à l'abri des regards, semblait manigancer quelque chose.

— Elle est censée être venue pour essayer de trouver quelqu'un.

— Mon père, devina Blue.

Calla ne dit pas *oui,* mais ne dit pas *non* non plus.

— Mais, maintenant qu'elle a passé un certain temps à Henrietta, je crois qu'elle s'intéresse à autre chose, se borna-t-elle à préciser.

Calla et Blue échangèrent un regard complice.

— Dans ce cas, voici ce que je te propose, dit Blue finalement — et elle tenta de lever un sourcil comme le faisait Calla, mais sentit bien qu'elle n'y parvenait pas tout à fait. On va fouiller les affaires de Neeve. Toi, tu les tiendras dans tes mains, et moi, je resterai près de toi.

Calla serra les lèvres. Les perceptions psychiques lui parvenaient souvent un peu floues, mais qu'en serait-il avec Blue à ses côtés pour les amplifier ? Quand Calla avait effleuré le tatouage de Ronan, le résultat avait été impressionnant. Il n'était pas impossible que, en allant dans le grenier — là où s'était installée Neeve — et en manipulant ses affaires, elle obtienne de vraies réponses.

— Prends ce sac, dit Calla en tendant le dernier à Blue.

C'était un sac de cuir rouge sang, le plus petit de tous, mais d'un poids invraisemblable. Blue s'efforça de trouver un moyen de le tenir avec tous les autres. Calla croisa les bras et les tapota de ses ongles indigo.

— Il faudrait qu'elle s'absente du grenier pendant au moins une heure, dit-elle, et que Maura soit occupée par ailleurs.

Calla avait un jour fait remarquer que, si Maura n'avait pas d'animaux à la maison, c'était parce qu'elle était déjà trop occupée par ses principes. Maura croyait ferme à tout un tas de choses, parmi lesquelles figurait le respect de la vie privée d'autrui.

— Mais tu es d'accord ?

— Je vais commencer aujourd'hui à me renseigner sur leurs emplois du temps respectifs, dit Calla. Qu'est-ce que c'est que ça ?

Une voiture était venue s'arrêter au bout de l'allée, et Calla et Blue inclinèrent la tête pour déchiffrer l'inscription sur la portière du passager : LES BELLES FLEURS D'ANDI ! La femme derrière le volant fourragea sur le siège arrière pendant deux bonnes minutes, avant de sortir et de remonter l'allée en tenant une composition florale en miniature. Les mèches de sa frange bouffante étaient plus grosses que les fleurs.

— Pas vraiment une adresse facile à trouver ! s'exclama-t-elle.

Calla fit la moue. Elle nourrissait une haine viscérale envers tout ce qui, de près ou de loin, s'apparentait au bavardage creux.

— De quoi s'agit-il ? demanda-t-elle.

À l'entendre, on aurait pris les fleurs pour un chaton indésirable.

— C'est pour…

La femme cherchait la carte.

— Orla ? hasarda Blue.

Sa cousine recevait sans cesse, de Henrietta ou d'ailleurs, des cadeaux envoyés par des amoureux transis. Il ne s'agissait pas uniquement de fleurs. Certains lui offraient des cures thermales, d'autres des corbeilles de fruits. L'un se rendit célèbre en lui faisant parvenir son portrait peint à l'huile. Il l'avait représentée de profil, pour mettre en valeur son long cou élégant, ses pommettes classiques, ses yeux romantiques aux lourdes paupières et son nez imposant – la partie de son corps qu'Orla aimait le moins. Elle avait rompu sur-le-champ.

— Blue ? demanda la femme. Blue Sargent ?

Blue ne comprit pas d'emblée que les fleurs lui étaient destinées. La femme dut les lui tendre, et Calla la débarrasser d'un de ses sacs, pour qu'elle puisse les prendre. La fleuriste repartie, Blue fit tourner entre ses mains la petite composition florale : une simple branche de gypsophile s'enroulait autour d'un œillet blanc. L'ensemble flattait plus l'odorat que la vue.

— La livraison a dû coûter plus cher que les fleurs ! commenta Calla.

Blue tâtonna entre les tiges raides et dénicha une petite carte. À l'intérieur, une main féminine avait griffonné un message :

J'espère que tu as toujours envie que je t'appelle. Adam

Elle comprenait maintenant ce petit bouquet de fleurs. Il ressemblait bien à Adam.

— Tu rougis, lui fit remarquer Calla sur un ton de reproche.

Elle tendit vers les fleurs une main que Blue repoussa d'une tape.

— Celui qui t'a envoyé ça s'est vraiment mis en frais, non ?

Blue effleura le bord de l'œillet de son menton. Les pétales étaient si fins qu'elle n'avait pas l'impression de toucher quoi que ce soit. Ce n'était ni un portrait ni une corbeille de fruits, mais Adam n'aurait pu lui offrir une chose plus extraordinaire.

— Je les trouve jolies.

Elle dut se mordre les lèvres pour réprimer un sourire insensé. Elle aurait voulu serrer les fleurs contre sa poitrine et danser, mais rien de cela ne paraissait raisonnable.

— Qui est-ce ? demanda Calla.

— Un secret. Tiens, reprends les autres.

Blue tendit le bras pour que le sac marron et le sac de toile de Calla glissent dans les mains ouvertes de cette dernière.

Calla secoua la tête, mais n'eut pas l'air contrariée. Blue la soupçonnait d'être romantique, tout au fond d'elle-même.

— Calla, tu crois que je devrais dire aux garçons où passe le chemin des morts ?

Calla la fixa aussi interminablement que Neeve.

— Qu'est-ce qui te fait croire que je peux répondre à cette question ?

— Tu es une adulte, répliqua Blue, et tu es censée avoir appris des trucs, en vieillissant.

— À mon avis, dit Calla, tu as déjà pris ta décision.

Blue baissa les yeux et contempla le sol. Elle ne pouvait nier que le carnet de Gansey et l'idée que le monde ne se réduisait pas à ses seules apparences la tenaient éveillée la nuit, et la pensée que, peut-être, juste peut-être, il se trouvait quelque part un roi endormi, qu'elle pourrait poser la main sur sa joue et sentir battre sous sa peau un pouls vieux de plusieurs siècles, la hantait.

Comme la hantaient ses propres traits sur le visage du Page de Coupe, les épaules éclaboussées de pluie d'un garçon dans un cimetière, et cette voix qui disait : *Gansey, c'est tout ce qu'il y a*. Dès l'instant où elle avait compris qu'il était bien réel, que la mort le guettait et qu'elle-même faisait partie de son histoire, elle ne pouvait plus se contenter de laisser les choses se dérouler sans intervenir.

— N'en dis rien à maman, souffla Blue.

Avec un grognement évasif, Calla ouvrit à grand-peine la porte et entra. Blue resta sur le seuil, et les fleurs si légères lui parurent lourdes dans ses mains.

Aujourd'hui, songea-t-elle, *j'arrête de rêver à l'avenir et je me mets à le vivre !*

— Si tu commences à le fréquenter, dit Calla, prends garde à ton cœur, Blue. N'oublie pas qu'il va mourir !

CHAPITRE 20

À l'instant précis où ses fleurs étaient livrées au 300 Fox Way, perché sur son vieux vélo, Adam arrivait à la manufacture Monmouth. Dehors, sur le terre-plein envahi d'herbes folles, Ronan et Noah s'employaient à construire une rampe à des fins inavouables.

Il tenta par deux fois de persuader la béquille rouillée de se déplier pour soutenir l'engin, avant de renoncer et de le coucher sur le sol. Les tiges des digitaires se redressèrent entre les rayons.

— Quand est-ce que Gansey sera là, à votre avis ? demanda-t-il.

Ronan ne lui répondit pas immédiatement. Allongé aussi loin que possible sous la BMW, il mesurait la largeur des pneus à l'aide d'un mètre pliant jaune.

— Vingt-cinq centimètres quatre, Noah !

— Pas plus ? Ça ne me paraît pas beaucoup, dit Noah, qui se tenait debout près d'une pile de planches de contre-plaqué et de bardeaux.

— Et pourquoi je te mentirais ? Vingt-cinq quatre, je te dis !

Ronan s'extirpa de sous la voiture et leva les yeux vers Adam. Sans doute pour se moquer de l'incapacité de Gansey à se faire pousser la barbe, il avait laissé la sienne coloniser son visage d'une ombre bleutée, ce qui lui donnait la dégaine d'un type devant lequel les femmes s'empresseraient de dissimuler leurs bébés et leurs sacs à main.

— Va savoir ! Il a dit quand il revenait ?

— À trois heures.

Ronan se remit sur pied, et Adam et lui se retournèrent pour regarder Noah, qui s'occupait du contreplaqué. *S'occuper de* consistait en fait à *contempler longuement*. Les mains écartées d'un bon quart de mètre, Noah fixait d'un air perplexe à travers l'espace qui les séparait le bois en contrebas. Il n'y avait aucun outil en vue.

— Qu'est-ce que vous fabriquez, avec ça ? demanda Adam.

Ronan eut son sourire de lézard.

— Une rampe. Pour la BMW, pour atteindre cette fichue Lune !

C'était du Ronan tout craché. Sa chambre à la manufacture regorgeait de jeux coûteux, mais, tel un gosse gâté, il se retrouvait toujours à jouer dehors avec des bâtons.

— Votre trajectoire ne vise pas la Lune, objecta Adam. Elle pointerait plutôt l'emplacement de la fin de ton exclusion temporaire.

— Épargne-moi tes lumières, le savant !

Effectivement, il s'en passait sans doute très bien. Ronan court-circuitait la physique et il pouvait intimider jusqu'à une planche de contreplaqué pour la forcer à lui obéir. Accroupi près de son vélo, Adam se remit à en triturer la béquille pour voir s'il parvenait à la libérer sans la casser complètement.

— C'est quoi, ton problème, au juste ? lui demanda Ronan.

— J'essaie de décider quand je devrais appeler Blue.

Le dire à voix haute était prendre le risque de s'exposer aux moqueries de Ronan, mais c'était là une de ces choses qui avaient besoin d'être exprimées.

— Il lui a envoyé des fleurs, intervint Noah.

— Comment le sais-tu ? interrogea Adam, moins mortifié que surpris.

Noah se borna à esquisser un sourire lointain. Il fit tomber d'un coup de pied un des bardeaux posés sur le contre-plaqué, avec un air de triomphe.

— À la fille médium ? Tu sais ce que c'est que cet endroit-là ? dit Ronan. Le grand temple de la castration ! Si tu veux sortir avec elle, tu ferais aussi bien de lui envoyer tes couilles, plutôt que des fleurs.

— Tu es vraiment un rustre !

— Il y a des jours où tu parles exactement comme Gansey, dit Ronan.

— Et des jours où toi, tu parles exactement autrement que lui !

Noah partit d'un de ses rires voilés et presque silencieux. Ronan cracha par terre à côté de la BMW.

— Je ne savais pas que « nain » était le format préféré d'Adam Parrish !

Il plaisantait, bien sûr, mais Adam en eut soudain assez de son ami et de ses futilités. Depuis le jour de la bagarre sur le parking de chez Nino, Ronan avait déjà reçu plusieurs messages dans son casier à Aglionby pour l'avertir des fâcheuses conséquences qu'il encourait si ses notes ne s'amélioraient pas ; et s'il tardait à ne serait-ce qu'*obtenir* des résultats. Et le voilà qui construisait des rampes.

Si certains enviaient à Ronan sa fortune, Adam lui enviait son temps libre. Être riche comme Ronan, c'était aller en cours et ne rien faire d'autre, avoir de longues heures pour étudier, rédiger ses devoirs et dormir. Il ne l'aurait avoué à personne, et surtout pas à Gansey, mais il se sentait *las*. Las de faire ses devoirs à la va-vite entre deux jobs à temps partiel, las de ne fermer l'œil que lorsqu'il en avait le temps et de ne s'occuper de Glendower que quand il le pouvait. Travailler semblait si improductif : dans cinq ans, personne n'accorderait la moindre importance à son expérience professionnelle dans une usine de tracteurs. La seule chose qui compterait, ce serait d'avoir obtenu de bons résultats en quittant Aglionby, d'avoir découvert Glendower, ou d'être toujours en vie. Ronan, lui, n'avait à se soucier de rien de tel.

Deux ans plus tôt, quand Adam avait décidé de venir à Aglionby, c'était indirectement à cause de Ronan. Un jour, sa mère lui avait donné sa carte de crédit et l'avait envoyé faire des courses à l'épicerie. Il n'avait posé sur le tapis roulant qu'un tube de dentifrice et quatre boîtes de raviolis pour micro-ondes, mais la caissière lui avait annoncé que le compte n'était pas assez approvisionné pour couvrir les achats. Tout en sachant qu'il n'avait rien à se reprocher, et tandis que, bloquant la file de clients, tête basse, il retournait ses poches en feignant de chercher assez de monnaie, il avait éprouvé un sentiment d'humiliation étrangement intime. Juste à ce moment-là, un garçon au crâne rasé avait franchi lestement la caisse voisine, carte de crédit en main, et entrepris de ramasser ses achats en l'espace de quelques secondes.

Adam se rappelait que l'inconnu l'avait impressionné jusque dans sa façon de se mouvoir : pleine d'aisance et de nonchalance, les épaules en arrière et le menton incliné, à manière d'un fils d'empereur. La vendeuse repassa la carte d'Adam dans sa machine en faisant elle aussi semblant de croire que l'appareil avait mal lu la bande magnétique, et Adam regarda le garçon approcher d'une voiture noire et luisante rangée le long du trottoir. Il ouvrit la portière, et Adam aperçut les polos ornés d'un corbeau et les cravates des deux autres à l'intérieur. Tous trois se partagèrent les boissons achetées par leur ami avec une ignoble insouciance.

Il dut laisser les raviolis et le dentifrice à la caisse et repartit, les yeux brûlants de larmes de honte qui se refusaient à couler.

Jamais il n'avait autant désiré être quelqu'un d'autre que lui-même.

Dans son souvenir, ce garçon était Ronan, mais, en réfléchissant à présent, cela ne lui semblait guère probable : à l'époque, il n'avait pas encore l'âge de conduire. Ce n'était qu'un quelconque Corbeau nanti d'une carte de crédit et d'une splendide voiture. Du reste, l'incident – la rencontre du Ronan imaginaire de sa mémoire, superficiel, mais à la fierté intacte, et d'un Adam intimidé et humilié, devant une file de vieilles dames qui attendaient – n'était pas la seule raison qui l'avait poussé à se battre pour entrer à Aglionby, il en avait simplement été le déclencheur.

Il n'était toujours pas devenu ce garçon de la caisse voisine au supermarché, mais il s'en était approché un peu.

Il consulta sa montre pour évaluer le retard de Gansey.

— Passe-moi ton portable !

Ronan haussa un sourcil et saisit l'appareil posé sur le toit de la BMW.

Adam composa le numéro des médiums. La sonnerie retentit deux fois.

— Adam ? chuchota une voix voilée.

Il sursauta en entendant son nom.

— Blue ? demanda-t-il, effaré.

— Non, Persephone, dit la voix. Dix dollars, Orla, c'est ce qui était convenu. Non, l'identifiant d'appel n'affiche rien. Tu vois ? (Et, revenant à Adam :) Excusez-moi, je suis totalement incapable de gérer deux choses à la fois. Vous êtes le garçon au tee-shirt Coca-Cola, n'est-ce pas ?

Adam mit un instant à comprendre qu'elle parlait de celui qu'il portait le jour de la séance.

— Oh ! Euh, oui, en effet.

— Merveilleux ! Je vais chercher Blue.

Il y eut un court moment inconfortable, pendant lequel des voix murmuraient à l'arrière-plan. Adam écrasait des moucherons autour de lui. L'asphalte devenait difficile à voir par endroits, le parking avait de nouveau besoin d'un coup de tondeuse.

— Je ne pensais pas que tu appellerais.

Il ne devait pas vraiment croire qu'il allait lui parler, car, en entendant la voix de Blue, il eut le souffle coupé par la surprise. Ronan souriait en coin, d'un air à lui coller un coup de poing dans le bras.

— Je t'avais dit que je le ferais.

— Merci pour les fleurs, elles sont très jolies. Fiche le camp d'ici, Orla !

— On dirait qu'il y a du monde, chez toi.

— Il y en a toujours. Trois cent quarante-deux personnes vivent dans cette maison, et elles veulent toutes être dans cette pièce. Qu'est-ce que tu fais aujourd'hui ? poursuivit-elle, comme s'ils étaient déjà amis et que cet échange était la chose la plus naturelle au monde.

— On part en expédition. Tu veux venir ?

Ronan écarquilla les yeux d'un air si intégralement médusé que, quelle que soit à présent la façon dont la conversation tournerait, cela avait valu le coup d'appeler.

— Quel genre d'expédition ?

Adam s'abrita les yeux de la main et scruta le ciel. Il croyait entendre Gansey approcher.

— Explorer la montagne. Que penses-tu des hélicoptères ?

Il y eut un long silence.

— D'un point de vue éthique, tu veux dire ?

— En tant que moyen de transport.

— Plus rapides que les chameaux, mais moins écologiques. Pourquoi, tu en vois un dans ton avenir proche ?

— Oui. Gansey veut partir à la recherche de la ligne de ley, et on les repère plus facilement d'en haut.

— Et, bien entendu, il... possède un hélicoptère.

— C'est un Gansey.

Un autre long silence s'ensuivit, qu'Adam interpréta comme une pause-réflexion et décida en conséquence de ne pas interrompre.

— D'accord, je viendrai, finit par dire Blue. Mais... tu sais dans quoi on s'embarque, au juste ?

— Je n'en ai pas la moindre idée, répondit Adam avec honnêteté.

CHAPITRE 21

Désobéir à sa mère s'avérait incroyablement simple.

Maura Sargent n'avait qu'une expérience très limitée du contrôle parental, et Blue une expérience tout aussi limitée de l'avoir subi, c'est pourquoi, quand Adam vint la rejoindre devant la maison, rien ne s'opposait vraiment à ce qu'elle parte avec lui. Elle ne se sentait même pas coupable – du moins pas encore car, là aussi, elle manquait d'entraînement –, mais le plus extraordinaire, c'était son optimisme. Après tout, elle se rebellait contre sa mère, elle allait retrouver un garçon, et un *Corbeau* qui plus est, or, tout ça aurait dû l'angoisser.

Mais, quand Adam s'approcha pour la saluer, les mains bien rangées dans les poches et fleurant bon l'herbe fraîche, elle eut du mal à penser *Corbeau* en le voyant. Son bleu avait évolué et n'était pas devenu plus beau à voir.

— Tu es très jolie, lui dit-il alors qu'ils marchaient sur le trottoir.

Blue se demanda s'il parlait sérieusement. Elle portait de grosses bottes qui venaient du Secours populaire (retouchées avec beaucoup de fil à broder et une aiguille très solide) et une robe faite d'une superposition de tissus verts – rayés, crochetés, translucides – qu'elle avait conçue quelques mois auparavant. Adam, par contraste, avait une allure tout à fait classique, à croire qu'elle venait de le kidnapper, et elle se dit, non sans un certain malaise, qu'ils n'étaient pas du tout assortis.

— Merci, répondit-elle. Pourquoi tu voulais mon numéro, au fait ? se hâta-t-elle d'ajouter, avant de ne plus oser le faire.

Adam ne s'arrêta pas, mais fixa Blue, au fond des yeux.

— Pourquoi je ne l'aurais pas voulu ?

— Ne le prends pas mal, dit Blue, qui sentait ses joues s'empourprer mais ne pouvait déjà plus faire machine arrière. Et ne crois pas que ça me gêne, parce que ce n'est pas le cas !

— D'accord.

— Je ne suis pas jolie ; pas pour les Corbeaux.

— Je vais à Aglionby, et moi je te trouve jolie ! répéta Adam.

Il n'avait pas vraiment l'allure des autres Corbeaux.

Pour la première fois de la journée, elle remarquait son léger accent de Henrietta, sa façon d'allonger les voyelles et de dire *jolie* comme pour rimer avec *coolie*. « Wheek. Wheek. Wheek », lança un cardinal quelque part dans un arbre. Les tennis d'Adam chuintèrent sur le trottoir. Blue réfléchit à ce qu'elle venait d'entendre, puis y réfléchit encore.

— *Pfff... !* (Elle se sentait comme quand elle avait lu pour la première fois la carte dans ses fleurs, et elle avait l'impression que c'était à elle de parler pour alléger l'atmosphère.) Mais merci, en tout cas. D'ailleurs, moi aussi, je te trouve mignon !

Il partit d'un rire surpris.

— J'ai une autre question, poursuivit Blue. Tu te souviens de la dernière chose que ma mère a dite à Gansey ?

Son air chagrin montrait bien que oui.

— Alors, voilà. (Blue inspira à fond.) Elle refuse de vous aider, mais pas moi.

Après le coup de téléphone d'Adam, Blue avait griffonné à la hâte un plan rudimentaire, représentant le trajet jusqu'à l'église anonyme où Neeve et elle avaient passé la veille de la Saint-Marc : quelques lignes qui figuraient la route principale et certaines rues transversales, dont elle avait indiqué le nom en pattes de mouches, et qui aboutissaient à un carré simplement marqué : ÉGLISE.

Elle donna d'abord à Adam la feuille un peu chiffonnée, puis tira de son sac le carnet de Gansey, qu'elle lui tendit.

Il s'arrêta, et Blue patienta quelques mètres plus loin, tandis qu'il le contemplait en fronçant les sourcils. Il le tenait avec la délicatesse qu'il aurait eue pour un objet de valeur.

— Gansey l'a oublié chez Nino, expliqua-t-elle précipitamment. (Elle devait absolument gagner son estime et sa confiance, et voyait à son expression qu'il fallait faire vite.) Je sais bien que j'aurais dû te le rendre quand vous êtes venus chez moi pour la consultation, mais ma mère... enfin, tu l'as vue. Normalement elle ne... je veux dire, elle n'est pas comme ça, et je ne savais plus trop quoi penser. Mais je veux vous aider à chercher, moi aussi. S'il se passe quelque chose de surnaturel, je veux le voir.

— Pourquoi ? se borna à demander Adam.

On ne pouvait dire devant lui que la vérité, et ce de façon aussi simple que possible. Elle ne le croyait pas capable de tolérer quoi que ce soit d'autre.

— Je suis la seule de ma famille à ne pas être médium. Tu as entendu ma mère : tout ce que je fais, c'est de faciliter la tâche à ceux qui le sont. Alors, si la magie existe, je veux la voir, au moins une fois dans ma vie !

— Tu ne vaux pas mieux que Gansey ! déclara Adam d'un ton quasi admiratif. Lui, il lui suffit de savoir que c'est vrai.

Il inclina le schéma d'un côté, puis de l'autre. Quand il se remit à marcher, Blue se sentit aussitôt soulagée. Toute la tension avait disparu de l'atmosphère.

— C'est le plan pour rejoindre le chem… la ligne de ley, expliqua-t-elle en montrant le tracé du doigt. L'église qui est ici se trouve dessus.

— Tu en es sûre ?

Blue le foudroya du regard.

— Écoute, de deux choses l'une : soit tu me crois, soit tu ne me crois pas ! C'est bien *toi* qui m'as proposé de vous accompagner, « explorer la montagne », comme tu disais.

Adam sourit subitement avec une expression qui lui était si étrangère que ses traits durent se réorganiser complètement pour l'accueillir.

— Tu n'y vas pas par quatre chemins, pas vrai ?

Au ton de sa voix, elle sentit qu'elle l'avait impressionné à la façon dont Orla impressionnait les hommes, et cela lui déplut d'autant moins qu'elle avait parlé spontanément.

— Pas si ça en vaut la peine.

— Tu verras sans doute que, moi, je prends presque toujours des chemins détournés. Mais, si ça ne te pose pas de problème, je crois qu'on s'entendra très bien.

Blue se rendit compte qu'elle avait dû passer à pied ou à vélo devant chez Gansey absolument chaque jour de l'année, en allant en cours ou travailler chez Nino. En approchant de l'immense entrepôt, elle vit sur le parking envahi par la végétation l'éclat orange vif de la Camaro et, à quelques centaines de mètres de là, un hélicoptère bleu marine luisant.

Elle n'avait pas vraiment cru à cette histoire d'hélicoptère et ne s'attendait pas véritablement à en trouver un, grandeur nature, posé sur le terrain vague comme si de rien n'était, telle une berline qu'on venait de garer.

Elle pila net.

— Wouahhh !

— N'est-ce pas ? dit Adam.

— *Enfin !* s'écria Gansey en accourant au petit trot.

Il portait les mêmes mocassins ridicules que pour la consultation, mais cette fois avec un short et une chemisette de coton jaune, ce qui lui donnait l'air d'être prêt à affronter n'importe quelle urgence à partir du moment où ça le propulserait sur le pont d'un yacht. Il tenait une brick de jus de pomme biologique, qu'il pointa vers Blue.

— Vous venez avec nous ?

— Dans cet engin dont il se trouve que vous disposez, juste comme ça, vous voulez dire ? rétorqua-t-elle en essayant d'écourter ses voyelles.

Gansey lança sur son épaule un sac à dos en cuir. Il souriait aimablement, à croire que la mère de Blue ne l'avait pas rembarré et ne s'était pas montrée carrément impolie avec lui.

— C'est un reproche ?

L'hélicoptère se mit à bourdonner. Adam tendit le carnet à Gansey, qui eut l'air complètement abasourdi. Un petit coin de son masque sembla s'effriter.

— Où était-il ?

Le moteur tournait régulièrement, il était obligé de hurler pour se faire entendre par-dessus le rugissement des pales. L'air martelait les oreilles de Blue, un son plus tactile qu'audible.

Adam désigna Blue.

— Je te remercie ! lui hurla Gansey. Si je peux te tutoyer !

Les conditions n'étaient pas propices à la conversation, et, pris au dépourvu, il se rabattait sur sa toute-puissante politesse. Il surveillait du coin de l'œil Adam, qui hocha brièvement la tête, et son masque de Président au portable s'effrita encore un peu. Blue se demanda s'il disparaissait parfois complètement, quand il était entre amis, et si tout au fond de lui vivait le Gansey du cimetière.

C'était une idée qui donnait à réfléchir.

Un grondement s'éleva dans l'air alentour, et Blue eut l'impression que sa robe allait s'envoler.

— C'est pas dangereux, ce truc-là ?

— Pas plus que la vie ! répliqua Gansey. On est en retard, Adam. Si tu nous accompagnes, Blue, resserre ton corselet et embarque !

Il se baissa pour approcher de la porte, et sa chemisette battit contre son dos.

Blue éprouva soudain une certaine appréhension. Elle n'avait pas exactement peur, mais, en se réveillant ce matin-là, elle ne s'était pas préparée psychologiquement à quitter le sol en compagnie d'une volée de Corbeaux. Malgré sa taille et son vacarme impressionnants, l'hélicoptère lui semblait une bien petite chose à qui confier sa vie, et les garçons un groupe d'étrangers. Elle commença à avoir vraiment l'impression de désobéir à Maura.

— Je ne suis jamais montée dans un avion, cria-t-elle à Adam.

— Jamais de toute ta vie ?

Elle secoua la tête. Il mit la bouche tout contre son oreille. Elle sentit une odeur d'été et de shampooing bon marché et frissonna.

— Moi, seulement une fois. J'ai détesté ça !

Son haleine était chaude, et Blue se figea. *On n'est pas loin de s'embrasser,* pensa-t-elle, et la chose parut aussi dangereuse qu'elle l'avait escompté.

Tous deux restèrent un instant sans bouger. Il *fallait* qu'elle lui dise qu'il ne pouvait pas l'embrasser, juste au cas où, mais comment ? Comment dire ça à un garçon avant même de savoir s'il en a envie ?

Il lui prit la main. Sa paume était moite. Ce devait être vrai, qu'il détestait voler.

Près de la porte d'accès à l'hélicoptère, Gansey tourna la tête et esquissa un sourire compliqué en les voyant.

Adam s'était empourpré.

— J'ai horreur de ça ! hurla-t-il à Gansey.

— Je sais !

L'hélicoptère avait trois places sur une banquette à l'arrière, et une autre près du pilote. Hormis les harnais de sécurité à fixation en cinq points qui n'auraient pas déparé un avion de chasse, l'habitacle aurait pu passer pour celui d'une très grosse voiture. Blue n'aimait pas penser à la raison pour laquelle les passagers devaient être sanglés si fermement – peut-être pour éviter qu'ils ne rebondissent contre les parois.

Ronan, le plus Corbeau de tous les Corbeaux, était déjà perché près d'un hublot. Il releva la tête sans sourire. Adam le gratifia d'une bourrade sur le bras et s'installa au milieu, et Blue se mit près de l'autre hublot. Tandis qu'elle se débattait avec les fixations des sangles, Gansey se pencha dans l'habitacle pour choquer son poing contre celui d'Adam.

Quelques minutes plus tard, Gansey grimpa sur le siège avant près du pilote en souriant aux anges d'un air ravi, tout excité à la perspective de leur escapade. Son masque policé avait complètement disparu, comme emporté par les flots d'une joie intime qui se communiquait à Blue par la seule vertu de sa présence, et elle se sentit soudain pleine d'enthousiasme, elle aussi.

Adam se pencha comme pour lui dire quelque chose, puis se contenta de secouer la tête en souriant, comme si son ami était à lui seul une plaisanterie trop compliquée pour l'expliquer.

Gansey se tourna vers le pilote, et Blue, suivant son regard, découvrit avec surprise une jeune femme au nez remarquablement rectiligne et aux cheveux bruns tirés en un superbe chignon, coiffée d'une paire d'écouteurs qui maintenait quelques mèches. Elle avait l'air beaucoup plus intéressée par Adam et Blue que par Gansey.

— Tu ne nous présentes pas, Dick ? lui cria-t-elle.

Gansey fit la grimace.

— Blue, voici Helen, ma sœur.

CHAPITRE 22

Il n'y avait pas grand-chose que Gansey n'aimait pas dans le fait de voler. Il aimait les aéroports, où tant de gens semblent toujours si *affairés,* les avions, leurs hublots aux vitrages épais et leurs plateaux rabattables. La façon dont sa Camaro le collait contre son siège quand il accélérait à fond lui rappelait un jet dévalant une piste, et il prenait le cri du rotor d'un hélicoptère pour un signe d'efficacité. Il aimait les boutons, les voyants, les interrupteurs à bascule et les jauges des cockpits, mais il goûtait aussi l'anachronisme technologique des mécanismes de fermeture des ceintures de sécurité. Gansey prenait un maximum de plaisir dans la vie à atteindre ses objectifs, et une grande part de ce maximum en le faisant efficacement. Or, rien de plus efficace que le vol d'un oiseau.

Henrietta vue d'une altitude de trois cents mètres était un spectacle à vous couper le souffle.

Tout en bas défilait un monde d'un vert intense, que coupait le mince ruban d'une rivière scintillante réfléchissant le ciel. Gansey pouvait la suivre des yeux jusqu'aux montagnes.

À vrai dire, il éprouvait une légère inquiétude depuis qu'ils avaient décollé. Il avait peur d'avoir exagéré devant Blue, avec cet hélicoptère, et se demanda si elle se sentirait mieux ou plus mal si elle savait que c'était celui de Helen et que lui-même n'avait rien payé pour le vol d'aujourd'hui. Sans doute plus mal. Il se rappela sa promesse de mieux surveiller sa langue et resta silencieux.

— La voilà, dit Helen directement dans ses oreilles. (Tous avaient mis des écouteurs pour pouvoir se parler dans le vacarme ambiant.) La chérie de Gansey.

Gansey connaissait suffisamment Ronan pour ne pas manquer son petit ricanement.

— Elle doit être vraiment grande, pour qu'on la voie d'ici ! s'exclama Blue.

— Je parle de Henrietta, bien sûr, explicita Helen, qui jeta un coup d'œil à gauche en virant de bord. Ils se sont promis l'un à l'autre, mais n'ont pas encore fixé la date du mariage.

— Si tu continues à vouloir me faire honte, je te balance dehors et je prends les commandes ! menaça Gansey.

La menace était feinte : d'abord, il ne ferait jamais une telle chose et, en outre, il n'était pas autorisé à piloter sans elle. À vrai dire, il ne se montrait pas très doué pour cela, même après plusieurs cours. Il semblait privé de l'indispensable faculté de s'orienter aussi bien verticalement qu'horizontalement dans l'espace, ce qui l'entraînait dans des démêlés avec les arbres, et il se consolait à l'idée que, au moins, il faisait des créneaux impeccables.

— Tu as trouvé un cadeau pour l'anniversaire de maman ? lui demanda Helen.

— Oui, moi-même.

— Celui qui ne cesse de s'offrir, dit Helen.

— Je ne crois pas que les enfants mineurs soient obligés de faire des cadeaux à leurs parents. Je suis à leur charge, donc, logiquement, je dépends d'eux, non ?

— Dépendre d'eux, toi ! s'esclaffa-t-elle. (Helen avait un rire de dessin animé, un rire intimidant qui poussait les hommes à se demander s'ils n'étaient pas les dindons de la farce.) Tu as cessé de dépendre des parents à l'âge de quatre ans, tu es passé directement du stade de gosse de maternelle à celui de vieillard fossilisé !

Gansey balaya ses paroles de la main. La propension de sa sœur à exagérer était connue de tous.

— Et toi, qu'est-ce que tu lui as trouvé, pour son anniversaire ?

— Une surprise, répondit Helen avec hauteur en tapotant un interrupteur d'un ongle verni de rose, son unique concession à la coquetterie.

Helen avait la beauté lisse d'un super-ordinateur, élégant et fonctionnel, toujours à la pointe de la technologie, et bien trop onéreux pour la plupart des bourses.

— Autrement dit, un machin en verre !

La mère de Gansey collectionnait les assiettes peintes à la main avec la même ferveur obsessionnelle que son fils les informations sur Glendower. Gansey comprenait mal que l'on détourne ces objets de leur fonction première, mais la collection de sa mère avait été photographiée pour des magazines et était assurée pour plus cher que son père, cela laissant entendre que d'autres partageaient cette passion.

— La ferme ! Toi, tu ne lui as même pas trouvé de cadeau ! lui lança Helen d'un ton glacial.

— Je n'ai rien dit de mal !

— Tu as parlé de *machin* !

— Et tu aurais voulu que je dise quoi ?

— D'abord, elle collectionne aussi d'autres choses, et, en plus, ce que je lui ai trouvé n'est pas en verre non plus.

— Alors, ça ne lui plaira pas !

L'expression de Helen passa de glaciale à réfrigérante, et elle fusilla le GPS des yeux. Gansey n'avait pas la moindre envie de penser à combien de temps sa sœur avait consacré à la recherche de son assiette non en verre. Il n'aimait pas voir l'une des deux femmes de sa famille déçue, car cela avait le don de gâcher des repas par ailleurs savoureux.

Helen continuant à se taire, il se mit à penser à Blue. Quelque chose chez cette fille le gênait, sans qu'il puisse savoir exactement quoi. Il prit une feuille de menthe dans sa poche, la fourra dans sa bouche et regarda défiler en bas les routes familières autour de Henrietta. De cette hauteur, les virages semblaient moins prononcés que dans la Camaro. *Qu'est-ce qui peut bien clocher, avec Blue ?* Adam ne se méfiait pas d'elle, lui qui se méfiait de tout le monde, mais il était amoureux, et ça aussi, c'était nouveau.

— Adam ! appela Gansey tout en jetant un coup d'œil par-dessus son épaule.

Les écouteurs enroulés autour du cou, le garçon, penché vers Blue, lui montrait du doigt quelque chose tout en bas. Blue s'était tournée vers le hublot, sa robe avait un peu glissé sur sa jambe et, à quelques centimètres de là, Adam s'appuyait de la main sur le siège. Leur attitude n'avait rien de particulièrement intime, mais Gansey eut une drôle d'impression, comme s'il venait d'entendre une affirmation déplaisante dont il avait oublié tous les mots pour n'en garder que l'impact.

— Adam ! répéta-t-il plus fort.

Adam releva la tête en sursautant et se dépêcha de remettre ses écouteurs.

— Tu as fini avec les assiettes de ta mère ? l'entendit-il demander.

— Absolument. Où va-t-on, cette fois-ci ? Je songeais à l'église où j'ai enregistré la voix.

Adam lui tendit un morceau de papier chiffonné.

— Qu'est-ce que c'est ? demanda-t-il en le lissant de la main. Un plan ?

— Blue.

Gansey la dévisagea intensément en tâchant de décider si elle pouvait avoir intérêt à les envoyer sur des fausses pistes. Blue n'évita pas son regard. Gansey se retourna et étala la feuille sur le tableau de bord devant lui.

— Par là, Helen !

Helen vira de bord pour suivre le nouvel itinéraire. L'église se trouvait à une quarantaine de minutes de voiture de Henrietta, mais à seulement un quart d'heure par les airs, et, si Blue n'avait pas signalé discrètement sa présence, Gansey aurait sans doute manqué la vieille bâtisse en ruine, pleine de trous et envahie par la végétation. Tout autour courait la ligne étroite d'un muret de pierre, et on voyait une sorte de trace sur le sol là où devait se trouver à l'origine un autre mur.

— C'est ça ? demanda-t-il.

— C'est tout ce qu'il y a.

Quelque chose en lui se figea.

— Qu'est-ce que tu viens de dire ?

— C'est une ruine, mais...

— Non. Répète mot pour mot ce que tu viens de dire, s'il te plaît !

Blue lança un regard à Adam, qui haussa les épaules.

— Mais je ne me souviens plus !... « C'est tout ce qu'il y a » ?

C'est tout.

C'est tout ?

Il comprenait à présent ce qui l'avait tourmenté si longtemps. Il reconnaissait cette voix, cet accent de Henrietta, ce rythme dans l'intonation.

C'était Blue, sur l'enregistrement.

Gansey.

Gansey, c'est tout ?

— Je ne dispose pas de réserves infinies de carburant, dit Helen sèchement, comme si elle lui répétait quelque chose qu'il n'avait pas écouté – ce qui, du reste, était peut-être le cas. Où veux-tu que j'aille maintenant ?

Qu'est-ce que ça veut dire ? Il sentit à nouveau une sorte d'effroi devant quelque chose qui le dépassait, un mélange d'appréhension et d'impatience, et comme le poids d'une responsabilité.

— Comment s'oriente la ligne, Blue ? demanda Adam.

— Par là, vers les montagnes, répondit-elle en pressant le pouce et l'index contre la vitre comme pour prendre une mesure. Tu vois ces deux chênes, plus loin ? La ligne passe par l'église et juste entre les deux.

Si c'était à Blue qu'il avait parlé la veille de la Saint-Marc, qu'est-ce que ça pouvait bien *vouloir dire ?*

— Tu es sûre ? demanda Helen de sa voix de super-ordinateur. Je n'ai qu'une heure et demie d'autonomie.

— Je ne l'aurais pas *dit,* si je n'en étais pas sûre ! répliqua Blue avec indignation.

Helen esquissa un sourire et orienta l'appareil dans la direction indiquée.

— Blue !

C'était la première fois que Ronan ouvrait la bouche, et tout le monde, même Helen, se tourna vers lui. Il inclinait la tête dans une attitude où Gansey reconnut un signal dangereux. Il dévisagea Blue d'un regard acéré.

— Tu le connaissais, Gansey, avant ?

Gansey se rappela Ronan, appuyé contre la voiture, qui écoutait et réécoutait l'enregistrement.

Se sentir le point de mire de tous ces regards mettait Blue sur la défensive.

— Seulement de nom.

Les doigts croisés, coudes appuyés sur les genoux, Ronan se pencha devant Adam vers elle. Il savait paraître incroyablement menaçant.

— Et comment se fait-il que tu connaisses son nom ?

Les oreilles de Blue s'étaient empourprées, mais elle ne flancha pas.

— D'abord, recule !

— Et si je refuse ?

— Ronan ! intervint Gansey.

Ronan se renfonça dans son siège.

— En fait, moi aussi, j'aimerais bien le savoir, ajouta Gansey.

Il avait l'impression que son cœur ne pesait plus rien.

Blue regarda en bas et rassembla quelques épaisseurs de son improbable robe sur ses genoux.

— Votre question me semble justifiée, dit-elle finalement. Mais ce n'est pas *comme ça* que je répondrai à quoi que ce soit ! poursuivit-elle en pointant sur Ronan un doigt courroucé. Si ce type-là se remet à m'agresser, je... Bon, d'accord, je vous dis comment j'ai appris ton nom, Gansey, et en échange tu m'expliques ce que c'est que cette drôle de forme qui est dessinée dans ton carnet.

— Depuis quand on discute avec des terroristes ? rétorqua Ronan.

— Depuis quand j'en suis une ? Il me semble que moi, je vous ai apporté quelque chose, et vous vous comportez comme des salauds.

— Pas tous, fit remarquer Adam.

— Je ne me comporte pas comme un salaud, objecta Gansey, qui se sentait mal à l'aise à l'idée de déplaire à Blue. Qu'est-ce que tu veux savoir, au juste ?

— Attends, je vais te montrer.

Blue tendit la main et il la laissa reprendre le carnet. Elle le feuilleta et s'arrêta sur une page qu'elle tourna vers lui : il reconnut la description d'un vieil objet qu'il avait trouvé en Pennsylvanie, entourée de toutes sortes de dessins griffonnés.

— Je crois que ça représente un homme qui court après une voiture !

— Non, pas ça ! Ici, dit Blue en lui montrant un autre croquis :

— Ce sont des lignes de ley.

Gansey tendit la main et elle lui redonna le carnet. Il la sentait l'observer de très près, et se félicita de pouvoir lui montrer avec quelle familiarité sa main se refermait sur la reliure de cuir, et comment ses doigts appuyaient juste assez pour ouvrir à la page désirée ; lui et son carnet étaient de vieilles connaissances, et il entendait qu'elle le sache.

C'est moi, ça. Mon vrai moi.

Il retrouva sans peine la carte des États-Unis qu'il cherchait, puis suivit successivement du doigt une ligne passant par New York et Washington, une autre par Boston et Saint Louis, et une troisième qui, coupant horizontalement les deux premières, traversait la Virginie et le Kentucky avant de se prolonger vers l'ouest. Le geste avait quelque chose de satisfaisant, qui rappelait les chasses au trésor et les dessins d'enfant.

— Ce sont les trois lignes principales. Celles qui semblent compter le plus.

— Compter pour quoi ?

— Combien de pages de mon carnet as-tu lues ?

— Hmm, un peu. Pas mal, à vrai dire, la plus grande partie.

— Les lignes qui semblent les plus importantes pour trouver Glendower. Celle qui coupe la Virginie nous relie au Royaume-Uni, autrement dit, la Grande-Bretagne.

Blue leva les yeux au ciel d'un air si éloquent qu'il le perçut sans même tourner la tête.

— Je sais ce qu'est le Royaume-Uni, merci ! L'éducation dans le public n'est pas si nulle que ça !

Il l'avait, une fois de plus, offensée sans le vouloir.

— Je n'en doute pas, approuva-t-il. On a de nombreux témoignages de gens qui ont vu des choses étranges le long des deux autres lignes, comme des... phénomènes surnaturels, des esprits frappeurs, des hommes-phalènes, des chiens noirs...

Il aurait pu ne pas hésiter : Blue ne ricana pas.

— J'ai vu ma mère, et aussi Nee... une autre femme à la maison, dessiner cette forme, mais elles ne m'ont pas dit ce que ça représentait. C'est pour ça que je voulais savoir.

— À ton tour ! dit Ronan à Blue.

— J'ai rencontré... l'esprit de Gansey, leur dit-elle. C'était la première fois que je voyais un esprit, d'habitude ils ne se montrent pas à moi. Alors je t'ai demandé ton nom, et tu m'as répondu : « Gansey, c'est tout ce qu'il y a. » En fait, c'est aussi pour ça que je tenais à vous accompagner, aujourd'hui.

Gansey jugea la réponse assez satisfaisante – après tout, Blue était fille de médium, et ce qu'elle venait de dire collait avec sa voix sur l'enregistrement –, mais incomplète.

— Tu l'as vu où ? demanda Ronan.

— Dehors, près de l'église, quand je veillais dans le cimetière avec une de mes demi-tantes.

Ronan devait être lui aussi satisfait, car il demanda :

— Et, c'est quoi, l'autre demie ?

— Bon sang, Ronan, ça suffit ! dit Adam.

Il y eut un moment de silence tendu, brisé seulement par le hurlement lancinant de l'hélicoptère. Gansey savait qu'on attendait de lui qu'il se prononce. Croyait-il à l'explication de Blue ? Fallait-il s'y fier et suivre ses indications ?

Il avait entendu sa voix sur l'enregistrement. Il lui semblait ne plus avoir le choix. *Tu as raison, Ronan, quelque chose commence !* songeait-il, mais il ne pouvait se résoudre à le dire devant Helen. *Qu'est-ce que tu penses d'elle, Adam ? Pourquoi lui fais-tu confiance ? Ne me laisse pas prendre la décision tout seul, pour une fois, je ne sais pas si j'ai raison !*

— Bon, à partir de maintenant, c'est cartes sur table pour tout le monde ! annonça-t-il à la cantonade. Plus de petits jeux, et je ne dis pas ça seulement pour Blue !

— Je joue toujours réglo, moi ! dit Ronan.

— Qu'est-ce qu'il ne faut pas entendre ! railla Adam.

— C'est d'accord ! approuva Blue.

Gansey les soupçonnait tous les trois de ne pas se montrer vraiment honnêtes, mais, au moins, il leur avait dit ce qu'il avait sur le cœur, et il lui arrivait de ne pouvoir espérer plus.

Tous contemplaient le paysage. Ils se turent. Sous leurs yeux se succédaient des champs verts et veloutés, semés d'arbres miniatures qui ressemblaient à des brocolis.

— Qu'est-ce qu'on cherche ? demanda Helen.

— Comme d'habitude, répondit Gansey.

— C'est quoi, comme d'habitude ? s'enquit Blue.

Dans la plupart des expéditions, « comme d'habitude » se révélait être des hectares et des hectares de rien du tout, mais Gansey n'en eut cure.

— Il arrive que les lignes de ley soient indiquées de façon à être visibles du ciel. Au Royaume-Uni, par exemple, certaines sont jalonnées de chevaux gravés sur le flanc des collines.

C'était avec Malory, à bord d'un petit avion, qu'il avait aperçu pour la première fois le cheval blanc d'Uffington, dont le tracé d'une centaine de mètres de long se détachait sur le flanc d'une colline de craie. L'animal, plus esquissé que dessiné, étiré et stylisé, avait une apparence étrange, à l'instar de tout ce qui était lié aux lignes de ley.

— Parle-lui de Nazca ! murmura Adam.

— Ah oui !

Blue avait lu une grande partie du carnet, mais beaucoup de choses n'y figuraient pas et, contrairement à Ronan, Adam et Noah, elle n'avait pas vécu avec Gansey pendant cette dernière année. À la perspective de tout lui raconter, le garçon contenait difficilement son enthousiasme. L'histoire paraissait toujours plus plausible lorsqu'il en détaillait tous les éléments un par un.

— Au Pérou, reprit-il, on a trouvé des centaines de lignes creusées dans le sol, en forme d'oiseaux, de singes, d'humains ou de créatures imaginaires. Elles sont vieilles de milliers d'années et pourtant on ne peut les voir que des airs, elles sont trop grandes pour qu'on les distingue du sol. Quand on est debout juste à côté, ça ressemble juste à un sentier.

— Toi, tu les as vues ! dit Blue.

Devant les énormes tracés étranges de Nazca, Gansey avait compris que jamais il n'abandonnerait sa quête avant d'avoir trouvé Glendower. Il avait été frappé tout d'abord par leur taille impressionnante – des centaines et des centaines de mètres de dessins gigantesques perdus au milieu de nulle part –, puis par la précision de leur tracé, sa perfection mathématique, sa symétrie sans faille, avant d'être saisi d'une émotion violente comme un coup de poing dans l'estomac et d'une douleur mystérieuse, aiguë et persistante. Il ne pensait plus pouvoir vivre sans chercher à découvrir si ces dessins avaient bien un *sens*.

C'était là l'unique partie de sa quête qu'il n'arrivait jamais à expliquer à autrui.

— Gansey, qu'est-ce que c'est, là-bas ? demanda Adam.

L'hélicoptère ralentit et, hormis Helen, ses quatre passagers se dévissèrent le cou pour mieux voir. Le sol avait remonté, ils survolaient à présent des montagnes couvertes de forêts aux frondaisons ondoyantes comme des vagues sombres sur la mer. Entre les ravins et les escarpements avait surgi une prairie verte et pentue sur laquelle se détachaient quelques lignes plus pâles.

— Est-ce que vous voyez une forme ? *Stop !* Arrête-toi, Helen !

— Tu te crois sur un vélo ? répliqua-t-elle, mais l'hélicoptère cessa d'avancer.

— Regardez ! s'exclama Adam. Il y a une aile ici, et là un bec ! Un oiseau !

— Pas juste un oiseau, un corbeau ! dit Ronan d'un ton froid et égal.

Et, soudain, Gansey vit la forme émerger des herbes folles : l'oiseau, le cou tordu en arrière, les ailes collées au corps, la queue en éventail et les griffes sommaires.

Ronan avait raison. Même stylisées, la forme du crâne, la courbure généreuse du bec et les plumes du cou hérissées indiquaient toutes un corbeau.

Il sentit sa peau parcourue de picotements.

— Pose-toi ! ordonna-t-il à Helen.

— Je ne peux pas, c'est une propriété privée !

Il lui lança un regard suppliant. Il fallait absolument qu'il note les coordonnées du GPS au sol, qu'il prenne une photo pour ses archives, qu'il reproduise le dessin dans son carnet et, plus que tout, qu'il touche l'oiseau du doigt pour le rendre réel dans sa tête.

— Deux minutes, Helen !

Elle le toisa avec un de ces regards qui, du temps où Gansey était plus jeune et plus prompt à s'emporter, auraient pu causer une dispute.

— Je risque de perdre mon permis, si le propriétaire nous trouve là et décide de m'attaquer en justice !

— Rien que deux minutes ! Tu vois bien qu'il n'y a personne, pas une seule maison à des kilomètres et des kilomètres à la ronde !

— Je dois être de retour chez les parents dans deux heures, objecta Helen sans s'émouvoir.

— Deux minutes, pas plus !

Elle leva les yeux au ciel et se carra dans son siège, puis secoua la tête et se redressa pour reprendre les commandes.

— Merci, Helen ! dit Adam.

— Deux minutes, pas plus, répéta-t-elle sévèrement. Si vous n'avez pas fini à ce moment-là, je repars sans vous !

L'hélicoptère se posa à une quarantaine de mètres du cœur de l'étrange corbeau.

CHAPITRE 23

Dès qu'ils eurent touché le sol, Gansey sauta de la cabine et avança à grandes enjambées dans l'herbe qui lui montait aux genoux. À le voir, on l'aurait cru propriétaire de l'endroit. Ronan lui emboîta le pas. Blue entendit par la porte ouverte Gansey appeler Noah au téléphone et lui communiquer les coordonnées GPS du champ. Il débordait d'énergie et d'assurance, comme un roi dans son château.

Elle les suivit plus lentement. Elle se sentait l'estomac un peu barbouillé et les jambes en coton après le vol ; elle se demandait si elle avait eu raison de parler à Gansey de la veille de la Saint-Marc, et l'idée que Ronan puisse à nouveau lui adresser la parole l'inquiétait.

La prairie sentait merveilleusement bon – une odeur d'herbe, d'arbres et, quelque part, d'eau, de beaucoup d'eau. Blue se dit qu'elle serait parfaitement heureuse de vivre là. Adam, les yeux sous sa main en visière, avait l'air à sa place dans ce décor, avec sa chevelure du même brun terne que les pointes de l'herbe sèche, et elle le trouva plus beau que dans son souvenir.

— La forme du corbeau a disparu, constata-t-il d'un air surpris. Et j'ai toujours horreur de voler. Désolé pour le comportement de Ronan !

Blue avait trouvé l'expérience plutôt agréable, elle avait eu un peu l'impression de flotter dans une bulle extrêmement bruyante où aucune direction n'était impossible.

— Le vol lui-même n'était pas si affreux, dit-elle. Je m'attendais à pire. Il suffit de se laisser aller, en quelque sorte, et après ça va, non ? Mais, Ronan, lui…

— C'est un vrai pit-bull ! déclara Adam.

— J'en connais qui sont charmants.

Un des chiens que Blue promenait chaque semaine était en effet un pit-bull à la robe tachetée comme celle d'une vache et au sourire aussi engageant qu'on pouvait l'espérer chez un chien.

— Il est de ceux qui font la une du journal du soir. Gansey tente de le rééduquer.

— Comme c'est noble de sa part !

— Ça lui permet de se sentir un peu moins mal d'être Gansey.

Blue n'en doutait pas.

— Il est parfois terriblement condescendant.

Adam fixa le sol.

— Il ne le fait pas exprès, c'est à cause de tout ce sang bleu dans ses veines.

Il allait poursuivre, quand un cri l'interrompit :

— TU M'ÉCOUTES, GLENDOWER ? JE VIENS TE REJOINDRE !

La voix sonore de Gansey se répercutait en écho contre les pentes boisées qui cernaient la prairie. Adam et Blue le trouvèrent debout juste au milieu d'un sentier, bras tendus et tête renversée en arrière, qui hurlait dans l'espace, et la bouche d'Adam se fendit d'un grand rire silencieux.

— Des fragments de coquilles d'huîtres, observa Gansey en se baissant pour ramasser un morceau d'un blanc laiteux aux bords usés et émoussés. C'est avec ça que le corbeau est dessiné, tout comme on les utilise pour couvrir les routes dans les régions côtières. Des coquilles d'huîtres ici, sur du rocher nu. Qu'est-ce que vous en pensez ?

— Que ça en fait vraiment beaucoup à apporter de la côte, dit Adam, et que c'est aussi de la côte que Glendower serait arrivé.

Gansey pointa sur Adam un doigt approbateur.

Blue mit ses mains sur ses hanches.

— Alors, vous croyez qu'on a embarqué le corps de Glendower sur un bateau au pays de Galles, qu'on lui a fait traverser l'océan, puis qu'on l'a porté jusque dans les montagnes ? Mais pourquoi ?

— L'énergie, répondit Gansey.

Il fourragea dans son sac et en tira une petite boîte noire qui ressemblait à un modèle réduit de batterie de voiture.

— Qu'est-ce que c'est ? demanda Blue. Ça a l'air drôlement sophistiqué !

— Un lecteur de fréquences électromagnétiques, expliqua-t-il en tripotant les boutons sur le côté du boîtier. Il indique les niveaux d'énergie. Certains utilisent ces machines comme détecteurs de fantômes. Les fréquences sont censées augmenter quand on s'approche d'un esprit, mais aussi d'une source d'énergie, par exemple une ligne de ley.

Blue considéra l'appareil en fronçant les sourcils. Un tel gadget lui semblait insulter tant son utilisateur que la magie.

— Et bien entendu, toi, tu en as un, de ces électromagnétrucs à boutons, rien de plus normal, je suppose !

Gansey leva l'engin au-dessus de sa tête comme pour lancer un signal à des extraterrestres.

— Tu ne trouves pas ça normal ?

— Non, non, je suis sûre que ça l'est, dans *certains* milieux ! rétorqua-t-elle – car elle voyait bien qu'il mourait d'envie qu'on lui dise que, non, il n'était pas ordinaire.

L'air un peu froissé, Gansey se concentra sur son gadget, sur lequel deux petites lumières rouges venaient de s'allumer.

— Revenons-en à l'énergie. Un des autres noms pour désigner les lignes de ley, c'est le...

— Le chemin des morts, compléta Blue. Oui, je sais.

Gansey afficha une satisfaction magnanime, comme devant une élève hors pair.

— Continue, tu sais sans doute mieux que moi, l'encouragea-t-il.

— Ce que je sais, c'est que les morts se déplacent en ligne droite, dit-elle, et qu'on les portait jusqu'aux églises pour les enterrer en ligne droite, le long de ce que vous appelez la ligne de ley. On évitait à tout prix de leur faire suivre un autre chemin que celui qu'ils auraient choisi en tant qu'esprits.

— C'est ça, approuva Gansey. On est donc en droit de supposer que quelque chose dans la ligne protège ou stimule le défunt, son esprit, son *animus,* sa... quintessence.

— Sérieusement, Gansey ! l'interrompit Adam, au grand soulagement de Blue. Personne ici ne sait ce que veut dire *quintessence !*

— L'essentiel de l'essentiel, Adam, ce qui fait qu'une personne est ce qu'elle est. Si Glendower avait été retiré du chemin des morts, je crois que la magie qui le maintient endormi serait perturbée.

— Il mourrait pour de bon, si quelqu'un l'enlevait de la ligne, tu veux dire ?

— Oui, confirma Gansey.

Les lumières sur sa machine s'étaient mises à clignoter plus rapidement, et elles les guidèrent, par-dessus le bec du corbeau, vers la ligne d'arbres où se tenait déjà Ronan. Blue leva les bras pour que les herbes ne frôlent pas le dos de ses mains : par endroits, la végétation lui montait à la taille.

— Pourquoi on ne l'a pas laissé au pays de Galles ? Ce n'est pas là qu'on veut qu'il se réveille et devienne un héros ?

— Il y avait eu un soulèvement, et il s'était rebellé contre la Couronne d'Angleterre, commença Gansey sans hésiter, tout en foulant l'herbe à grandes enjambées et en gardant un œil fixé sur le cadran de sa machine – et Blue songea qu'il avait dû raconter souvent cette histoire. Glendower a lutté pendant des années, des années d'une sale guerre, pleine de conflits entre familles nobles aux allégeances variées, et la révolte des Gallois a échoué. Glendower a disparu. Si les Anglais avaient pu s'emparer de lui, mort ou vif, ils auraient été capables de tout ! Tu as entendu parler de gens pendus, puis écartelés, puis dépecés ?

— C'est aussi affreux qu'une conversation avec Ronan ? demanda Blue.

Gansey lança un coup d'œil à la silhouette indistincte de l'intéressé à la lisière des arbres. On entendit Adam étouffer un rire.

— Tout dépend de son degré de sobriété, répondit Gansey.

— Qu'est-ce qu'il fait, là-bas ? s'enquit Adam.

— Il pisse.

— Faites confiance à Lynch pour souiller un lieu comme celui-ci moins de cinq minutes après son arrivée !

— Souiller ? Dis plutôt qu'il marque son territoire !

— Alors, il doit posséder en Virginie plus de terres que ton père.

— Maintenant que j'y pense, je ne crois pas l'avoir jamais vu utiliser des toilettes.

Blue trouvait que la discussion avait pris un tour très masculin et très Corbeau, avec cette façon d'appeler Ronan par son nom de famille et de plaisanter sur ses pratiques urinaires. Les garçons semblaient pouvoir continuer long-temps comme ça, et elle les interrompit pour ramener la conversation sur Glendower :

— Les Gallois se sont vraiment donné tout ce mal pour dissimuler son corps ?

— N'oublions pas Ned Kelly ! dit Gansey.

Il avait articulé ces mots qui semblaient dépourvus de sens de façon si terre à terre que Blue se sentit soudain stupide, comme si, effectivement, l'éducation dans le public était peut-être lacunaire.

Adam jeta un coup d'œil à Blue et intervint :

— Personne ne sait qui est Ned Kelly, Gansey !

— Vraiment ? dit-il – avec une surprise si peu feinte que Blue songea qu'Adam avait eu raison, tout à l'heure, de soutenir que Gansey ne faisait pas exprès de se montrer condescendant. C'était un hors-la-loi australien et, quand les Britanniques l'ont attrapé, ils ont fait des choses atroces à son corps. Je crois que le chef de la police a utilisé sa tête comme presse-papiers pendant un moment, alors imaginez un peu ce que les ennemis de Glendower lui auraient fait subir ! Pour que Glendower ressuscite, comme le voulaient les Gallois, son corps devait être intact.

— Mais pourquoi le cacher dans les montagnes ? insista Blue. Pourquoi pas près de la côte ?

La question rappela sans doute quelque chose à Gansey, qui, au lieu de répondre, se tourna vers Adam.

— J'ai téléphoné à Malory, pour lui demander s'il avait essayé le rituel, et il m'a dit qu'il ne pensait pas qu'on puisse le faire n'importe où sur la ligne. D'après lui, il faut le faire sur son « cœur », là où l'énergie se concentre, et je pense que c'est aussi là qu'on a dû mettre Glendower.

Adam se tourna vers Blue.

— Et qu'en est-il de la tienne, d'énergie ?

La question la prit au dépourvu.

— Quoi ?

— Quand tu as dit que tu amplifiais les choses pour les médiums, tu parlais d'énergie, non ?

Blue se sentit absurdement heureuse qu'il s'en souvienne, et qu'il se soit adressé à elle, et non à Gansey, qui patientait en écrasant des moucherons qui passaient à sa portée.

— Oui, on dirait que je la renforce, comme si j'étais une sorte de pile ambulante.

— Ou la table la plus convoitée de Starbucks, dit Gansey en se remettant à marcher.

Blue cilla.

— Comment ?

— Près de la prise murale.

Gansey appuya son appareil contre le tronc d'un arbre et observa les deux autres avec un grand intérêt.

Adam regarda Blue en secouant la tête.

— Il me semble que Blue pourrait peut-être transformer un morceau de ligne de ley ordinaire en un endroit où on puisse effectuer le rituel. Attends, mais qu'est-ce qu'on fait ici ? Et Helen ?

— Deux minutes ne se sont pas encore écoulées, affirma Gansey au mépris de toute vraisemblance. C'est une bonne idée, quoique... Est-ce que ta pile peut être épuisée, Blue ? Par autre chose qu'une conversation sur la prostitution, s'entend ?

Blue ne jugea pas cette dernière question digne de réponse. Elle pensait à sa mère qui lui avait dit qu'il n'y avait rien à craindre des morts, et à Neeve qui avait semblé en douter, et se disait que sa veille dans le cimetière de l'église lui semblait en effet l'avoir privée de *quelque chose*, et avait peut-être entraîné des conséquences encore pires, qui lui restaient à découvrir.

— Eh bien, voilà qui est curieux ! fit remarquer Gansey.

Il enjamba un minuscule ruisseau à la lisière des arbres, un simple filet d'eau jailli d'une source souterraine qui détrempait l'herbe. Il tenait son appareil de mesure juste au-dessus de l'eau et ne le quittait pas des yeux. La machine s'était bloquée.

— Helen ! lança Adam sur un ton de mise en garde.

Ronan les avait rejoints, et Adam et lui regardaient en direction de l'hélicoptère.

— J'ai dit : *voilà qui est curieux !* répéta Gansey.

— Et moi j'ai dit : *Helen !*

— Seulement quelques mètres encore !

— Elle sera furieuse.

Gansey lui jeta un regard oblique, et Blue comprit qu'Adam n'aurait pas le dernier mot.

— Je t'aurai *prévenu !* insista Adam.

Le ru surgissait entre deux cornouillers et s'écoulait lentement dans les bois. Ils suivirent Gansey, qui, remontant le courant, s'enfonçait entre les arbres. Le bruit incessant des insectes dans la prairie se tut, remplacé par le chant occasionnel d'un oiseau, et la température chuta soudain de plusieurs degrés. Ils marchaient dans une splendide et vieille forêt de chênes et de frênes énormes, dont les racines s'enfouissaient entre de grands rochers plats et craquelés. Des fougères poussaient sur des blocs de pierre et des mousses vertes sur l'écorce des troncs. L'air embaumait la verdure, les jeunes plantes et l'eau. Une lumière dorée traversait les branches, et tout semblait extraordinairement vivant.

— Comme c'est beau ! s'émerveilla Blue dans un soupir.

Elle s'adressait à Adam, mais vit Gansey tourner la tête pour la regarder par-dessus son épaule. Près de lui, Ronan était plongé dans un étrange mutisme et paraissait sur la défensive.

— Qu'est-ce qu'on cherche, au juste ? demanda Adam.

Gansey suivait tel un limier les indications de son appareil. Il longeait le ruisseau qui allait en s'élargissant. Il coulait à présent sur un lit de petits galets, de fragments de rochers acérés, bizarrement semés de quelques coquilles d'huîtres, et on ne pouvait déjà plus l'enjamber.

— Toujours la même chose.

— Helen va t'en vouloir à mort !

— Elle m'enverra un texto, si elle s'impatiente trop, dit Gansey en tirant son portable de sa poche. Oh, non, il n'y a pas de signal !

Cela n'avait rien de très surprenant au fond des bois, mais Gansey pila net, et les autres firent cercle autour de lui tandis qu'il faisait défiler les écrans de l'appareil. Le lecteur de fréquences électromagnétiques qu'il tenait de l'autre main luisait d'un éclat rouge.

— Quelqu'un a une montre ? demanda-t-il d'une voix un peu altérée.

Blue, pour qui les week-ends n'avaient pas d'emploi du temps précis, n'en portait pas, et le poignet de Ronan ne s'ornait que de quelques lanières de cuir nouées. Adam leva le bras et montra la sienne, un modèle bon marché au bracelet crasseux.

— Moi, j'en ai une, dit-il, mais elle n'a pas l'air de fonctionner, ajouta-t-il piteusement.

Sans un mot, Gansey tourna vers eux son portable. Aucune des trois aiguilles du cadran affiché sur l'écran ne bougeait. Ils restèrent un bon moment à les contempler, et Blue crut sentir son cœur égrener une à une chaque seconde invisible.

— Est-ce que... commença Adam, qui s'interrompit, avant de poursuivre : L'énergie de la ligne détraque peut-être ton portable ?

— Et ta montre ? intervint Ronan d'un ton coupant. Ta vieille montre à remontoir mécanique ?

— Il a raison, dit Gansey. Du reste, mon téléphone est toujours allumé et le lecteur de fréquences aussi. C'est le temps qui bloque, et je me demande si…

Il se tut, car il n'avait pas de réponse, et tous le savaient bien.

— Je veux continuer, reprit-il. Encore un peu plus loin.

Il attendit de voir si quelqu'un s'y opposait. Comme personne ne dit rien, il repartit et se mit à escalader un gros rocher. Ronan le suivit, et Adam jeta un coup d'œil à Blue, comme pour lui demander si elle allait bien.

Oui, elle allait bien, mais bien comme avant de monter dans l'hélicoptère. Les lumières rouges qui clignotaient sur le compteur de l'appareil de Gansey et le refus de la montre d'Adam de fonctionner ne lui faisaient pas peur, simplement elle ne s'était pas levée ce matin-là en prévoyant de se rendre en un lieu où le temps cesserait de s'écouler.

Elle tendit une main, qu'Adam saisit sans hésiter, comme s'il s'attendait à son geste.

— J'ai le cœur qui bat comme un fou, lui chuchota-t-il.

Blue fut plus émue par la chaleur que dégageait son poignet et le battement précipité de leurs deux pouls que par leurs doigts entremêlés. *Il faut que je lui dise de ne pas m'embrasser,* songeait-elle, sans pouvoir se résoudre à interrompre le contact.

Main dans la main, ils suivirent Gansey sur le rocher. Les arbres ici étaient énormes, et le tronc de certains, qui avaient poussé par deux, prenait des allures de tourelles de château. Les frondaisons bruissaient très haut au-dessus de leurs têtes. D'un peu plus loin montait un clapotis d'eau.

Un bref instant, Blue crut entendre de la musique.

— Noah ?

La voix de Gansey avait pris un accent désolé. Il s'était arrêté près d'un hêtre imposant et inspectait le sol autour de lui. En le rejoignant, Blue vit qu'il se tenait près d'un petit étang qui alimentait le ruisseau dont ils venaient de remonter le cours. L'eau n'était profonde que de quelques centimètres, et si claire et si transparente qu'on avait envie de la toucher.

— J'ai cru entendre...

Gansey s'interrompit et baissa les yeux, vit leurs mains et eut l'air intrigué. Adam serra les doigts de Blue plus fort – sans le faire exprès, soupçonna-t-elle.

Gansey se tourna vers l'étang. Son appareil de mesure s'était éteint. Il s'accroupit et passa une main, les doigts largement écartés, à quelques millimètres au-dessus de la surface. L'eau bougea et s'assombrit, et Blue vit des myriades de tout petits poissons aux écailles argentées se rassembler en frétillant sous son ombre légère.

— Comment sont-ils venus là ? demanda Adam.

Le ruisseau qu'ils avaient longé était d'une profondeur bien trop insuffisante pour abriter des poissons, et le bassin en amont semblait alimenté par l'eau de pluie qui ruisselait de la montagne, or les poissons ne tombent pas du ciel.

— Je ne sais pas, répondit Gansey.

Les créatures ne cessaient de s'agiter, de se bousculer et de se croiser comme d'incessantes et minuscules énigmes. Blue crut à nouveau entendre de la musique, puis regarda Adam et se dit que c'était peut-être le bruit de sa respiration.

Gansey leva les yeux, et elle comprit en le voyant qu'il adorait cet endroit. On lisait maintenant sur ses traits habituellement imperturbables une nouvelle émotion, un bonheur mystérieux, inexplicable, et d'une telle intensité qu'il en ressemblait à de la tristesse. C'était exactement ce qu'elle ressentait lorsqu'elle contemplait les étoiles. Ce Gansey-là était un peu plus proche de son esprit dans le cimetière, et Blue découvrit qu'elle ne supportait pas de le regarder.

Elle libéra sa main et alla le rejoindre près du hêtre. Enjambant avec précaution les nœuds des racines qui couraient sur le sol, elle posa la main sur l'écorce grise et lisse du tronc. Elle était froide comme l'hiver et étrangement rassurante, comme celle de l'arbre derrière sa maison.

— Adam ! appela Ronan.

Elle entendit Adam contourner lentement l'étang pour le rejoindre, et le froissement de branches cassées s'estompa peu à peu tandis qu'il s'éloignait.

— Je ne crois pas que ces poissons existent réellement, murmura Gansey.

C'était là une affirmation si ridicule que Blue se retourna pour le dévisager à nouveau. Il fixait l'eau en penchant la main tantôt dans un sens, tantôt dans l'autre.

— Je crois qu'ils ne sont ici que parce que j'ai pensé qu'ils devraient l'être, dit-il.

— Ben voyons ! ricana Blue.

Il inclina derechef la main, et elle vit la silhouette des poissons étinceler dans l'eau.

— Qu'est-ce qu'elle disait déjà, pendant la séance ? poursuivit-il d'un ton hésitant. Cette femme qui avait tous ces cheveux ? Que c'était une question de... perception, non d'intention !

— Maura. L'intention, c'est pour les cartes, dit Blue, dans une lecture, pour laisser quelqu'un pénétrer dans ton esprit et lire des formes dans l'avenir et le passé. Pas pour des *poissons* ! Comment veux-tu que l'intention fonctionne pour un poisson ? Leur vie n'est pas négociable.

— De quelle couleur étaient-ils quand nous sommes arrivés ? demanda Gansey.

Noir et argenté ou, du moins, c'est ainsi qu'on les percevait dans les reflets, se dit Blue. Gansey cherchait de toute évidence des signes de magie, mais elle n'entendait pas capituler aussi vite. Après tout, le bleu et le marron pouvaient aussi paraître noirs ou argentés, suivant la lumière. Elle vint tout de même s'accroupir sur la terre humide près de l'eau.

Tous les poissons semblaient noirs et indistincts, à l'ombre de la main de Gansey.

— Je les regardais en me demandant comment ils étaient venus là, quand je me suis souvenu qu'il existe une sorte de truite qu'on trouve souvent dans les petits ruisseaux, dit Gansey. Je crois qu'on les appelle des truites mouchetées, et ça m'a paru un peu plus logique. Elles ont peut-être été introduites par l'homme dans cet étang, ou un autre plus en amont. Les truites mouchetées ont le dos argenté et le ventre tacheté de rouge.

— *Admettons,* dit-elle.

Il tenait sa main tendue parfaitement immobile.

— Dis-moi qu'il n'y avait pas de poissons à taches rouges à notre arrivée !

Elle ne répondit pas, et il leva les yeux vers elle. Elle secoua la tête. Non, elle n'avait pas vu de rouge.

Il retira prestement sa main.

Le minuscule banc de poissons s'égailla et se précipita à couvert, mais Blue eut le temps de voir qu'ils étaient tous argenté et rouge, d'un rouge éclatant comme un coucher de soleil, un rouge de rêve, si vif qu'il en devenait difficile de croire qu'ils aient pu être d'une autre couleur.

— Je ne comprends pas, dit Blue.

Elle ressentait pourtant une impression douloureuse, comme si elle saisissait bel et bien ce phénomène, mais sans pouvoir le traduire en mots ni le cerner par la pensée. Elle avait l'impression d'être rêvée par cet endroit, ou de le rêver elle-même.

— Moi non plus.

Ils tournèrent la tête de concert en entendant la voix.

— C'était Adam, ça ? demanda Blue.

C'était bizarre d'avoir à poser la question, mais rien ne semblait très fiable, par ici.

La voix d'Adam s'éleva à nouveau, plus clairement cette fois-ci. Il se tenait avec Ronan de l'autre côté de l'étang, devant un chêne dont le tronc s'ornait d'une cavité sombre de la taille d'un homme. L'eau aux pieds de Blue renvoyait une image froide, distante, d'Adam et de l'arbre.

Adam se frotta les bras comme s'il était gelé. Ronan, près de lui, regardait par-dessus son épaule quelque chose que Blue ne pouvait voir.

— Venez, appela Adam, mettez-vous là et dites-moi si je deviens fou !

L'émotion faisait ressortir son accent.

Blue regarda dans le trou. Comme tous ses semblables, il avait l'air irrégulier, humide et noir. Les champignons qui le rongeaient continuaient à l'élargir, et, à en juger par les bords minces et déchiquetés de l'écorce, la survie de l'arbre semblait tenir du miracle.

— Tout va bien ? demanda Gansey.

— Ferme les yeux ! lui demanda Adam.

Il croisait les bras, les doigts crispés sur ses biceps. Son souffle heurté rappelait à Blue des réveils de cauchemars, le cœur battant la chamade et les jambes douloureuses d'une course jamais courue.

— Une fois là-dedans, je veux dire, précisa-t-il.

— Tu y es entré ? demanda Gansey à Ronan, qui secoua la tête.

— C'est lui qui l'a trouvé, expliqua Adam.

— J'y vais pas ! déclara Ronan d'un ton sans réplique.

Ça ressemblait plus à une déclaration de principe qu'à l'expression d'une crainte, un peu comme son refus de tirer une carte lors de la consultation.

— Moi, ça ne me dérange pas, intervint Blue. J'y vais !

Elle se voyait mal se laisser impressionner par un arbre, malgré toute l'étrangeté de la forêt alentour. Elle entra dans la cavité et se tourna vers l'extérieur. Dans le trou, cela sentait le moisi et le renfermé, et il faisait chaud. Tout en sachant que la température était due au processus de décomposition, Blue avait l'impression de se tenir à l'intérieur d'une créature à sang chaud.

Adam avait toujours les doigts serrés sur ses bras croisés. *Qu'est-ce qu'il croit qu'il va se produire, dans cet arbre ?*

Elle ferma les yeux, et presque aussitôt crut sentir une odeur de pluie – non de menace de pluie, mais l'odeur vivante, mouvante d'une tempête faisant rage, un vent libre soufflant sur l'eau. Puis quelque chose frôla son visage.

Quand elle ouvrit les yeux, elle était à la fois dans son propre corps et à l'extérieur, loin du trou, et elle se regardait. Devant elle, à seulement quelques centimètres, se tenait un garçon vêtu du polo d'Aglionby, aux épaules un peu voûtées éclaboussées de sombres taches de pluie. C'étaient ses doigts qu'elle sentait sur son visage. Il lui effleurait les joues du dos de la main.

Elle vit des larmes rouler sur le visage de l'autre Blue, et les sentit couler aussi sur le sien. Elle retrouvait cette tristesse infinie qu'elle avait ressentie dans le cimetière, cette douleur qui la dépassait. Les larmes de l'autre Blue semblaient intarissables.

Le garçon au polo appuya son front contre celui de Blue, et elle perçut une soudaine odeur de menthe.

Ça va aller, dit Gansey à l'autre Blue, et elle voyait bien qu'il avait peur. *Ça va aller !*

C'est là que Blue comprit que l'autre Blue pleurait parce qu'elle aimait Gansey et que, s'il lui effleurait ainsi la joue des doigts, c'était parce qu'il savait qu'un baiser d'elle le tuerait. L'autre Blue mourait d'envie de l'embrasser tout en craignant de le faire. Pour une raison incompréhensible, ses souvenirs dans l'arbre étaient obscurcis par de fausses réminiscences de leurs lèvres se frôlant, comme dans une vie que l'autre Blue aurait déjà vécue.

D'accord, c'est parti. (La voix de Gansey achoppait un tout petit peu.) *Embrasse-moi, Blue.*

Bouleversée, Blue rouvrit les yeux pour de bon et retrouva autour d'elle l'obscurité de la cavité, et l'odeur sombre et pourrissante de l'arbre. La tristesse et la nostalgie des fantômes de sa vision lui nouaient les entrailles. Elle se sentait mal, embarrassée, et ne put en sortant de l'arbre regarder Gansey en face.

— Eh bien ? demanda-t-il.

— C'est... quelque chose.

Voyant qu'elle n'ajoutait rien, il entra dans le tronc.

Tout cela avait paru à Blue si incroyablement vrai ! Était-ce une vision du futur, d'un avenir alternatif, ou un simple rêve éveillé ? Malgré tout, elle ne pouvait pas s'imaginer tomber amoureuse de Gansey.

Pendant que Gansey pivotait dans le trou, Adam prit Blue par le bras et l'attira à lui d'un geste involontairement brusque. Elle sursauta lorsqu'il essuya son visage de l'autre main : elle avait pleuré pour de bon.

— Je veux que tu saches que je ne ferai jamais ça ! chuchota-t-il férocement. Ce n'était pas vrai. *Jamais* je ne lui ferai ça !

Il enserrait le bras de Blue d'une poigne solide, et elle le sentit trembler. Elle le regarda essuyer ses joues en clignant des yeux, et il lui fallut un moment pour réaliser qu'il avait dû voir une chose complètement différente de sa vision à elle.

Mais elle ne pouvait l'interroger sur sa vision sans lui avouer la sienne.

Ronan les fixait tous deux d'un regard à vif, comme s'il savait ce qui s'était passé dans l'arbre, bien qu'il n'y soit pas entré.

À quelques mètres de là, Gansey se tenait la tête penchée, les mains jointes devant lui, telle une statue dans une église, et l'arbre qui le surplombait et noyait ses paupières d'ombre lui donnait l'air très ancien.

Adam détourna la tête, et Blue comprit qu'il avait honte. Sans doute croyait-il que Gansey voyait ce qu'il avait lui-même vu, ce qui lui était insupportable.

Gansey ouvrit les yeux.

— Qu'est-ce que tu as vu ? lui demanda Blue.

Il pencha la tête d'un geste lent, comme dans un rêve.

— Glendower, dit-il.

CHAPITRE 24

Adam avait raison de dire qu'examiner le corbeau tracé sur le sol, remonter le ruisseau dans la forêt, observer les changements de couleur des poissons, découvrir l'arbre à rêves et rejoindre Helen ne leur prendrait pas que deux minutes.

À en croire la montre de Gansey, sept minutes s'étaient écoulées.

Helen était furieuse. Quand Gansey lui dit que sept minutes tenaient du miracle et que, en fait, ils auraient dû être absents trois quarts d'heure, cela déclencha une telle dispute que Ronan, Adam et Blue ôtèrent leurs écouteurs pour laisser le frère et la sœur laver leur linge sale en famille. Bien sûr, ils ne pouvaient plus communiquer entre eux, mais le silence qui s'ensuivit n'avait rien d'inconfortable, au contraire.

— C'est impossible ! s'exclama Blue dès que l'hélicoptère se fut posé et qu'ils purent à nouveau s'entendre. Le temps ne peut pas s'être arrêté pendant que nous étions dans la forêt !

— Non, ce n'est pas impossible, répliqua Gansey en traversant le parking pour gagner le bâtiment et en ouvrant à toute volée la porte de la manufacture. Tu es là, Noah ? cria-t-il dans la cage d'escalier sombre.

— C'est vrai, confirma Adam. À en croire la théorie des lignes de ley, le temps peut devenir fluide là où elles passent.

Les témoignages en ce sens abondaient en effet, et tout particulièrement en Écosse, où, selon un mythe très ancien, les voyageurs risquent d'être « détournés » par des lutins ou égarés par des fées. Des randonneurs qui suivaient un chemin en ligne droite se perdaient inexplicablement, pour se retrouver, sans le moindre souvenir d'avoir marché jusque-là, à des kilomètres et des kilomètres de leur point de départ, et leur montre indiquait alors que seulement quelques minutes s'étaient écoulées à compter du moment où ils étaient partis, à croire qu'ils avaient trébuché sur une ride de l'espace-temps.

L'énergie de la ligne de ley leur jouait des tours.

— Et dans l'arbre, demanda Blue, c'était une hallucination, un rêve ?

Glendower. C'était Glendower. Glendower. Glendower.

Gansey le revoyait sans cesse. Il se sentait excité, ou effrayé, ou les deux.

— Je ne sais pas. (Il sortit ses clefs et écarta d'une tape la main de Ronan qui tentait de les saisir. Les poules auraient des dents avant qu'il le laisse conduire sa voiture – il avait bien vu comment le garçon traitait la sienne, et l'idée de ce qu'il ferait avec une puissance de quelques douzaines de chevaux supplémentaire était insoutenable.) Mais j'ai bien l'intention de le découvrir. Venez, on y va !

— On y va ? Où ça ? demanda Blue.

— En prison, rétorqua-t-il affablement. (Les deux autres la poussaient déjà vers la voiture, et il se sentait plein d'euphorie, comme s'il planait dans les airs.) Chez le dentiste, dans un endroit horrible !

— Il faut que je sois rentrée pour… je ne sais pas exactement, mais à une heure raisonnable.

— C'est quoi, raisonnable ? demanda Adam, et Ronan rit.

— On te ramènera avant que tu ne te transformes en citrouille, assura Gansey, qui faillit ajouter « Blue », mais hésita et se ravisa. C'est ton surnom, Blue ?

Debout près de la Camaro, elle tressaillit soudain.

— Non que ce ne soit pas joli, se hâta-t-il d'ajouter, juste un peu… inhabituel.

— Andouille ! dit Ronan, mais l'exclamation se perdit dans la lanière de cuir qu'il mâchonnait en parlant.

— Tu as raison, ce n'est pas un nom normal, malheureusement, pas comme *Gansey* !

Il lui sourit sans acrimonie et frotta son menton rasé de frais tout en l'observant. Elle arrivait à peine aux épaules de Ronan, mais ne paraissait pas moins *grande* ni moins réelle que lui. Tout le monde s'était rassemblé autour de Tête de lard, et Gansey ressentit alors une curieuse impression d'*adéquation,* comme si, depuis toutes ces années, il avait cherché Blue et non la ligne de ley, et que la quête de Glendower n'avait véritablement commencé qu'avec elle. Elle était venue le rejoindre comme Ronan, Adam et Noah avant elle, et, chaque fois, il avait ressenti une vague de soulagement semblable à celle qui l'avait envahi quand il avait découvert dans l'hélicoptère que la voix sur l'enregistrement était celle de Blue.

Mais, bien sûr, elle pouvait encore décider de les quitter. *Elle ne le fera pas. Elle doit bien le sentir, elle aussi.*

— J'ai toujours eu un faible pour *Jane,* comme prénom, dit-il.

Blue écarquilla les yeux.

— Jan… quoi ? Non, tu ne peux quand même pas changer d'un claquement de doigts le nom des gens, juste parce que celui qu'ils portent ne te plaît pas.

— J'aime bien le nom de *Blue*. (Gansey ne pensait pas l'avoir vraiment offensée : les oreilles de Blue avaient rosi et elle ne faisait pas sa tête de chez Nino, quand ils s'étaient rencontrés la première fois. Il avait peut-être fait des progrès, même s'il ne pouvait s'empêcher de la taquiner.) Certaines de mes chemises préférées sont de cette couleur-là, mais il se trouve aussi que j'aime bien *Jane*.

— Je refuse de répondre !

— Je ne t'ai pas demandé de le faire.

Il ouvrit la portière de la Camaro et fit basculer le dossier du conducteur en avant. Adam grimpa docilement à l'arrière.

— Je refuse aussi de répondre à ça ! dit Blue.

Elle entra pourtant dans la voiture. Ronan récupéra son MP3 dans la BMW et vint s'installer sur le siège passager. Le lecteur de CD de Tête de lard n'était pas censé fonctionner, mais Ronan le bourra de coups de pied, et une musique électronique tonitruante s'éleva dans l'habitacle. Gansey tira violemment sur la portière du conducteur pour l'ouvrir. Il aurait dû être en train de contraindre Ronan à faire ses devoirs avant que celui-ci ne soit renvoyé d'Aglionby. Il lança un dernier appel à Noah et s'installa derrière le volant.

— Tes goûts musicaux sont positivement affreux, déclarat-il à Ronan.

— Ça sent toujours l'essence comme ça ? cria Blue de la banquette arrière.

— Seulement quand le moteur tourne, répondit Gansey sur le même ton.

— Et ce n'est pas *dangereux* ?

— Pas plus que la vie !

— Où on va ? demanda Adam.

— Manger des glaces ! Et Blue va aussi nous dire comment elle savait où était la ligne de ley, ajouta Gansey. On va réfléchir, mettre au point une stratégie, décider d'un plan d'action et piller dans le cerveau de Blue tout ce qu'elle sait sur l'énergie. Toi, Adam, tu vas m'expliquer tout ce dont tu te souviens à propos du temps et des lignes de ley, et toi, Ronan, je veux que tu me racontes encore ce que tu as découvert. Je veux qu'on en sache le plus possible avant d'y retourner, pour ne pas courir de risques.

Mais les choses tournèrent autrement. Ils se rendirent chez Harry, garèrent la Camaro près d'une Audi et d'une Lexus, et Gansey commanda des glaces de tant de parfums différents qu'il n'y avait plus de place sur la table pour une coupe supplémentaire. Ronan convainquit le personnel de monter le volume de la musique et, pour la première fois, Blue éclata de rire à une remarque de Gansey. Ils furent bruyants et triomphants tels les rois de Henrietta, parce qu'ils avaient trouvé la ligne de ley et que tout commençait enfin.

CHAPITRE 25

Pendant les trois jours suivants, Gansey déborda d'énergie. Il distribua aux garçons des tâches à accomplir et, à la grande surprise d'Adam, Blue put les accompagner à chaque fois. Elle ne l'avouait pas, mais il était clair qu'elle leur cachait quelque chose, car elle ne les appelait jamais au téléphone et ne leur donnait jamais non plus rendez-vous près de chez elle. Ils manquaient tous autant de sens de l'organisation que de pouvoirs psychiques et, si les cours prédominaient dans leurs emplois du temps, ils n'en réussirent pas moins à se retrouver pour poursuivre leurs recherches avec beaucoup d'assiduité.

Celles-ci ne les menèrent pourtant pas à une nouvelle expédition dans la forêt mystérieuse. Ils passèrent un certain temps à la préfecture, à chercher qui possédait le terrain sur lequel était tracé le corbeau, se rendirent à la bibliothèque de Henrietta pour y consulter des microfiches dans l'espoir de trouver le nom de la forêt, discutèrent de l'histoire de Glendower, reportèrent le tracé de la ligne de ley sur la carte, évaluèrent sa largeur approximative, puis arpentèrent la campagne en retournant des rochers et en traçant des cercles de pierres afin de mesurer l'énergie qu'ils dégageaient.

Ils mangèrent aussi beaucoup de nourriture de supérette, et ce à cause de Blue. Après la séance de glaces chez Harry, elle insista pour régler elle-même sa nourriture, ce qui limitait leurs choix. Elle ne supportait pas qu'un garçon, et surtout pas Gansey, veuille l'inviter.

Une fois, alors qu'il tentait d'acheter ses chips, elle lui avait arraché le paquet aussi sec.

— Pas question ! avait-elle protesté. Si tu payes pour moi, c'est comme si je devenais…

— Redevable ? avait-il suggéré obligeamment.

— Ne t'avise pas de mettre des mots dans ma bouche !

— Tu allais le dire.

— Que tu crois ! Tu n'as pas le droit de faire des suppositions gratuites.

— Mais c'est bien ce que tu avais en tête, non ?

— Je refuse de poursuivre cette conversation !

Blue avait acheté ses propres chips, dont le prix, qui ne représentait rien pour Gansey, était pourtant au-dessus de ses moyens, et Adam s'était senti fier d'elle.

Après cette première journée d'« exploration », Noah les avait accompagnés, ce qui faisait plaisir à Adam, car Noah s'entendait bien avec Blue. Il se montrait si timide, si gauche et si distant qu'on avait tendance à l'ignorer ou à se moquer de lui, mais Blue le traitait avec gentillesse et semblait apprécier sa compagnie, et cela soulageait Adam, qui se sentait responsable de la présence de Blue parmi eux. Adam prenait si rarement une décision seul, sans consulter Gansey, Ronan ou Noah, qu'il en venait à douter de son jugement lorsqu'il agissait de sa propre initiative.

Les jours s'écoulaient paisiblement. Pris par leurs diverses tâches, les cinq n'étaient pas retournés dans la forêt et n'avaient pas revu l'étang ni son mystérieux chêne-rêve. « On doit d'abord en savoir plus », répétait Gansey.

— Je crois qu'il a peur d'y aller, dit Adam à Blue.

Adam savait que lui en avait peur. Il n'arrêtait pas de penser à la vision qu'il avait eue dans l'arbre : Gansey agonisant, Gansey mort par la faute d'Adam ; et Blue qui le fixait, sous le choc, tandis que Ronan, accroupi près de son ami, grognait d'un air atrocement malheureux : « T'es content, maintenant, Adam ? C'est ça que tu voulais ? »

Était-ce un rêve ? Une prophétie ?

— Je ne sais pas ce que c'est, lui dit Gansey.

Pour Adam, cette phrase avait toujours été un aveu d'impuissance, que l'on ne pouvait racheter qu'en la faisant suivre aussitôt des mots « mais je vais trouver ». Adam n'accordait pas à autrui beaucoup de temps pour atteindre un but, autrement dit pas plus qu'à lui-même, toutefois Gansey ne le décevait jamais. Ils allaient tirer les choses au clair. Cette fois-ci, pourtant, Adam n'était pas sûr de vraiment vouloir savoir.

À la fin de la deuxième semaine d'investigations, les garçons avaient pris l'habitude d'attendre Blue à la sortie de ses cours avant d'aller accomplir la tâche que Gansey leur avait fixée. C'est alors, par un sombre jour de printemps, froid, humide et d'un gris métallique d'automne, que Ronan décida d'apprendre à Adam à conduire une voiture à boîte manuelle. Pendant plusieurs minutes, tout sembla bien se passer : l'embrayage de la BMW était facile à manier, Ronan, assis près d'Adam, lui expliquait les choses clairement et avec concision, et Adam, qui savait mettre son amour-propre de côté, apprenait vite.

Frileusement blottis à leur poste d'observation près de la manufacture, Gansey et Noah le regardaient tourner en rond toujours plus vite sur le parking. Des vitres baissées de la

BMW s'élevaient par intermittence les éclats de rire des deux garçons.

Puis l'inévitable se produisit : le moteur cala soudain, de façon assez dramatique, et à grand renfort de bruits et de spasmes mécaniques. Ronan lança à Adam une longue bordée d'injures émaillée de tous les gros mots imaginables, souvent sous forme composée. Le coupable fixait ses genoux d'un air contrit en disant que les imprécations de Ronan ne manquaient pas d'une certaine musicalité, qu'il assemblait les mots avec un amour de la précision dans la poésie noire et qu'on y sentait moins de haine que lorsqu'il ne jurait pas.

— ... bordel, fais un peu gaffe, Parrish, c'est pas la Honda Civic 1971 de ta mère !

Adam releva la tête.

— On n'a pas commencé à fabriquer la Civic avant 73.

Ronan montra les dents, mais n'eut pas le temps de riposter.

— Jane ! héla chaleureusement Gansey. Enfin ! J'ai cru que tu n'arriverais jamais ! Ronan est en train d'enseigner les transmissions manuelles à Adam.

Blue, les cheveux tiraillés tous azimuts par le vent, passa la tête par la vitre du conducteur, apportant un parfum de fleurs sauvages qu'Adam mit en mémoire dans sa liste des choses qui la rendaient séduisante.

— Ça a l'air de bien marcher ! C'est pour ça que ça pue comme ça ? demanda-t-elle gaiement.

Ronan sortit de la voiture et claqua la portière.

Noah surgit près de Blue avec l'air joyeux et l'expression d'adoration d'un golden retriever. Dès leur première rencontre ou presque, il avait décidé qu'il ferait n'importe quoi pour elle, ce qui n'aurait pas manqué d'agacer Adam de la part d'un autre.

Blue tolérait que Noah passe la main sur les mèches folles de sa chevelure, ce qu'Adam aurait aimé faire, lui aussi, s'il n'avait pressenti que, venant de lui, le geste prendrait un tout autre sens.

— Bon, c'est parti !

Gansey ouvrit son carnet et consulta ostensiblement sa montre.

— Où on va, aujourd'hui ? demanda Adam.

— Dans la forêt !

Blue et Adam échangèrent un regard stupéfait.

— Le temps presse, énonça Gansey avec grandiloquence en passant près d'eux à grandes enjambées pour rejoindre la Camaro.

Blue fit un bond en arrière, et Adam quitta à la hâte la BMW.

— Tu étais au courant ? souffla-t-elle.

— Pas le moins du monde !

— On doit être de retour dans trois heures au plus tard, dit Ronan. Je viens de nourrir Tronçonneuse, mais il faudra recommencer.

— C'est précisément pour ça que je ne voulais pas d'enfants ! répliqua Gansey.

Ils s'empilèrent dans la Camaro avec la familiarité née de l'habitude, même s'il aurait été plus logique de prendre la BMW. Ronan et Gansey se disputèrent brièvement les clefs et, comme toujours, Gansey gagna. Adam, Blue et Noah s'installèrent dans cet ordre sur la minuscule banquette arrière. Noah s'aplatit contre la portière pour essayer d'éviter le contact de Blue, mais Adam ne prit pas tant de précautions. Après s'être conduit avec une politesse irréprochable pendant les dix premières minutes de cette journée dans la forêt mystérieuse, il avait vite cru sentir que Blue se fichait que leurs jambes se touchent.

Ce en quoi il avait raison.

Rien n'avait changé, mais le cœur d'Adam battait inexplicablement la chamade. De jeunes feuilles arrachées par le vent qui s'était levé sans crier gare traversaient en toute hâte le parking. Sous son gilet crocheté à grandes mailles, la chair de poule hérissait la peau de Blue. Elle empoigna un pan de la chemise de chacun de ses voisins pour les tirer sur elle en guise de couverture.

— Toi, tu as toujours froid, Noah.

— Je sais, approuva l'intéressé d'un air morne.

Adam n'arrivait pas à décider si Blue traitait les garçons en amis parce qu'ils l'étaient devenus, ou s'ils l'étaient devenus parce qu'elle les traitait ainsi, et cette façon circulaire de construire une relation lui semblait exiger une bonne dose de confiance en soi. On aurait pu croire qu'elle participait à leur quête de Glendower depuis toujours.

Adam, l'épaule pressée contre celle de Blue, se pencha entre les deux sièges avant.

— Il n'y a pas de chauffage, Gansey ?

— On en aura si ça démarre !

Le moteur grognait, grondait, grommelait. Il était inconcevable que la température ait chuté à ce point, mais Adam avait froid à en claquer des dents. Il avait froid *du dedans*.

— Accélère encore, plus que ça ! dit-il à Gansey.

— C'est ce que je fais !

Ronan posa la main sur le genou droit de Gansey et appuya à fond. Le moteur poussa un gémissement aigu et se mit à tourner, et Gansey remercia sèchement Ronan pour son assistance.

— Ton cœur, murmura Blue à l'oreille d'Adam, je le sens battre dans ton bras. Tu es nerveux ?

— Je ne suis pas très sûr d'où on va, c'est tout.

Il leur fallut bien plus longtemps avec la Camaro qu'en hélicoptère pour atteindre l'endroit dont Gansey avait noté les coordonnées dans son carnet. Ils laissèrent la voiture près d'un chalet inoccupé pour faire le reste du chemin à pied.

La forêt avait un aspect très différent sous un ciel nuageux. Le corbeau semblait nu et mort entre les herbes, et les coquilles d'huîtres d'une blancheur d'ossements. Les arbres à la lisière de la forêt paraissaient être devenus gigantesques. Tout était plongé dans l'ombre par ce jour sans soleil, et l'étendue d'herbes broussailleuses avait l'air encore plus noire sous les arbres.

Le cœur d'Adam papillotait toujours. Jusqu'ici, il n'avait pas vraiment cru à ce que racontait Gansey sur les pouvoirs surnaturels de la ligne de ley, mais les choses s'étaient mises à prendre corps. La magie existait bel et bien, et Adam se demandait dans quelle mesure cela changeait le monde.

Ils restèrent longtemps à contempler la forêt en silence, comme en présence d'un adversaire. Gansey se passait un doigt sur la lèvre. Les mâchoires contractées de froid, Blue enroulait ses bras autour d'elle, et même Ronan semblait inquiet. Seul Noah avait gardé son allure habituelle, bras ballants et épaules voûtées.

— Je me sens surveillée, finit par dire Blue.

— Ça peut s'expliquer par des fréquences électromagnétiques élevées, déclara Gansey. Il y a eu des cas de lieux qu'on a crus hantés à cause de vieux fils électriques mal isolés. Un champ trop fort peut rendre les gens soupçonneux, leur donner l'impression d'être observés, ou même la nausée. Ça influe sur le câblage du cerveau.

Noah bascula la tête tout en arrière pour contempler les frondaisons mouvantes de la canopée. Par un réflexe opposé, Adam cherchait des signes de vie dans le sous-bois.

— Mais des fréquences élevées peuvent aussi donner aux esprits l'énergie dont ils ont besoin pour se manifester, non ? ajouta Adam. Il y aurait alors *effectivement* plus de chances que l'on soit surveillé ou hanté, quand on ressent ça.

— Et, bien sûr, l'eau inverse souvent le cours des choses et charge l'énergie d'un état positif, dit Gansey.

— Ce qui explique, intervint Ronan, qui n'entendait pas être en reste, que toutes ces saloperies de sources guérisseuses jaillissent dans le coin !

Blue se frotta les bras.

— Eh bien, l'eau vient de la forêt, alors on y va ?

Les arbres soupirèrent. Gansey plissa les paupières.

— On est invités ? demanda Adam.

— Je crois qu'on s'invite tout seuls, répondit Noah en s'enfonçant le premier entre les arbres.

Ronan bougonna d'un air furieux, probablement parce que Noah – *Noah !* – se montrait le plus audacieux de tous, et lui emboîta résolument le pas.

— Attendez ! dit Gansey en consultant sa montre. Il est seize heures treize. Il faut s'en souvenir pour plus tard.

Il suivit Noah et Ronan dans la forêt.

Le cœur d'Adam battait à tout rompre. Blue lui tendit la main et il la prit. *Ne lui écrase pas les doigts !* songea-t-il.

Ils pénétrèrent dans le sous-bois.

Il faisait encore plus sombre sous les feuillages. Les ombres sous les troncs couchés à terre étaient d'un noir profond, et les arbres bruns couleur de charbon ou d'onyx.

— Noah ! chuchota Gansey. Où es-tu passé, Noah ?

— Nulle part, répondit la voix de Noah dans leur dos.

Adam pivota rapidement sans lâcher la main de Blue, mais il n'y avait plus que des branches frémissantes dans la brise.

— Qu'est-ce que tu as vu ? lui demanda Gansey – et, quand Adam se retourna, Noah était là, juste devant lui.

Ça influe sur le câblage du cerveau.

— Rien.

— Où on va ? demanda à son tour Ronan, qui se tenait recroquevillé un peu plus loin.

N'importe où, sauf jusqu'à cet arbre, songea Adam. *Je ne veux plus le revoir !*

Gansey tâtait le sol à la recherche du ru dont ils avaient remonté le cours la dernière fois.

— On reprend le même chemin, je suppose. Une expérience se doit de reproduire les conditions initiales, pas vrai ? Mais le ruisseau est moins profond cette fois-ci, et plus difficile à suivre. Ce n'était pas loin, non ?

Pourtant, après quelques minutes de marche le long du lit presque à sec du petit cours d'eau, il devint évident que le paysage ne leur était pas familier. Les arbres étaient hauts, grêles et dégarnis, et se courbaient comme sous un vent puissant. De gros blocs de rochers émergeaient de la terre. Toute trace du ruisseau avait disparu, et on ne voyait ni l'étang ni le chêne-rêve.

— On nous a fourvoyés ! annonça Gansey d'un ton accusateur, comme s'il tenait la forêt pour responsable.

— Vous avez remarqué les arbres ? dit Blue en lâchant la main d'Adam.

Il fallut un moment à celui-ci pour comprendre de quoi elle parlait. Si certaines feuilles sur les branches étaient encore jaunes, c'était d'un jaune plus prononcé, et la plupart des feuillages alentour avaient pris les verts et les rouges mats mouvants de l'automne. Sous leurs pieds s'étalait la couche orange et brun des feuilles trop tôt tuées par le gel précoce d'un hiver imprévu.

Adam se sentait déchiré entre émerveillement et anxiété.

— Gansey, quelle heure ta montre indique-t-elle ?

Gansey inclina le poignet.

— Dix-sept heures vingt-sept, et l'aiguille des secondes tourne encore.

En un peu plus d'une heure, ils avaient traversé deux saisons. Adam intercepta le regard de Blue, qui secoua la tête en signe d'impuissance.

— Gansey ! appela Noah. Il y a une inscription, ici !

Il se tenait derrière un affleurement rocheux, près d'un gros bloc de pierre qui lui arrivait au menton, à la surface craquelée, fissurée et striée de lignes comme le croquis des lignes de ley dans le carnet de Gansey, et montrait du doigt une douzaine de mots peints vers le bas. L'encre, irrégulière et à demi effacée, était noire à certains endroits et brun rougeâtre à d'autres.

— C'est quelle langue, ça ? demanda Blue.

— Du latin, répondirent Adam et Ronan d'une même voix.

Ronan s'accroupit lestement.

— Qu'est-ce que ça veut dire ? demanda Gansey.

Ronan, qui parcourait le texte des yeux, eut un brusque sourire en coin.

— Le début est une blague. Le latin est plutôt nul.

— Une blague ? répéta Gansey. Une blague sur quoi ?

— Tu ne trouverais pas ça drôle.

Le latin était difficile, et Adam renonça à essayer de lire, mais quelque chose dans ces lettres le perturbait. Quelque chose dans leur forme…

— Pourquoi y aurait-il une blague sur un rocher au milieu de nulle part ? demanda-t-il d'un ton méfiant.

Ronan ne riait plus. Il suivait des doigts le tracé des caractères, et on voyait sa poitrine se soulever et s'abaisser, se soulever et s'abaisser.

— Ronan ? dit Gansey.

— Elle est là, répondit-il enfin sans quitter l'inscription des yeux, pour le cas où je ne reconnaîtrais pas ma propre écriture.

C'était ça qui l'avait tourmenté, comprit alors Adam. Maintenant que Ronan avait parlé, il devenait évident que c'était lui qui avait tracé cette inscription. Adam s'attendait si peu à voir son écriture dans ce contexte inhabituel, peinte avec un mystérieux pigment sur un rocher, tout usée et estompée par les intempéries, qu'il ne l'avait pas reconnue.

— Je ne comprends pas, dit Ronan, qui semblait salement secoué.

Gansey vint à la rescousse. Il ne supportait pas de voir un de ses amis bouleversé et prit la parole d'un ton ferme et assuré, comme s'il entamait une conférence sur l'histoire mondiale :

— Nous avons déjà observé que la ligne de ley perturbait le temps, comme nous pouvons le constater encore maintenant sur ma montre. Le temps est donc flexible. Tu n'es encore jamais venu ici, Ronan, mais cela ne veut pas dire que tu ne le feras pas ultérieurement. Imagine que, dans quelques minutes, quelques jours ou quelques heures, tu te laisses un message, une blague pour que tu te reconnaisses, parce que tu sais qu'il y a une chance pour que le temps se replie et te ramène ici pour la trouver.

Bien joué ! songea Adam.

Gansey avait mis son explication au point pour rassurer Ronan, mais Adam se sentait plus calme, lui aussi. Ils étaient tout à la fois des explorateurs, des savants, des anthropologues et des historiens de la magie.

— Alors qu'est-ce que ça dit, après la blague ? demanda Blue.

— *Arbores loqui latine,* répondit Ronan. « Les arbres parlent latin. »

Cela semblait insensé, ou peut-être était-ce une devinette, mais Adam sentit les poils se dresser sur sa nuque. Tous regardèrent les arbres alentour : des milliers de nuances de vert sur des milliers de griffes balayées par le vent.

— Et la dernière ligne ? voulut savoir Gansey. Ce mot, à la fin, ne ressemble pas à du latin.

— *Nomine appellant,* lut Ronan. On les appelle du nom de... Cabeswater.

CHAPITRE 26

— … Cabeswater, répéta Gansey.

Le mot avait un je-ne-sais-quoi de magique. *Cabeswater,* cela sonnait ancien, énigmatique, étranger au Nouveau Monde. Gansey relut l'inscription du rocher – le sens en paraissait évident, maintenant que Ronan l'avait traduite – puis, comme les autres, il regarda les arbres alentour.

Qu'est-ce que tu as déclenché ? se demandait-il. *Dans quoi tu les as embarqués ?*

— Je propose qu'on trouve un cours d'eau, dit Blue, pour que l'énergie fasse ce qu'elle a à faire, et après… je crois qu'on devrait prononcer quelque chose en latin.

— Oui, ça ressemble à un bon plan, approuva Gansey, et il s'émerveilla d'être dans un endroit assez étrange pour qu'une suggestion d'apparence absurde semble si raisonnable. On revient sur nos pas, ou on continue dans la forêt ?

— On avance, répondit Noah.

Noah n'exprimait que rarement une opinion, il eut donc gain de cause. Ils repartirent et progressèrent en zigzaguant, cherchant de l'eau. Autour d'eux tombaient des feuilles mortes, d'abord rouges, puis brunes, puis grises, ensuite les arbres se dénudèrent et du givre apparut dans les coins d'ombre.

— C'est l'hiver, dit Adam.

Là encore, la chose n'était pas plus impossible que tout ce qui avait précédé, songea Gansey, un peu comme quand Malory et lui avaient traversé en voiture le Lake District, et qu'après un moment il s'était senti si saturé par toute cette beauté qu'il ne la percevait plus.

Ils avaient atteint un bosquet de saules dénudés sur une pente douce. En contrebas serpentait un ruisseau peu profond. Malory avait expliqué un jour à Gansey qu'il y a toujours de l'eau là où poussent les saules, car ces arbres se multiplient en laissant tomber leurs graines dans le courant, qui les emporte jusqu'aux rives lointaines où elles prendront racine.

— Et il y a de l'eau, ajouta Blue.

Gansey se tourna vers les autres. Leur haleine formait de petits nuages devant eux, et ils paraissaient tous frigorifiés et trop légèrement vêtus. Il leur trouva un teint étrange, trop hâlé pour ce jour blanc d'hiver, comme des touristes débarqués d'une autre saison. Gansey s'aperçut qu'il frissonnait et se demanda si c'était dû au froid inopiné, ou à son excitation et à son effervescence.

— Bon. Que voulais-tu dire, en latin ? demanda-t-il à Blue.

Blue se tourna vers Ronan.

— Tu peux dire bonjour, juste un bonjour poli ?

Ronan sembla outragé : poli n'était pas son style.

— *Salve !*

Et s'adressant à Blue :

— En fait, ça veut dire : « Portez-vous bien ! »

— Génial ! Demande-leur s'ils acceptent de nous parler.

Ronan parut doublement blessé (dire des choses comme ça ne lui ressemblait pas et, en plus, ça lui donnait l'air ridicule), mais pencha la tête en arrière.

— *Loquere tu nobis ?* dit-il, le visage tourné vers les frondaisons.

Tout le monde fit silence. Un grésillement semblait s'élever des arbres, comme si une très faible brise d'hiver en agitait les feuilles. Mais les branches étaient nues et rien n'aurait dû bruire.

— Pas de réponse, constata Ronan. Vous vous attendiez à quoi, au juste ?

— Silence ! ordonna Gansey.

Le bruit devenait plus fort. Il percevait à présent comme un murmure de voix sèches.

— Vous entendez ?

Tous secouèrent la tête négativement.

— Moi, oui, intervint Noah à son grand soulagement.

— Demande-leur de répéter.

Ronan s'exécuta.

Le bruissement reprit. Il était clair maintenant que cela avait toujours été une voix, et jamais un bruit de feuilles mortes. Une phrase grésilla distinctement en latin, et soudain Gansey regretta de ne pas avoir étudié plus sérieusement en cours. Il répéta les mots à voix haute pour Ronan.

— Ils disent qu'ils t'ont déjà parlé, mais que tu n'as pas écouté, traduisit celui-ci en frottant sa nuque rasée. Tu te fous pas de moi, Gansey ? T'entends vraiment quelque chose ?

— Parce que tu le crois assez fort en latin pour inventer ça ? dit sèchement Adam. Après tout, c'est *toi* qui as écrit sur le rocher que les arbres parlaient latin, alors boucle-la !

Les frondaisons bruissèrent derechef, Gansey répéta ce qu'il entendait à Ronan, et Noah corrigea un verbe qu'il avait mal entendu.

Ronan tourna soudain les yeux vers Blue.

— Ils disent qu'ils sont heureux de voir la fille du médium.

— Moi ?

Les arbres sifflèrent une réponse, que Gansey répéta.

— Je ne comprends pas ce que ça veut dire, dit Ronan. Ils sont heureux aussi de revoir... *Greywaren* ? Si c'est du latin, je ne connais pas le mot.

« *Ronan,* chuchotèrent les arbres, *Ronan Lynch.* »

— C'est toi ! s'extasia Gansey en frissonnant d'émotion. Ronan Lynch ! C'est *toi* qu'ils sont heureux de revoir !

Ronan avait l'air circonspect et impénétrable.

— Ça continue, dit Blue en écarquillant les yeux et en pressant ses mains sur ses joues rougies de froid. Incroyable, ces arbres qui parlent !

— Pourquoi tu es le seul avec Noah à les entendre ? demanda Adam.

— *Hic gaudemus. Gratias tibi... loquere – loqui pro nobis,* dit Gansey en trébuchant sur les mots.

Même en cours, il ne parlait presque jamais latin, et cela lui faisait bizarre d'essayer de faire passer ses pensées de mots écrits qu'il visualisait dans sa tête en mots à prononcer à voix haute. Il se tourna vers Ronan.

— Comment je fais, pour leur demander pourquoi vous ne pouvez pas les entendre ?

— Bon sang, Gansey, si t'avais écouté un peu en... (Ronan ferma les yeux et réfléchit un instant.) *Cur non te audimus ?*

La réponse murmurée par les arbres était simple, et Gansey put la traduire sans aide :

— La voie n'est pas éveillée.

— La... la ligne de ley ? demanda Blue. Ça n'explique pas pourquoi seuls Noah et toi pouvez les entendre, ajouta-t-elle non sans mélancolie.

« *Si experge facere via, erimus in debitum* », murmura la forêt.

— Si vous réveillez la voie, ils vous en seront reconnaissants, traduisit Ronan.

Pendant un moment, personne ne pipa mot, et tous échangèrent des regards. Cela faisait beaucoup à intégrer d'un coup. Non seulement les arbres leur parlaient, mais ils se révélaient en outre en tant qu'êtres sensibles et qui pouvaient les observer. Ceux de cette étrange forêt en étaient-ils seuls capables, ou tous les arbres du monde suivaient-ils leurs mouvements ? Avaient-ils toujours tenté de leur parler ? Comment savoir s'ils étaient bons ou mauvais, s'ils aimaient ou haïssaient les humains, s'ils avaient des principes, s'ils étaient doués de compassion ? *Ils ressemblent à des extraterrestres, et que l'on a très mal traités depuis bien longtemps,* songea Gansey. *Si j'étais un arbre, je n'aurais aucune raison d'aimer les humains.*

— Demande-leur s'ils savent où est Glendower, dit-il.

Adam eut l'air abasourdi, mais Ronan traduisit dans la foulée.

Les voix bruissantes tardèrent à répondre et, là encore, Gansey n'eut pas besoin de traduction.

« Non. »

En posant la question, il avait senti un nœud se serrer en lui et il s'était imaginé à tort que la réponse le dénouerait. Il se demanda pourquoi tout le monde le regardait. Quelque chose clochait peut-être sur son visage, du moins il en avait l'impression. Il détourna les yeux.

— Il fait très froid. *Valde frigida.* Comment sortir d'ici, s'il vous plaît ? *Amabo te, ubi exitum ?*

Les arbres murmurèrent et sifflèrent, et Gansey se demanda s'il n'y avait pas eu une seule voix depuis le début. Il lui semblait maintenant l'entendre tout haut, il n'était pas impossible que, tout ce temps-là, elle lui ait parlé directement à l'intérieur de sa tête. L'idée le déroutait et l'empêchait de se concentrer sur ce qu'il écoutait. Noah dut l'aider à se remémorer tout ce qui avait été dit, et Ronan réfléchit très longtemps avant de traduire.

— Désolé, mais c'est difficile, s'excusa le garçon, qui, à force de se concentrer, oubliait de prendre un air dégagé ou hostile. Ils disent qu'on... qu'on doit remonter dans l'année, contre... la route, la ligne ; que si l'on repart en longeant le ruisseau et qu'on tourne à gauche au grand... platane ? *sycomore ?* oui, sycomore, je crois, alors on découvrira une chose qu'ils pensent qu'on veut découvrir ; de là, on pourra sortir de la forêt et retrouver notre chemin jusqu'à notre... notre jour. Je ne sais pas, j'ai raté des morceaux, mais je crois que... Désolé.

— Pas de problème, tu t'en tires magnifiquement ! le rassura Gansey. Tu crois qu'on peut s'y fier ? murmura-t-il à Adam.

— On n'a pas le choix, répondit celui-ci, mais ses sourcils froncés montraient bien qu'il avait des doutes, lui aussi.

— Je trouve qu'on devrait leur faire confiance, intervint Blue. Après tout, ils nous connaissaient, Ronan et moi, d'une façon ou d'une autre, et le rocher ne disait pas de se méfier, non ?

Elle n'avait pas tort. L'inscription de la main de Ronan leur avait donné la clef de la communication avec les arbres, et non lancé un avertissement.

— Alors, on y va ! dit Gansey. Faites attention à ne pas glisser. *Gratias. Reveniemus,* ajouta-t-il un ton plus fort.

— Qu'est-ce que tu leur as dit ? demanda Blue.

— Merci, répondit Adam à sa place. Et qu'on reviendrait.

Les indications traduites par Ronan n'étaient pas difficiles à suivre. Le ruisseau était devenu plus large, et l'eau froide coulait lentement entre ses berges blanches de givre. Il les mena toujours plus bas vers la vallée, et l'air se réchauffa peu à peu. Quelques feuilles rouges apparurent çà et là sur les branches et, lorsque Blue montra du doigt un énorme sycomore dont le tronc à l'écorce blanc et gris pelée était trop gros pour qu'elle puisse l'entourer de ses bras, l'été régnait dans la forêt. Les feuilles vertes gonflées de sève s'agitaient et se frottaient les unes aux autres dans un bruissement incessant. Si une voix s'était élevée, Gansey n'aurait pas été sûr de l'entendre.

— La dernière fois, en venant dans l'autre sens, on a manqué l'été et on est passés directement à l'automne, fit remarquer Adam.

— Je kiffe trop les moustiques ! dit Ronan en se donnant une grande claque sur le bras. Un endroit génial !

Ils suivirent les instructions de la voix et tournèrent à gauche au gros sycomore. Gansey se demandait ce que les arbres s'imaginaient qu'ils voulaient trouver. Quant à lui, il n'était à la recherche que d'une seule chose.

Les arbres se firent plus rares, et ce dont la voix parlait devint soudain évident.

Une voiture gisait abandonnée au beau milieu de la clairière. Une Mustang rouge du dernier modèle, couverte de ce qui ressemblait à première vue à de la boue, mais se révélait être après un examen plus attentif une superposition de couches de pollen et de matières végétales. Des paquets de feuilles mortes s'étaient coincés dans les fentes du capot et sous le déflecteur, accumulés sous les essuie-glaces et entassés contre les roues. Un jeune arbre qui poussait sous la carrosserie s'enroulait autour du pare-chocs avant. La scène rappelait les naufrages d'antan et les vieux bateaux que les caprices des éléments muent en récifs de corail.

Derrière la voiture courait un chemin envahi par la végétation, qui semblait se diriger hors de la forêt, sans doute celui dont les arbres avaient parlé.

— La classe ! commenta Ronan en expédiant un coup de pied dans un pneu.

La Mustang avait d'énormes pneus de luxe et, en l'inspectant de plus près, Gansey vit qu'elle était couverte d'accessoires et de gadgets : de gros enjoliveurs, un nouveau pare-chocs, des vitres teintées, un pot d'échappement béant. « L'argent trop frais, aurait dit son père, brûle un trou dans les poches. »

— Regardez ! lança Adam.

Il frotta d'un doigt la poussière de la vitre arrière. Près d'un autocollant de Blink-182 se trouvait celui d'Aglionby.

— Comme on pouvait s'y attendre, dit Blue.

Ronan essaya la portière du conducteur, qui s'ouvrit. Il eut un rire bref et aigu.

— Il y a un hamburger momifié là-dedans !

Tous s'approchèrent pour jeter un coup d'œil dans l'habitacle, mais, à part le demi-hamburger desséché posé sur son emballage sur le siège passager, il n'y avait pas grand-chose à voir.

De même que la voix de Blue sur l'enregistrement, cette voiture représentait une énigme dont Gansey eut l'impression qu'elle lui était spécifiquement destinée.

— Ouvrez le coffre ! ordonna-t-il.

Il contenait une veste, sous laquelle se trouvait un étrange assemblage de bâtons et de ressorts. Gansey sortit la chose du coffre, les sourcils froncés, en la tenant par le plus gros bout de bois. Les pièces se balancèrent et tombèrent en place. Gansey vit les tiges suspendues osciller sous l'axe principal et comprit immédiatement.

— C'est une baguette de sourcier.

Il se tourna vers Adam en quête d'une confirmation.

— Pure coïncidence ! ironisa Adam.

Gansey éprouva alors à nouveau cette curieuse impression qu'il avait ressentie pour la première fois sur le parking de chez Nino, quand Adam lui avait dit qu'il soupçonnait quelqu'un d'autre de s'intéresser à la ligne de ley.

— Où sont passés Blue et Noah ?

Blue réapparut et enjamba un tronc pour revenir dans la clairière.

— Noah a la nausée, dit-elle.

— Qu'est-ce qu'il lui arrive ? demanda Gansey. Il est malade ?

— Je lui poserai la question, répondit Blue, dès qu'il aura fini de *dégobiller*.

Gansey tiqua.

— Je crois qu'il faut que tu saches que Gansey préfère le mot *rendre*, ou bien *vomir*, dit Ronan d'un air ravi.

— Mais il se trouve que *dégobiller* est le mot le plus juste, en l'occurrence, s'obstina Blue.

— Il a la gerbe ! s'exclama Ronan avec indifférence (le sujet lui était familier). Où il est ? Noah !

Il se détacha de la Mustang contre laquelle il s'appuyait et partit dans la direction d'où Blue avait surgi.

C'est alors qu'elle remarqua ce que tenait Gansey.

— Vous avez trouvé ça dans la voiture ? Une baguette de sourcier ?

Rien de surprenant à ce qu'elle identifie l'objet. Sa mère était médium, même si elle-même ne l'était pas, et, techniquement parlant, ces baguettes faisaient partie des outils du métier.

— Dans le coffre.

— Mais alors, ça veut dire que d'autres cherchaient la ligne de ley !

Derrière la Mustang, Adam, apparemment troublé, passait les doigts dans le pollen qui maculait la carrosserie.

— Et qu'elle était plus importante pour eux que leur voiture.

Gansey jeta un coup d'œil aux arbres autour d'eux, puis considéra de nouveau la Mustang. Il entendit au loin les voix étouffées de Ronan et de Noah.

— On ferait mieux de partir. Je crois qu'on a besoin d'un complément d'informations.

CHAPITRE 27

Le dimanche suivant, Blue se sentit en proie à un dilemme. Les dimanches et les jeudis étaient les jours où elle sortait les chiens, mais, depuis deux semaines, elle avait demandé à être dispensée de son travail pour passer plus de temps avec les garçons. Or, non seulement elle allait bientôt se retrouver à court d'argent, mais sa culpabilité à l'idée de désobéir à Maura commençait à lui peser. Elle était devenue incapable de regarder sa mère en face, au moment des repas, sans pouvoir pour autant se résoudre à renoncer à la compagnie des garçons. Il lui fallait trouver le moyen de concilier les deux.

Mais, avant tout, elle devait promener les chiens.

Elle se préparait à partir pour Willow Ridge quand le téléphone sonna dans la cuisine. Elle décrocha en tenant un verre de jus de pomme trouble d'une main et les lacets de ses baskets de l'autre.

— Allô ?

— J'aimerais parler à Blue, je vous prie, si du moins elle est là.

Elle reconnut la voix polie de Gansey, la voix dont il usait pour muer la paille en or. De toute évidence, il connaissait les risques qu'il prenait en l'appelant et s'était préparé à parler à quelqu'un d'autre. Blue pressentait que son secret ne durerait pas, mais ne savait trop que penser du fait qu'il aurait pu la trahir.

— Blue s'apprête à emmener des chiens en promenade, répondit-elle en posant son verre et en tirant sur sa basket, le téléphone coincé entre épaule et oreille. Et tu as de la veine de tomber sur elle, et pas sur quelqu'un d'autre !

— Je me tenais prêt à cette éventualité, dit Gansey, à qui le téléphone donnait un ton curieux, qui ne correspondait pas exactement aux traits de son visage. Mais ça n'empêche que je suis content que ce soit toi qui répondes ! Tu vas bien, j'imagine ?

Il ne fait pas exprès d'être aussi condescendant, se dit Blue, et elle se le répéta à plusieurs reprises.

— Tu imagines correctement.

— Génial ! Écoute, Adam travaille aujourd'hui, et Ronan accompagne ses frères à la messe, mais j'ai envie de sortir pour... explorer un peu. Non, pas dans les bois, ajouta-t-il aussitôt, je pensais plutôt à cette église, sur ta carte. Tu ne veux pas...

Il bredouilla et s'interrompit. Blue mit un moment à comprendre qu'il lui demandait de l'accompagner, puis un autre avant de réaliser qu'elle ne s'était jamais rendue quelque part seule avec lui.

— Il faut que je promène des chiens.

— Oh ! dit Gansey d'un ton déçu. Bon, tant pis !

— Mais seulement pendant une heure.

— Oh ! répéta-t-il d'une voix considérablement ragaillardie. Tu veux que je passe te prendre ?

Blue jeta un coup d'œil furtif vers le salon derrière elle.

— Non, non, je... je te rejoindrai sur le parking.

— Génial ! Sensationnel ! Ça sera sûrement intéressant. On se voit dans une heure.

Sensationnel ? Blue n'était pas très sûre de s'entendre avec Gansey sans Adam. Malgré l'intérêt timide que ce dernier lui manifestait, devant elle les garçons semblaient agir en bloc, telle une créature dotée de têtes multiples, et en rencontrer un seul sans les autres semblait un peu… périlleux.

Mais il était hors de question de ne pas accompagner Gansey. Blue n'avait pas moins envie d'explorer que lui.

Elle venait à peine de raccrocher qu'elle entendit qu'on l'appelait.

— Bluu-UUUU-uuuuuue, mon enfant ! Viens donc par ici, ma chérie ! chantonnait la voix de Maura d'un ton férocement ironique.

Saisie d'un sombre pressentiment, Blue entra dans la salle à manger, où elle trouva Maura, Calla et Persephone en train de boire ce qui ressemblait bien à des vodka-orange. Quand elle apparut dans la pièce, les femmes levèrent les yeux avec des sourires indolents. On aurait dit une meute de lionnes.

En voyant les verres, Blue haussa un sourcil. La lumière filtrée par les rideaux teintait la boisson d'un jaune vif et diaphane.

— À dix heures du matin ? s'étonna-t-elle.

Calla attrapa le poignet de Blue et la fit s'asseoir près d'elle sur la causeuse vert menthe. Son verre était déjà presque vide.

— Nous sommes dimanche, qu'est-ce qu'il y a d'autre à faire ?

— *Moi,* je dois aller promener des chiens, dit Blue.

Dans le fauteuil rayé bleu et vert au fond de la pièce, Maura sirota une gorgée et fit la grimace.

— Tu as toujours la main *beaucoup* trop lourde sur la vodka, Persephone !

— Ça m'échappe, expliqua tristement celle-ci de la banquette en osier devant la fenêtre.

Blue fit mine de se relever, mais Maura reprit d'un ton coupant à peine voilé :

— Reste avec nous un instant, Blue, et parle-nous d'hier, d'avant-hier, et aussi du jour d'avant ! Qu'on discute un peu de ces dernières semaines !

Blue se rendit compte alors que sa mère était furieuse. Elle ne l'avait vue comme ça que rarement auparavant, et se sentir visée par toute cette colère lui donna aussitôt des sueurs froides.

— Je...

Elle s'interrompit. Il semblait vain de chercher à mentir.

— Je ne suis pas ton garde-chiourme, dit Maura. Je n'ai pas l'intention de te boucler à double tour dans ta chambre ou de t'envoyer au couvent, bon sang de bois ! Alors, tu es priée d'arrêter de te livrer à ce manège sournois immédiatement.

— Je ne...

— Si, tu le faisais ! Je suis ta mère depuis que tu es née, et je t'assure que si ! Tu t'entends bien avec Gansey, c'est ça ? dit Maura d'un air entendu exaspérant.

— *Maman !*

— Orla m'a parlé de sa grosse voiture, poursuivit-elle d'un ton faussement enjoué, qui ne masquait pas son tranchant – qui était d'autant plus cuisant que Blue savait mériter ces remontrances. Tu n'as pas l'intention de l'embrasser, j'espère ?

— Jamais de la vie ! assura Blue. Tu l'as bien vu, non ?

— Je me demandais si conduire une vieille Camaro tapageuse n'était pas l'équivalent masculin de coller des arbres en carton sur les murs de sa chambre et de lacérer ses teeshirts.

— Lui et moi, on ne se ressemble pas du tout, tu peux me croire, dit Blue. Et je n'utilise pas du carton, mais de la toile recyclée.

— L'environnement en pleure de soulagement !

Maura testa à nouveau sa boisson, plissa le nez et fusilla des yeux Persephone, qui prit un air de martyre.

— Je n'aime pas beaucoup te savoir dans une voiture sans airbags, reprit-elle d'une voix légèrement radoucie.

— La nôtre non plus n'en a pas ! fit remarquer Blue.

Maura ôta un des longs cheveux de Persephone du bord de son verre.

— C'est vrai, mais tu prends toujours ton vélo.

Blue se leva. Elle soupçonnait le duvet vert de la causeuse de s'être collé sur son legging.

— Je peux partir, maintenant ? Est-ce que j'ai des ennuis ?

— Oui, tu en as ! Je t'avais interdit de fréquenter ce garçon, et tu as passé outre. Je n'ai pas encore décidé ce que je dois faire à ce sujet. Je me sens blessée, et avec raison, comme me l'ont confirmé plusieurs personnes que j'ai consultées. Prive-t-on encore les adolescents de sortie, de nos jours, ou était-ce seulement dans les années quatre-vingt ?

— Je serais drôlement fâchée, si tu faisais ça, dit Blue, encore sous le choc de la réprobation maternelle. Je risquerais de me révolter et de sortir de ma chambre par la fenêtre en déchirant mon drap pour en faire une corde.

Sa mère se passa une main sur le visage. Sa colère s'était épuisée d'elle-même.

— Tu ne vas pas renoncer, pas vrai ? C'est déjà trop tard.

— Si tu ne me l'interdisais pas, je n'aurais pas à te désobéir, suggéra Blue.

— Et voilà le résultat, Maura, quand on utilise son ADN pour faire un gosse ! commenta Calla.

Maura poussa un soupir.

— Je sais bien que tu n'es pas idiote, Blue, mais il arrive que des personnes intelligentes agissent de façon stupide.

— Ne sois pas une de celles-là ! gronda Calla.

— Persephone ? demanda Maura.

— Je n'ai rien à ajouter, répondit l'intéressée de sa voix fluette, sauf que, si tu t'apprêtes à donner un coup de poing, ne mets pas ton pouce dans ta main : il serait dommage de le casser.

— Entendu, se hâta de promettre Blue. J'y vais, maintenant.

— Tu pourrais au moins demander pardon, dit Maura, et me laisser croire que j'ai ne serait-ce qu'un peu d'autorité sur toi.

Blue ne savait pas très bien comment réagir. Il lui semblait que sa mère disposait de toutes sortes de moyens de contrôle, mais qui se passaient d'ordinaire d'ultimatums et de couvre-feux.

— Je suis désolée, se borna-t-elle donc à dire. J'aurais dû te prévenir que j'allais faire ce que tu ne voulais pas que je fasse.

— Comment se fait-il que ce ne soit pas aussi satisfaisant que je l'avais imaginé ? dit Maura.

Calla attrapa de nouveau Blue par le poignet, et Blue s'inquiéta à l'idée qu'elle perçoive sur elle toute l'étrangeté de la quête de Gansey, mais Calla se contenta d'avaler une gorgée.

— Avec tout ça, Blue, tâche de ne pas oublier notre soirée cinéma vendredi !

— Notre... soirée cinéma... ?

La ligne des sourcils de Calla se raffermit.

— Tu m'as promis, rappelle-toi !

Un instant, Blue, perplexe, se creusa vainement la mémoire, puis elle comprit : Calla faisait allusion à leur projet de fouiller le grenier où Neeve avait élu domicile.

— J'avais oublié que c'était cette semaine, dit Blue.

Maura fit tourner le liquide dans son verre, qui semblait encore assez plein. Elle préférait regarder les autres boire plutôt que de le faire elle-même.

— Vous allez voir quel film ?

— *Les nains aussi ont commencé petits,* répliqua Calla du tac au tac. Autrement dit, *Auch Zwerge haben klein angefangen,* dans l'original allemand.

Maura tiqua, et Blue se demanda si c'était à cause du titre du film ou de l'accent de Calla.

— Ça tombe bien, car Neeve et moi devons sortir ce soir-là.

Calla haussa un sourcil, et Persephone tira sur un fil de son collant de dentelle.

— Pour faire quoi ? interrogea Blue.

Partir à la recherche de mon père ? Explorer des lacs ?

Maura cessa de faire tourner sa vodka.

— Pas pour traîner avec Gansey ! rétorqua-t-elle.

Blue, au moins, était encore sûre que sa mère ne lui mentirait jamais.

Ne serait-ce que parce qu'elle ne lui dirait jamais rien.

CHAPITRE 28

— Pourquoi l'église ? demanda Blue du siège passager de la Camaro.

C'était la première fois qu'elle montait devant, et l'impression que la voiture se composait de quelques milliers de pièces détachées propulsées en formation douteuse s'était accentuée.

Confortablement installé au volant, lunettes de soleil de luxe sur le nez et mocassins aux pieds, Gansey prit tout son temps pour répondre :

— Je ne sais pas, peut-être parce qu'elle est sur la ligne, mais sans être aussi... aussi je-ne-sais-pas-quoi que Cabeswater. Il faut que j'y réfléchisse encore avant qu'on y retourne.

— Parce que, Cabeswater, c'est comme entrer chez quelqu'un d'autre !

Blue essayait de ne pas voir les mocassins de Gansey, elle préférait prétendre qu'il ne portait pas ces chaussures ridicules.

— Exactement, c'est aussi ce que je ressens !

Il pointa un doigt sur elle, comme il le faisait avec Adam quand il approuvait ce qu'il venait de dire, puis reposa sa main sur le levier de vitesse pour l'empêcher de vibrer.

Blue trouvait exaltante l'idée que les arbres étaient des créatures douées de pensée et de parole.

— Tourne là ! dit-elle, alors que Gansey passait devant l'église en ruine.

Il rétrograda et tira sur le volant avec un large sourire. Tête de lard s'engagea dans le sentier envahi d'herbe en faisant couiner ses pneus, et la boîte à gants s'ouvrit et déversa son contenu sur les genoux de Blue.

— Pourquoi tu as choisi cette voiture, d'abord ? demandat-elle.

Gansey coupa le contact, mais les jambes de Blue continuèrent à vibrer au rythme du moteur.

— Parce que c'est un modèle classique, répondit-il d'un ton guindé. Une pièce unique !

— Dis plutôt un tas de ferraille ! N'essaie pas de me faire croire qu'on ne fabrique pas de pièces uniques qui ne... !

En guise de démonstration, Blue repoussa à plusieurs reprises le battant de la boîte à gants, qui se rouvrit aussitôt ; puis elle remit le contenu en place et claqua derechef le battant, qui s'empressa de rééjecter le tout sur ses genoux.

— Si, si, on en fabrique ! concéda Gansey d'une voix un peu tendue, non de colère mais d'ironie.

Il mit une feuille de menthe dans sa bouche et sortit de la voiture.

Blue ramassa la carte grise et un vieux morceau de bœuf séché, puis examina le troisième objet qui avait atterri sur ses jambes : un EpiPen – autrement dit, une seringue d'adrénaline auto-injectable destinée à aider le cœur à repartir en cas de réaction allergique sévère –, dont la date de péremption, contrairement à celle du bœuf, n'était pas dépassée.

— C'est à qui, ça ?

Gansey, son appareil de mesure de fréquences électromagnétiques à la main, s'étirait comme s'il était resté assis pendant des heures, et non trente minutes. Les muscles de ses bras étaient impressionnants, ce qui n'était probablement pas sans rapport avec l'autocollant de l'équipe d'aviron d'Aglionby fixé sur la boîte à gants. Il jeta un coup d'œil derrière lui.

— À moi, répondit-il avec indifférence. Il faut que tu coinces le loquet, là, sur la droite, si tu veux que ça tienne.

Elle suivit son conseil, et le battant resta docilement fermé sur l'EpiPen rangé à l'intérieur.

Gansey renversa la tête en arrière pour contempler les nuées qui avaient envahi le ciel telles des créatures animées ou des tours en mouvement, et qui prenaient dans le lointain presque la même couleur que la crête bleutée des montagnes. La route par laquelle ils étaient venus serpentait vers la ville comme une rivière bleu-vert mouchetée de lumière, et les rayons obliques du soleil poudroyaient l'air d'une clarté étrange, presque jaune, tout épaissie d'humidité. On n'entendait que le chant des oiseaux et le grondement lointain du tonnerre.

— J'espère que l'orage ne va pas éclater, dit Gansey en partant à grandes enjambées vers l'église en ruine.

Il ne se déplaçait jamais autrement, avait découvert Blue. Marcher normalement, c'était bon pour les gens ordinaires.

Comme toujours, l'église paraissait étrange à la lumière du jour. Derrière les murs croulants, entre les débris de toiture, poussait une herbe drue qui atteignait les genoux de Blue, et des arbres au moins aussi grands qu'elle tendaient leurs branches vers la lumière du soleil. Il ne restait plus aucun banc ni aucune trace de la présence de fidèles. L'endroit avait un air désolé et vain, telle une mort sans au-delà.

Blue se rappela comment elle s'était tenue là avec Neeve, toutes ces semaines auparavant. Elle en vint à se demander si sa demi-tante était vraiment à la recherche de son père et ce qu'elle comptait faire si elle le retrouvait, puis elle songea aux esprits qui arpentaient l'église, et à Gansey...

— J'ai l'impression d'être déjà venu ici.

Elle ne sut que lui répondre. Elle ne lui avait avoué qu'une partie de la vérité sur la veille de la Saint-Marc, mais n'était pas sûre que lui révéler le reste serait une bonne idée, d'autant plus qu'elle ne savait pas si elle y croyait elle-même. Gansey avait l'air si vivant qu'elle ne parvenait pas à l'imaginer mort dans moins d'un an. Dans son haut turquoise, il ressemblait à quelqu'un qui ne pouvait succomber qu'à plus de quatre-vingts ans et d'une affection cardiaque, éventuellement pendant un match de polo.

— Qu'est-ce qu'il indique maintenant, ton magicomètre ?

Il se tourna vers elle. Il serrait les doigts si fort sur l'appareil que ses phalanges blanchissaient. Des éclairs rouges clignotaient en sillonnant l'écran.

— Il est bloqué, comme dans la forêt.

Blue jeta un coup d'œil alentour. Le terrain de l'église et ses environs immédiats étaient sans doute une propriété privée, mais les terres qui s'étendaient au-delà semblaient plus sauvages.

— Si on va par là, on risquera moins de se faire tirer dessus pour violation de domicile. On ne peut pas espérer passer inaperçus, avec ton polo !

— Aigue-marine est une couleur magnifique, et je refuse de me sentir coupable de la porter, répliqua Gansey d'une voix un peu ténue en jetant un nouveau coup d'œil vers l'église.

Blue trouva qu'avec ses yeux plissés et sa chevelure ébouriffée il avait l'air plus jeune que jamais, maintenant qu'il ne surveillait plus son expression. Jeune, et curieusement effrayé.

Je ne peux pas lui dire. Je ne pourrai jamais lui dire ! Je ne peux qu'essayer d'empêcher que ça se produise, songea-t-elle.

Gansey redevint soudain charmant et montra d'un geste moqueur la tunique mauve de son amie.

— Passe devant, aubergine !

Blue trouva un bâton pour faire fuir d'éventuels serpents, et ils s'enfoncèrent dans les herbes. Le vent sentait la pluie et la terre grondait sous les roulements de tonnerre, mais le temps se maintenait. La lumière rouge clignotait sans cesse sur la machine de Gansey et passait à l'orange lorsqu'ils s'écartaient un peu trop d'une ligne invisible.

— Merci d'être venue, Jane !

Blue le fusilla du regard.

— Je t'en prie, *Dick* !

Il eut l'air blessé.

— Pas ça, s'il te plaît !

Sa sincérité désarma Blue. Elle continua à marcher.

— Tu es la seule que ça n'a pas l'air de choquer, reprit-il après un moment. J'ai eu le temps de m'y habituer, et j'ai déjà vu des choses bizarres dans la vie, mais... mon prénom semble réduire Ronan, Adam et Noah à quia.

Blue feignit de savoir ce que signifiait *réduire à quia*.

— Après tout, j'ai une mère médium, et toutes ses amies et ma famille ont des pouvoirs psychiques, dit-elle. Ce n'est pas comme si ce n'était pas *bizarre,* ça non plus. Mais j'ai toujours voulu savoir ce qu'elles ressentaient en percevant des choses que les autres ne voient pas.

— J'ai passé des années à chercher Glendower, avoua Gansey. (Quelque chose dans le timbre de sa voix surprit Blue, et ce ne fut que lorsqu'il reprit la parole qu'elle comprit qu'il parlait sur le ton qu'il utilisait parfois avec Adam.) Cela fait plus de dix-huit mois que j'essaie de localiser la ligne de Henrietta !

— C'est comme tu t'y attendais ?

— Je ne sais pas à quoi je m'attendais. J'ai beaucoup lu sur les pouvoirs de la ligne, mais je n'avais pas imaginé qu'ils seraient si puissants et... je ne m'attendais pas aux arbres, ni à ce que tout se passe si vite. J'étais habitué à trouver un indice par mois et à l'exploiter à fond jusqu'à ce que je découvre le suivant, tu comprends. (Il se tut et eut un large sourire affable.) C'est toi qui as rendu ceci possible, toi qui nous as guidés jusqu'à la ligne ! Tu mériterais que je t'embrasse !

Il plaisantait, bien sûr, mais Blue s'écarta prestement.

— Qu'est-ce qui t'arrive ?

— Tu crois au pouvoir des médiums, toi ?

— Je suis allé en consulter une, non ?

— Ça ne veut rien dire, il y a des tas de gens qui vont les voir pour s'amuser.

— J'y suis allé parce que j'y crois, ou, plutôt, je crois à ce que racontent les médiums qui font bien leur travail, si ce n'est qu'il faut traverser des marécages de foutaises pour les atteindre ! Mais pourquoi tu me poses cette question ?

Blue enfonça méchamment son bâton anti-serpent dans le sol.

— Parce que, depuis que je suis née, ma mère me répète que, si j'embrasse l'amour de ma vie, il en mourra !

Gansey éclata de rire.

— Arrête de te marrer, espèce de...

Elle allait dire *salaud,* mais le mot lui parut trop fort.

— Ça ressemble à une manœuvre préventive, tu ne trouves pas ? Ne sors pas avec un garçon, ça rend aveugle ! Embrasse-le et il casse sa pipe !

— Elle n'est pas la seule ! protesta Blue. Tous les médiums et toutes les voyantes que j'ai rencontrés m'ont dit la même chose, et ma mère n'est pas comme ça. Elle ne plaisanterait pas avec ça, c'est du *sérieux !*

— Désolé, souffla Gansey en réalisant qu'il l'avait vraiment irritée. J'ai dit des bêtises, une fois de plus. Et tu sais comment il est censé mourir, ce malheureux ?

Blue haussa les épaules.

— Je vois, pas de détails ! Du coup, par précaution, tu n'embrasses personne, c'est bien ça ? (Elle opina.) Quelle sinistre perspective, Jane !

Elle haussa derechef les épaules.

— Je n'en parle pas, d'habitude, et je ne sais pas pourquoi je l'ai fait avec toi. Ne le dis pas à Adam.

Les sourcils de Gansey remontèrent vers ses cheveux.

— Alors, on en est là ?

Elle s'empourpra aussitôt.

— Non. Je veux dire… *non*. C'est juste que. Ce n'est pas… Je ne sais pas… Je préfère ne pas prendre de risques.

Blue rêva qu'ils remontaient dans le passé jusqu'au moment où ils sortaient de la voiture, et qu'elle lui parlait du temps qu'il faisait et des cours qu'il suivait. Son visage lui paraissait en feu.

— Je serais très triste si tu tuais Adam, déclara Gansey d'une voix un peu brutale.

— Je ferai de mon mieux pour l'éviter.

Un silence inconfortable régna quelques instants.

— Merci de ta confiance, reprit-il d'un ton plus ordinaire, et merci de m'avoir raconté ça.

— Après tout, toi tu m'as bien parlé de Ronan et d'Adam et du fait que ton prénom les réduit à quia, dit-elle avec soulagement. Mais je voudrais savoir… pourquoi tu t'es lancé dans cette quête ? Pour Glendower ?

Il sourit d'un air piteux et, un bref moment, Blue craignit qu'il ne redevienne le Gansey désinvolte et superficiel.

— C'est une longue histoire.

— Tu fréquentes un lycée qui prépare aux plus grandes universités du pays, alors fais un effort !

— D'accord. Par où commencer ? Peut-être que… Tu as vu mon EpiPen, c'est contre les piqûres d'abeilles. Je suis allergique. Très allergique !

Blue s'arrêta net, effarée. Les frelons construisent leur nid dans la terre, et l'endroit leur convenait parfaitement : un herbage calme, à proximité des arbres.

— Mais nous sommes à la *campagne,* Gansey, là où les abeilles habitent !

Il eut un geste de dédain, comme impatient de changer de sujet.

— Continue à tâter le sol avec ton bâton, et ça ira.

— Mon *bâton !* Ça fait une semaine qu'on marche dans les bois ! Tu me sembles terriblement...

— Insouciant ? suggéra Gansey. En fait, un EpiPen ne sert pas à grand-chose. Les médecins m'ont dit que ce ne serait efficace que contre une seule piqûre, et encore ils n'en sont pas certains. J'avais quatre ans la première fois que j'ai dû aller à l'hôpital à cause de ça et, par la suite, mes réactions n'ont fait qu'empirer. J'ai le choix entre vivre comme je vis et vivre dans une bulle, c'est tout.

Blue songea à la carte de la Mort et à sa mère qui avait refusé de l'interpréter pour Gansey. Peut-être la figure ne renvoyait-elle pas à une tragédie future, mais à l'existence actuelle du garçon et à la façon dont il côtoyait la mort au quotidien.

Elle cingla de son bâton le sol devant eux.

— D'accord. Continue !

Gansey se suçota les lèvres.

— Bref, il y a sept ans, j'étais à un dîner avec mes parents. Je ne me rappelle plus ce qu'on fêtait. Je crois qu'un des amis de mon père avait été désigné comme candidat par le parti.

— Pour le... *Congrès ?*

Était-ce le sol sous leurs pieds ou l'air alentour qui vibrait à l'approche du tonnerre ?

— Oui, je crois, j'ai un peu oublié. Tu sais bien qu'on ne se souvient pas toujours des choses avec précision. Ronan dit que les souvenirs sont comme des rêves, et qu'on ne sait jamais comment on s'est retrouvé tout nu devant la classe entière. Quoi qu'il en soit, c'était une fête ennuyeuse – je devais avoir neuf ou dix ans – avec plein de femmes en petite robe noire et d'hommes en cravate rouge et de plats à base de crevettes. Certains parmi nous, les enfants, se sont mis à jouer à cache-cache, et j'ai pensé que j'étais trop grand pour ça, mais il n'y avait rien d'autre à faire.

Ils entrèrent dans un boqueteau assez clairsemé pour qu'entre les troncs pousse de l'herbe, et non des ronces. Ce Gansey-ci, celui qui racontait son histoire, était très différent de ceux qu'elle avait rencontrés jusqu'ici, et Blue ne pouvait pas *ne pas* l'écouter.

— Il faisait une chaleur infernale. C'était le printemps, tu les connais, ces printemps de Virginie, mais l'été avait provisoirement pris le dessus. Il faisait lourd. Il n'y avait pas d'ombre dans le jardin derrière la maison, mais il était entouré par une immense forêt vert-bleu et sombre. Je suis entré dans le sous-bois comme on plonge dans un lac, c'était fantastique ! Cinq minutes plus tard, je ne voyais déjà plus la maison.

Blue cessa d'enfoncer son bâton dans le sol.

— Tu t'étais perdu ?

Gansey secoua légèrement la tête.

— J'ai marché sur un nid, répondit-il en plissant les paupières ainsi que le font ceux qui s'efforcent à tout prix de paraître désinvoltes. Un nid de frelons, par terre, comme tu le disais. Mais moi, je ne savais pas, à l'époque. J'ai d'abord senti une petite piqûre sur ma chaussette et j'ai cru que j'avais marché sur une épine – il y en avait des tonnes, ces trucs verts en forme de fouet – puis une autre. Ça faisait juste un petit peu mal, tu comprends ?

Blue se sentait légèrement barbouillée.

— Puis j'en ai senti une sur ma main, j'ai reculé d'un bond, et je les ai vus. Mes bras en étaient couverts.

Il avait réussi à la transporter jusque-là, à lui transmettre cette vision, et Blue sentit son cœur défaillir.

— Qu'est-ce que tu as fait ?

— Avant même que tout commence à se détraquer dans mon corps, je savais que j'étais fichu, parce que j'avais déjà atterri à l'hôpital pour une seule piqûre et, là, il y en avait une bonne centaine. J'avais des frelons jusque dans les cheveux, dans les *oreilles,* Blue !

— Tu avais peur ?

Elle lisait la réponse dans le creux de ses orbites.

— Qu'est-ce qui s'est passé ?

— J'ai senti mon cœur s'arrêter et je suis mort, dit Gansey, et, même mort, les frelons ont continué à me piquer.

Il s'interrompit.

— C'est là qu'on en arrive aux choses difficiles.

— Celles que je préfère ! lança Blue. (Les arbres restaient silencieux autour d'eux, on n'entendait que le grondement du tonnerre.) Pardon, je ne me moque pas de toi... ajouta-t-elle un peu honteuse, mais j'ai l'impression que ma vie ne se compose que de « choses difficiles ». Les gens ne croient pas à ce qu'on fait dans ma famille. Je ne plaisante pas.

Il expira lentement.

— Alors, j'ai entendu une voix, un murmure, et je n'oublierai jamais ce qu'elle m'a dit : « Tu vivras grâce à Glendower. Quelqu'un d'autre sur la ligne est en train de mourir quand son heure n'est pas venue, tu vivras donc alors que la tienne l'était. »

Blue ne pipa mot. L'air semblait oppressant.

— J'ai raconté tout ça à Helen, qui m'a dit que c'était une hallucination. (Il écarta de la main une liane qui pendait devant son visage. Les broussailles commençaient à s'épaissir, les arbres se rapprochaient, ils auraient sans doute mieux fait de revenir sur leurs pas, mais Gansey poursuivit d'une drôle de voix guindée et pleine d'assurance :) Elle avait tort.

Blue retrouvait le Gansey du carnet, et la magie envahissait le monde.

— Et ça justifie que tu consacres toute ta vie à la recherche de Glendower ?

— Comment ne pas rechercher le Graal, à partir du moment où Arthur apprend son existence ?

Le tonnerre lança un grondement affamé de bête invisible.

— Ce n'est pas vraiment une réponse.

— J'en ai *besoin*, Blue, répliqua-t-il d'une voix affreuse, sans la regarder.

Soudain, toutes les lumières du détecteur de fréquences électromagnétiques s'éteignirent. Blue toucha du doigt l'appareil.

— On a dû s'écarter de la ligne.

Ils rebroussèrent chemin sur quelques mètres sans que l'appareil réagisse.

— La pile est peut-être morte, suggéra-t-elle.

— Je ne sais pas comment on fait pour vérifier, dit Gansey en éteignant et rallumant sa machine.

Blue tendit la main, et à peine eut-elle saisi le détecteur que les voyants se rallumèrent. Rouge continu, pas clignotant. Blue se tourna d'un côté, puis de l'autre. Orange à gauche, et rouge à droite.

Leurs regards se croisèrent.

— Reprends-le, proposa Blue.

Mais les lumières disparurent dès que Gansey toucha l'appareil. Quand le tonnerre retentit à nouveau, Blue eut l'impression qu'il déclenchait en elle un tremblement qui se poursuivait au-delà du bruit.

— Je n'ai pas arrêté de chercher une explication logique, dit Gansey, mais je n'en ai pas trouvé de la semaine.

Blue songea qu'il y en avait sans doute une, à savoir qu'elle amplifiait les phénomènes, mais du diable si elle savait ce qu'elle était en train d'amplifier, à l'instant !

Le tonnerre gronda, et l'air vibra encore. Le soleil avait complètement disparu. Tout semblait lourd et vert autour d'eux.

— Où ça nous mène ? demanda Gansey.

Guidée par la petite lumière rouge continue, Blue avança avec hésitation entre les arbres, mais quelques mètres plus tard l'appareil s'éteignit, et ils eurent beau le prendre tour à tour en main et le manipuler, rien n'y fit.

Ils contemplaient tous les deux, tête penchée, le cadran sombre.

— Qu'est-ce qu'on fait maintenant ? interrogea Blue.

Gansey fixait le sol à leurs pieds, directement au-dessous de la machine.

— Recule, il y a...

— Seigneur ! s'écria-t-elle en s'écartant d'un bond. Seign...

Mais elle ne put achever : juste à l'endroit qu'elle venait de quitter se trouvait une chose qui ressemblait atrocement à un os de bras humain. Gansey s'accroupit et balaya de la main les feuilles qui le recouvraient. Le premier os en dissimulait un autre, autour duquel s'enroulait une montre d'une saleté repoussante. La vision semblait impossible, les ossements factices.

Ça ne peut pas être vrai !

— Non, n'y touche pas, souffla Blue. Pense aux empreintes !

Mais le corps avait passé ce stade depuis longtemps. Toute la chair avait pourri et disparu, et seuls quelques lambeaux de vêtements subsistaient près des os aussi propres que des pièces de musée. Gansey retira les feuilles une à une et découvrit le squelette dans son entier. Le mort gisait tout de travers, une jambe relevée, les bras tendus de chaque côté du crâne, tel un macabre arrêt sur image. Le temps avait curieusement épargné certaines choses tout en en détruisant d'autres : la montre était là, mais la main absente ; la chemise avait disparu, mais la cravate ondulait encore sur les bosses et les creux de la cage thoracique effondrée ; les chaussures de cuir sales étaient restées intactes, malgré les intempéries, et les chaussettes avaient survécu, elles aussi, comme des sacs pleins d'osselets qui montaient aux chevilles.

Sur le crâne, l'os de la pommette était enfoncé, et Blue se demanda si c'était la cause de la mort.

— C'était un jeune, Gansey, énonça-t-elle enfin d'une voix blanche, un élève d'Aglionby.

Elle montra du doigt la cage thoracique, où, entre deux côtes, pointait l'écusson brodé de l'académie. Les fibres synthétiques avaient résisté aux intempéries.

Ils échangèrent un regard par-dessus le squelette. Un éclair illumina de côté leurs visages. Blue ne pouvait s'empêcher de penser au crâne sous la peau de Gansey, à ses pommettes saillantes et carrées, comme celles de la figure sur la carte de la Mort.

— On devrait aller le signaler, dit-elle.

— Attends !

Gansey trouva presque aussitôt sous l'os du bassin le portefeuille en cuir de bonne qualité, taché et décoloré, mais relativement intact. Il l'ouvrit et contempla les bords bariolés des cartes de crédit alignées d'un côté, puis aperçut la partie supérieure d'un permis de conduire, qu'il fit glisser hors de son logement.

Blue entendit sa respiration achopper.

Le visage sur la photo était celui de Noah.

CHAPITRE 29

À huit heures du soir, Gansey appela Adam à l'usine de caravanes.

— Je passe te prendre ! annonça-t-il. Puis il raccrocha.

Il ne précisa pas que c'était important, mais il n'avait encore jamais demandé à Adam de quitter son travail.

Le ronronnement irrégulier du moteur de la Camaro qui tournait au ralenti se répercutait dans la pénombre du parking. Adam entra dans la voiture.

— Je t'expliquerai quand on y sera, lui dit Gansey.

Il enclencha une vitesse et accéléra si fort que les pneus arrière piaulèrent sur l'asphalte. En voyant son expression, Adam pensa que Ronan avait eu un accident, autrement dit qu'il avait peut-être fini par s'accidenter lui-même, mais ils ne roulaient pas en direction de l'hôpital. La Camaro se rua directement sur le terre-plein devant la manufacture, et ils gravirent ensemble l'escalier obscur aux marches grinçantes jusqu'au premier. Gansey ouvrit à toute volée la porte, qui alla percuter le mur.

— Noah ! cria-t-il.

La pièce s'étendait sans limites dans le noir. Sur la fenêtre se profilait l'horizon fallacieux de la maquette de Henrietta. Le réveil de Gansey lançait des bips en continu, tel le signal d'alarme d'une époque révolue.

Les doigts d'Adam tâtonnèrent en vain à la recherche de l'interrupteur.

— Il faut qu'on parle, Noah! cria à nouveau Gansey.

La porte de la chambre de Ronan s'ouvrit, libérant un rectangle de lumière. Ronan se tenait sur le seuil, une main repliée contre le torse, le corbeau niché entre ses doigts. Il ôta son casque audio de ses oreilles et le plaça autour de son cou.

— Tu rentres drôlement tard, mec! T'es là, Parrish? Je te croyais au travail.

Ronan n'en savait donc pas plus que lui, et Adam ressentit une vague de soulagement froid, qu'il écarta aussitôt.

— J'y étais, *en effet*.

Adam trouva enfin l'interrupteur, et la pièce prit des airs de planète au crépuscule. Les coins étaient pleins d'ombres acérées.

— Où est Noah? demanda Gansey en arrachant le cordon du réveil de la prise murale.

Ronan le considéra et haussa un sourcil.

— Il est sorti.

— *Non*, il n'est pas sorti, objecta Gansey d'un ton sans réplique. NOAH!

Il recula jusqu'au centre de la pièce en se retournant pour scruter les angles et les poutres de la charpente, explorant des yeux des endroits où nul ne s'attendrait à trouver un occupant. Adam était resté près de la porte, indécis. Il ne comprenait pas où était le problème avec Noah, cet ami qui passait inaperçu pendant des heures entières, tenait sa chambre impeccablement propre et ne haussait jamais le ton.

Gansey cessa de chercher et se tourna vers lui.

— Adam, quel est le nom de famille de Noah ?

Adam avait l'impression de le savoir, pourtant la réponse lui échappait. Il resta bouche bée, non moins déconcerté que s'il s'était perdu en allant en cours ou en rentrant chez lui, ou ne pouvait plus se remémorer le numéro de téléphone de la manufacture.

— Je ne sais pas, avoua-t-il.

Gansey pointa un doigt vers la poitrine d'Adam, comme pour le mettre en joue ou souligner un argument.

— Eh bien, c'est Czerny. *Cher-ny, Tchair-ni,* peu importe comment ça se prononce. Noah Czerny ! (Il renversa la tête en arrière.) Je sais que tu es là, Noah ! s'écria-t-il dans le vide.

— Eh, tu dérailles, mon pote ! fit remarquer Ronan.

— Ouvre cette porte, ordonna Gansey, et dis-moi ce qu'il y a là-dedans !

Ronan approcha avec un gracieux haussement d'épaules et tourna la poignée de la porte de la chambre de Noah, qui s'ouvrit, dévoilant un coin de lit invariablement fait.

— On se croirait au couvent, comme toujours, commenta-t-il. À peu près autant de personnalité qu'un hôpital psychiatrique ! Je suis censé chercher quoi ? De la drogue, des filles, des armes ?

— Dis-moi quels cours tu suis avec Noah !

— Aucun, gronda Ronan.

— Moi non plus, répliqua Gansey en se tournant vers Adam, qui secoua légèrement la tête. Et Adam non plus ! Comment ça se fait ? (Il n'attendit pas la réponse.) Quand est-ce que Noah mange ? Vous l'avez déjà *vu* se nourrir ?

— À vrai dire, je m'en fiche ! dit Ronan.

Il caressa d'un doigt la tête de Tronçonneuse, qui leva le bec, et, si Adam n'avait pas été préoccupé par ailleurs, la scène l'aurait sans doute frappé : on ne voyait que rarement chez Ronan une telle douceur ingénue.

— Il paye un loyer ? Quand est-ce qu'il a emménagé ? Vous vous êtes déjà posé la question ? lança Gansey.

Ronan secoua la tête.

— Tu débloques sérieusement, mec ! C'est quoi, ton **problème**, au juste ?

— J'ai passé l'après-midi avec la police. Je suis allé avec Blue à l'église, et…

Adam ressentit une pointe de jalousie aiguë, nullement atténuée par le fait qu'il n'en situait pas très bien la cause.

— Pas la peine de me regarder comme ça, vous deux ! Il se trouve qu'on a découvert un corps, ou plutôt un squelette. Et vous savez de qui il s'agit ?

Ronan soutenait fermement le regard de Gansey.

Adam avait l'impression d'avoir déjà rêvé la réponse à cette question.

Soudain, la porte de la chambre derrière eux se referma en claquant. Ils se retournèrent brusquement, mais il n'y avait personne. Seuls frémissaient les coins de la carte fixée au mur. Les garçons contemplaient le mouvement du papier. On entendait l'écho du claquement de la porte.

Pas le moindre courant d'air. Adam sentit sa peau le picoter.

— De moi !

Ils pivotèrent aussitôt.

Noah se tenait dans l'encadrement de la porte de sa chambre.

Sa peau avait la pâleur du parchemin et, comme toujours après la tombée de la nuit, ses yeux vagues se dissimulaient dans l'ombre. Son air absent accoutumé ressortait maintenant, semblable à une trace de saleté ou de sang, ou peut-être un creux, une cavité d'os écrasés.

Ronan semblait extrêmement tendu.

— T'étais pas dans ta chambre, je viens juste de regarder !

— Je t'avais prévenu, dit Noah. J'avais prévenu tout le monde.

Adam dut fermer les yeux un long moment.

Gansey paraissait avoir retrouvé tout son sang-froid. Ce qu'il demandait à la vie, c'étaient des faits, des éléments qu'il pouvait relater dans son carnet, puis recopier et souligner, si improbables soient-ils, et Adam comprit que, en l'arrachant à son travail pour l'amener ici, Gansey n'avait pas vraiment su à quoi s'attendre. Et du reste, comment aurait-il pu le savoir ? Comment qui que ce soit aurait-il pu se douter que...

— Il est mort, dit Gansey, les bras enserrant étroitement son torse. Tu es mort, n'est-ce pas ?

— Je vous avais *prévenus,* répéta celui-ci d'une voix plaintive.

Tous le fixaient. Noah, qui se tenait à seulement quelques mètres de Ronan, semblait tellement moins *réel* que ce dernier que cela aurait dû leur sauter aux yeux, songea Adam. Il était aberrant de ne pas l'avoir remarqué, comme de ne pas avoir pensé à son nom de famille et à ses origines, aux cours qu'il suivait ou ne suivait pas, à ses mains moites, à sa chambre impeccable, à son visage invariablement absent. Ils n'avaient jamais connu Noah autrement que mort.

La réalité était un pont qui s'effondrait sous Adam.

— Bordel, mec ! s'exclama Ronan d'un ton assez désespéré. Quand je pense à toutes ces nuits où tu m'accusais de faire trop de bruit, alors que t'as même pas besoin de dormir !

— Comment ça t'est arrivé ? demanda Adam d'une voix presque inaudible.

Noah détourna la tête.

— Non, intervint Gansey d'un ton résolu. La question n'est pas là. La question, c'est plutôt : *qui t'a tué ?* Pas vrai ?

Noah baissait la tête, les paupières lourdes, avec cette expression fuyante qui lui venait quand il se sentait mal à l'aise, et Adam réalisa soudain à quel point Noah était mort et lui-même si vivant.

— Si tu peux me le dire, poursuivit Gansey, je trouverai un moyen de mettre la police sur la piste.

Noah enfonça encore plus la tête dans les épaules, la mine sombre, et ses orbites parurent creuser son visage comme un crâne. Étaient-ils devant un garçon, ou juste devant un être qui y ressemblait ?

Ne le tourmente pas, Gansey ! songea Adam.

Dans les mains de Ronan, Tronçonneuse se mit alors à pousser des cris aigus et frénétiques, qui lacéraient l'air comme si rien au monde n'existait hormis eux. On n'aurait jamais cru qu'un si petit corps puisse produire autant de bruit.

Noah releva la tête. Ses yeux grands ouverts étaient redevenus ceux de tous les jours, et il avait l'air effrayé.

Ronan couvrit Tronçonneuse de sa main jusqu'à ce qu'elle se calme.

— Je n'ai pas envie d'en parler, dit Noah.

Les épaules remontées aux oreilles, il ressemblait à nouveau au garçon qu'ils avaient toujours connu, sans jamais le questionner sur sa présence.

Un des *vivants*.

— D'accord, dit Gansey. D'accord, pas de problème. Alors, qu'est-ce que tu voudrais faire ?

— Je voudrais... commença Noah, avant de s'interrompre, en reculant vers sa chambre, comme il le faisait si souvent.

Se comportait-il déjà comme ça de son vivant, se demanda Adam, ou était-ce ainsi que les choses tournaient quand un défunt cherchait à mener une conversation ordinaire ?

Ronan et Adam jetèrent au même moment un regard vers Gansey. Tout ce qu'ils auraient pu dire ou faire leur semblait terriblement vain, et même Ronan s'était calmé et avait rentré ses griffes. Lui aussi semblait réticent à découvrir comment ce Noah d'outre-tombe réagirait si on le poussait à bout.

— Noah ? dit Gansey, quittant les deux autres des yeux.

L'embrasure de la porte de la chambre était vide.

Ronan repoussa le battant, qui s'ouvrit entièrement : la pièce était nue, inchangée, et le lit visiblement intact.

Le monde bruissait autour d'Adam, soudain lourd de possibilités dont certaines étaient affreuses. Il croyait rêver. Il lui fallait toucher les choses pour s'assurer qu'elles avaient une consistance.

Ronan lança une salve d'imprécations grossières et continues, sans s'arrêter pour reprendre son souffle.

Gansey triturait du pouce sa lèvre inférieure.

— Qu'est-ce qui se passe ?

— On est en train de se faire hanter, lui répondit Adam.

CHAPITRE 30

Blue se sentait plus bouleversée qu'elle ne l'aurait cru par la découverte de la mort de Noah. D'après leur conversation avec la police, il était clair qu'il n'avait *jamais* été vivant, du moins pas depuis qu'elle l'avait rencontré, mais cela n'empêchait pas Blue de se sentir curieusement attristée par la nouvelle. Depuis qu'ils avaient découvert son corps, Noah n'était plus le même à Monmouth, et on ne semblait plus jamais le percevoir dans son entier : Gansey entendait parfois sa voix désincarnée dans le parking, en se rendant à la manufacture, Blue surprenait son ombre projetée sur un trottoir, Ronan découvrait des écorchures sur sa peau.

Noah avait toujours été absent, mais il se comportait maintenant en spectre.

— Peut-être parce que son corps a été enlevé de la ligne de ley, avait suggéré Adam.

Blue n'arrêtait pas de penser au crâne, à son visage enfoncé, et à Noah secoué de nausées à la vue de la Mustang – sans vomir pour de bon, il était juste secoué de spasmes, parce que c'était un *mort*.

Elle voulait savoir qui l'avait tué, et que l'assassin croupisse dans une prison pour le restant de ses jours.

Blue était tellement absorbée par ses pensées qu'elle en oublia presque qu'elle avait convenu de fouiller la chambre de Neeve vendredi avec Calla, mais celle-ci, voyant sans doute qu'elle était préoccupée, lui avait laissé un message en évidence sur le réfrigérateur, là où Blue ne pouvait manquer de le trouver avant de partir en cours : BLUE, N'OUBLIE PAS LE FILM, CE SOIR ! Elle arracha le Post-it et le fourra dans son sac à dos.

— Blue.

Blue sursauta violemment en entendant la voix de Neeve et se retourna d'un bond. Assise à la table de la cuisine devant un mug de thé, un livre à la main, Neeve portait un chemisier crème de la couleur exacte des rideaux derrière elle.

— Je ne t'avais pas vue ! dit Blue, médusée.

Le Post-it dans son sac semblait brûler comme un aveu.

Neeve eut un léger sourire et reposa son livre à l'envers sur la table.

— Nous ne nous sommes pas souvent croisées cette semaine.

— Je… je suis sortie avec… des amis, balbutia Blue en s'ordonnant entre chaque mot d'arrêter d'avoir l'air coupable.

— J'ai entendu parler de Gansey, commenta Neeve, et j'ai dit à Maura que je trouvais malavisé de vouloir vous empêcher de vous voir. Il est clair que vos chemins sont destinés à se croiser.

— Oh, merci.

— Tu m'as l'air triste. (Neeve tapota le siège de la chaise près d'elle.) Veux-tu que je te tire les cartes ?

— Oh, merci, c'est gentil, mais je ne peux pas. Il faut que j'aille en cours, répondit Blue à la hâte.

Elle se demandait si Neeve le lui proposait par gentillesse ou au contraire par calcul, parce qu'elle avait percé à jour ses intentions. Quoi qu'il en soit, Blue ne voulait pas être mêlée aux manœuvres de sa demi-tante. Elle poussa son sac sans ménagement pour lui faire franchir la porte et agita vaguement la main par-dessus son épaule en guise d'adieu.

— Tu cherches un dieu, lui énonça Neeve dans son dos. Tu n'as jamais pensé qu'il pourrait y avoir aussi un démon ?

Blue se figea sur le seuil et tourna la tête, mais sans la regarder en face.

— Non, je ne suis pas allée fouiner un peu partout, poursuivit Neeve. Ce que tu fais est assez flagrant pour que je le remarque, même si je suis occupée par ailleurs.

Blue la fixait à présent dans les yeux. Neeve entourait son mug de thé de ses mains avec sa placidité habituelle.

— Les nombres me sont familiers, dit-elle, ils le sont depuis le début, et j'ai toujours pu les restituer. Les dates importantes, les numéros de téléphone, c'est pour moi le plus élémentaire. Mais, après ça, c'est la mort que je connais le mieux : je le sens toujours, quand quelqu'un l'a effleurée.

Blue agrippa les courroies de son sac à dos. Elle devait bien admettre que sa mère et ses amies étaient bizarres, mais, au moins, elles en étaient conscientes. Elles savaient quand elles disaient une chose étrange, tandis que Neeve, elle, ne semblait pas disposer de ce filtre.

— Il est mort depuis très longtemps, répondit Blue finalement.

Neeve haussa les épaules.

— Il y en aura d'autres avant la fin.

Blue resta sans voix et se borna à secouer lentement la tête.

— Je te préviens, c'est tout, dit Neeve. Méfie-toi des démons ! Là où il y a un dieu, on en trouve toujours des légions.

CHAPITRE 31

Ce vendredi, pour la première fois de sa vie, Adam ne se réjouissait pas d'avoir un jour de congé (les professeurs d'Aglionby assistaient à une réunion pédagogique). Gansey était reparti à contrecœur chez ses parents, pour assister à l'anniversaire tardif de sa mère, et Ronan buvait comme un ours reclus dans sa tanière. Adam était resté à travailler assis au bureau de Gansey à la manufacture. Blue avait cours, mais il espérait qu'elle passerait à la fin de sa journée.

Il était seul dans la grande pièce, et l'appartement l'oppressait. Une part de lui avait envie d'attirer Ronan hors de sa chambre pour qu'il lui tienne compagnie, mais une autre, plus importante, se rendait compte que son ami cuvait son chagrin, et que ce mutisme revêche était sa façon de pleurer Noah. Adam continua donc à faire ses exercices de latin, non sans remarquer que la lumière qui entrait par les fenêtres semblait ne pas éclairer les lattes du plancher avec autant d'intensité que d'habitude. Des ombres mouvantes se lovaient dans les encoignures. Il sentait l'odeur du pot de menthe posé sur le bureau, mêlée à celle de Noah – un mélange particulier de déodorant, de savon et de sueur.

— Tu es là, Noah ? demanda-t-il à l'adresse de l'appartement vide. Ou tu es parti hanter Gansey ?

Pas de réponse.

Adam considéra la feuille devant lui. Les verbes latins semblaient absurdes, tel un langage inventé de toutes pièces.

— Est-ce qu'on peut arranger les choses, Noah ? Est-ce qu'on peut défaire ce qui t'a transformé comme ça ?

Adam sursauta en entendant un grand fracas juste à ses côtés, puis il comprit que le pot de menthe de Gansey venait de s'écraser au sol. Un unique tesson triangulaire s'était détaché et gisait près d'une fine couche de terre.

— Ça n'aide pas, tu sais ! reprit Adam sans se départir de son calme.

Mais il était secoué, et il se demanda vaguement si quoi que ce soit pouvait encore les aider. Après avoir signalé la découverte du squelette de Noah, Gansey avait appelé la police pour en savoir plus mais n'avait pas appris grand-chose, hormis que Noah était porté disparu depuis sept ans. Adam avait comme toujours plaidé pour la discrétion et, pour une fois, Gansey l'avait écouté et avait tu à la police leur découverte de la Mustang : la voiture les aurait menés à Cabeswater, ce qui aurait uniquement compliqué les choses et les aurait rendues trop publiques.

Quand on frappa à la porte, Adam, qui soupçonnait Noah de faire encore des siennes, ne répondit pas aussitôt. Les coups redoublèrent, et la voix de Declan s'éleva :

— Gansey !

Adam se leva avec un soupir, remit le pot de menthe sur le bureau et alla ouvrir. Le frère de Ronan se dressait sur le seuil. Il ne portait ni son uniforme d'Aglionby, ni sa tenue d'interne, mais un jean noir qui, bien qu'impeccable et coûteux, le changeait complètement, et Adam lui trouva l'air plus jeune que d'habitude.

— Salut, Declan.

— Où est Gansey ?

— Parti.

— Oh, à d'autres !

Adam n'aimait pas qu'on l'accuse de mentir. Il avait le plus souvent de meilleures façons de parvenir à ses fins.

— Il est rentré chez ses parents, pour l'anniversaire de sa mère.

— Et mon frère ?

— Pas ici.

— Là, tu mens !

Adam haussa les épaules.

— Oui. C'est vrai.

Declan esquissa un mouvement pour pénétrer dans la pièce, mais Adam étendit le bras et lui barra le passage.

— Ce n'est pas vraiment le bon moment, et Gansey a dit qu'il valait mieux que vous ne vous parliez pas en son absence, vous deux. Je pense qu'il n'a pas tort.

Declan ne recula pas. Sa poitrine appuyait contre le bras d'Adam, et Adam ne savait qu'une chose : Declan ne devait absolument pas parler à Ronan pour l'instant ; pas quand Ronan avait bu et que Declan lui-même était déjà en colère. Sans Gansey, ils en viendraient fatalement aux mains, ce qu'il fallait éviter à tout prix.

— Tu ne vas quand même pas te battre avec moi ? lança Adam en dissimulant sa nervosité. Je croyais que la castagne c'était le truc de ton frère, pas le tien !

L'argument porta plus qu'il n'aurait pu l'espérer, et Declan recula aussitôt d'un pas. Il tira de la poche arrière de son jean une enveloppe pliée. Près de l'adresse de l'expéditeur, Adam reconnut les armoiries d'Aglionby.

— Il est viré ! s'écria Declan en fourrant l'enveloppe sous le nez d'Adam. Gansey m'avait pourtant *promis* que ses notes s'amélioreraient, eh bien, non ! Je lui ai fait confiance, et il n'a pas été à la hauteur, il m'a déçu. Alors, quand il reviendra, dis-lui que, par sa faute, mon frère a été renvoyé !

C'était plus qu'Adam n'en pouvait supporter.

— Oh, que non ! rétorqua-t-il, et il espérait que Ronan les écoutait. Ton frère s'est fait virer tout seul, et je me demande quand, vous deux, vous vous mettrez dans le crâne que lui seul peut faire en sorte de rester à Aglionby, et qu'il le fera le jour où il l'aura décidé, pas avant. Jusque-là, vous perdez votre temps, l'un comme l'autre.

Il avait beau avoir mille fois raison, aucun argument venant d'Adam Parrish, avec son accent de Henrietta, ne pouvait ébranler un être comme Declan.

Adam replia l'enveloppe. Gansey allait en être malade. Un bref, très bref instant, Adam se demanda s'il n'allait pas cacher la lettre à son ami un moment, mais il savait qu'il n'en aurait pas le courage.

— Je lui transmettrai ça.

— Mon frère déménage, il part d'ici ! déclara Declan. Tu peux le dire à Gansey : pas d'Aglionby, pas de Monmouth !

Tu veux sa mort ! songea Adam, qui n'imaginait pas Ronan cohabiter avec son frère, ni du reste Ronan vivre sans Gansey.

— Ça sera fait, se borna-t-il pourtant à répondre.

Declan battit en retraite et redescendit l'escalier. Adam entendit un peu plus tard sa voiture quitter le parking.

Il ouvrit l'enveloppe et lut lentement la lettre qui s'y trouvait, puis, poussant un soupir, il retourna au bureau et décrocha le téléphone près du pot de menthe cassé. Il composa le numéro de mémoire.

— Gansey ?

À plusieurs heures de distance de là, Gansey commençait à se lasser de l'anniversaire de sa mère, et l'appel d'Adam avait sonné le glas des derniers restes de son entrain. Helen et sa mère n'avaient pas tardé à s'engager d'un ton poli dans une conversation désappointée et convenue, et feignaient l'une comme l'autre de ne pas faire allusion au cadeau de Helen. Lors d'un échange de répliques vides particulièrement tendu, Gansey se leva, fourra ses mains dans ses poches et sortit. Il allait au garage de son père.

D'ordinaire, la maison familiale – une vaste demeure en pierre de Cotswold dans les environs de Washington, DC – lui inspirait une sorte de confort nostalgique, mais il ne se sentait aucune patience aujourd'hui. Il n'arrêtait pas de penser à la dépouille de Noah, aux notes épouvantables de Ronan et aux arbres qui parlaient latin.

Et à Glendower.

Glendower gisant dans sa splendide armure, qui luisait d'un éclat terne dans l'obscurité de son tombeau. Dans le chêne-rêve, il avait paru si incroyablement réel que Gansey avait même effleuré la surface de métal, qu'il avait passé les doigts sur le fer de la lance et soufflé la poussière de la coupe serrée dans le gantelet de sa main droite. Puis Gansey s'était approché du casque et avait laissé flotter ses mains dans l'air juste au-dessus. Il attendait ce moment depuis si longtemps.

C'est alors que la vision avait pris fin.

Gansey avait toujours senti coexister en lui deux personnes : le Gansey aux commandes, celui qui savait se comporter en toute situation et parler à n'importe qui, et un autre plus fragile et plus inquiet, naïf, qui doutait de lui-même et se montrait d'une sincérité et d'un sérieux embarrassants. Ce second Gansey rôdait en lui à présent, et il n'aimait pas du tout ça.

Il composa le code (la date d'anniversaire de Helen) sur le clavier mural près de la porte. Le garage, un bâtiment aussi grand que la maison et tout de pierre, de bois et de voûtes, était à l'origine une écurie où avaient logé dans des stalles individuelles plusieurs centaines de chevaux.

À l'instar de Dick Gansey II, Dick Gansey III avait la passion des vieilles voitures, mais son père, lui, avait fait restaurer impeccablement toutes les siennes par des experts qui maniaient avec dextérité des termes tels que *rôtissoire* et *Barrett-Jackson*. La plupart des véhicules venaient d'Europe, et plusieurs avaient le volant à droite ou un manuel d'utilisation en langue étrangère, et, plus important encore, chacune des voitures du père de Gansey était célèbre, certaines pour avoir appartenu à une personnalité connue, d'autres pour être apparues dans une séquence de film ou avoir été impliquées dans un accident historique.

Gansey s'installa dans une Peugeot couleur vanille, qui avait sans doute été celle de Lindbergh, de Hitler ou de Marilyn Monroe, s'adossa au siège, pieds posés sur les pédales, passa en revue les cartes dans son portefeuille et composa le numéro de M. Pinter, le conseiller d'orientation de l'école. Pendant que la sonnerie retentissait, il s'efforça de rappeler à lui le Gansey toujours aux commandes.

— Monsieur Pinter ? Désolé de vous téléphoner en dehors de vos heures de travail, dit-il en faisant courir le bord de sa pile de cartes de visite et de crédit contre le volant. (L'habitacle de la voiture lui rappelait beaucoup le mixeur de la cuisine de sa mère, et le levier de vitesse donnait l'impression de pouvoir confectionner sans peine une meringue acceptable entre la première et la seconde.) Richard Gansey à l'appareil.

— Bonjour, monsieur Gansey.

Pinter prit un temps infini pour articuler ces quelques syllabes, pendant lequel Gansey l'imagina tentant frénétiquement de se souvenir du visage associé à son nom. Gansey considérait Pinter, un homme ordonné et consciencieux à l'extrême, comme *très conservateur,* et Ronan l'avait surnommé « la morale de l'histoire ».

— J'appelle au sujet de Ronan Lynch.

— Ah.

Pinter reliait immédiatement un visage à ce nom.

— Je ne suis pas vraiment en mesure de m'exprimer quant à l'exclusion imminente de M. Lynch…

— Sauf votre respect, monsieur Pinter, l'interrompit Gansey, pourtant parfaitement conscient du manque de respect que le fait de couper la parole à son interlocuteur impliquait, je doute que vous ayez une pleine connaissance de tous les détails de la situation.

Et Gansey entreprit, tout en se grattant la nuque avec une carte de crédit, de décrire la fragilité émotionnelle de Ronan, les souffrances que lui causaient ses crises de somnambulisme, l'enrichissement que représentait pour lui le fait de vivre à la manufacture, et les progrès indéniables qu'il avait faits depuis qu'il y habitait avec Gansey, puis conclut avec brio en exposant combien, dès qu'il aurait trouvé le moyen de colmater le trou en forme de Niall Lynch qui lui perçait le cœur, son ami ne manquerait pas de réussir brillamment.

— Je ne suis pas absolument convaincu que les talents de M. Lynch sont de ceux qu'Aglionby se plaît à cultiver, déclara Pinter.

— Monsieur Pinter, objecta Gansey (bien qu'il tendît à lui donner raison sur ce point) en jouant avec le bouton de la manivelle de la vitre, Aglionby a une population estudiantine extrêmement variée et complexe, ce qui est du reste l'une des raisons pour lesquelles mes parents ont choisi cette école.

Il avait fallu en réalité quatre heures de recherches sur Internet, suivies d'un coup de téléphone particulièrement persuasif à son père, pour en arriver là, mais Pinter n'avait pas besoin de le savoir.

— Monsieur Gansey, j'apprécie beaucoup votre sollicitude à l'égard de votre cama…

— Mon frère, rectifia Gansey en l'interrompant derechef. Ronan est devenu pour moi comme un frère, monsieur, et mes parents le traitent comme un fils à part entière, aussi bien affectivement que pratiquement ou *fiscalement*.

Pinter ne pipa mot.

— Mon père me disait que, lors de sa dernière visite, il a trouvé la section d'histoire nautique de la bibliothèque assez pauvre, poursuivit Gansey, qui enfonça la carte de crédit dans la bouche d'aération pour voir jusqu'où elle entrerait avant de rencontrer un obstacle et de manquer de se perdre dans les entrailles du moteur. Il estimait qu'il en coûterait environ trente mille dollars pour remédier à la chose.

— Je crois que vous ne comprenez pas bien les raisons pour lesquelles les jours de M. Lynch à Aglionby sont comptés, reprit Pinter un ton plus bas. M. Lynch enfreint ouvertement le règlement de l'école et semble n'avoir que mépris pour les études. Nous sommes très conscients des difficultés de sa situation personnelle et avons fait beaucoup de concessions, mais M. Lynch oublie que la fréquentation d'Aglionby Academy est un privilège, non une corvée. Son expulsion prend effet lundi prochain.

Gansey se pencha en avant et posa la tête contre le volant. *Oh, Ronan, Ronan ! Pourquoi diable…*

— Je sais qu'il déraille et qu'il aurait dû être mis à la porte depuis longtemps, mais donnez-moi jusqu'à la fin de l'année ! Je peux me débrouiller pour qu'il réussisse ses examens.

— Mais il n'assiste pas aux cours, monsieur Gansey !

— Je vous promets de faire en sorte qu'il réussisse !

Pinter resta longtemps silencieux, et Gansey entendit une télévision en bruit de fond.

— Il devra obtenir au moins un B dans chaque matière, et se tenir tranquille dans l'intervalle s'il ne veut pas être renvoyé sur-le-champ. C'est sa toute dernière chance !

Gansey se redressa et cessa de retenir son souffle.

— Merci, monsieur.

— Et veillez à ce que votre père n'oublie pas l'intérêt qu'il porte à notre section d'histoire nautique ! Vous me tiendrez au courant.

Dire que Ronan appelle cet homme « la morale de l'histoire » ! songea Gansey avec un sourire d'amertume.

— L'aviron a toujours joué un rôle capital dans notre famille, monsieur. Merci d'avoir pris le temps de m'écouter.

— Passez un bon week-end, monsieur Gansey.

Gansey coupa la communication et lança le téléphone sur le tableau de bord. Il ferma les yeux et jura à mi-voix. Il avait réussi, bon gré mal gré, à faire franchir à Ronan l'obstacle des examens de mi-semestre. Il était sûrement capable de réitérer l'exploit, puisqu'il le fallait.

La Peugeot tangua légèrement sous le poids de quelqu'un. *Noah ?* se demanda Gansey en retenant un instant son souffle.

— Alors, tu te laisses séduire par les charmes de la beauté française, maintenant ? Ta Tête de lard fait plutôt mal dégrossie, à côté, non ?

Gansey rouvrit les yeux. Assis près de lui, son père passa la main à plat sur le tableau de bord pour vérifier qu'il n'y avait pas de poussière, puis considéra son fils en plissant les yeux, comme s'il pouvait d'un simple regard déterminer son état de santé physique et psychologique.

— Oui, c'est une belle voiture, répondit Gansey, mais pas vraiment mon genre.

— Je suis surpris que ta vieille bagnole ait pu t'amener jusqu'ici. Tu devrais prendre la Suburban, pour rentrer.

— La Camaro fera l'affaire.

— Elle sent l'essence.

Gansey, qui avait laissé Tête de lard devant le garage, imaginait son père, les mains dans le dos, tournicoter autour d'elle en humant l'air à la recherche de fuites et en détaillant les éraflures de sa carrosserie.

— Elle est très bien, papa ! C'est une voiture *parfaite*.

— J'en doute fort, répliqua affablement son père.

Il était rare que Richard Gansey II se montre autrement qu'affable. « Votre père est un homme charmant ! disaient les gens à Gansey. Toujours souriant et maître de lui. Une nature si originale ! » Cela, parce qu'il collectionnait de curieux objets anciens, fouillait dans les trous des murs et tenait la chronique des événements qui avaient lieu chaque 14 avril depuis les premiers temps de l'Histoire.

— As-tu la moindre idée de ce qui a bien pu pousser ta sœur à mettre trois mille dollars dans ce hideux plat en bronze ? Elle est fâchée contre votre mère ? C'est une farce ?

— Elle pensait que ça plairait à maman.

— Mais ce n'est pas *en verre* !

Gansey haussa les épaules.

— Je sais, j'ai pourtant tenté de la prévenir.

Ils restèrent un moment silencieux.

— Tu veux l'essayer ? proposa son père.

Gansey n'en avait pas vraiment envie, mais ses doigts trouvèrent la clef sur le contact et la tournèrent. Le moteur se mit aussitôt à ronfler docilement.

— Aire 4, ouverture ! ordonna son père.

Les portes du garage devant eux commencèrent à s'écarter.

— J'ai fait mettre des commandes vocales, expliqua-t-il devant le regard appuyé de son fils. Le seul problème, c'est que, si quelqu'un à l'extérieur crie très fort, la porte la plus proche s'ouvre, ce qui bien sûr nuit à la sécurité, mais j'y travaille. Nous avons eu une tentative de cambriolage la semaine dernière, et les malfaiteurs ne sont pas parvenus à franchir la grille d'entrée. J'ai installé un nouveau système de protection.

Les portes étaient maintenant ouvertes, mais la Camaro leur bloquait le passage. Tête de lard avait l'air si grossière, si renfrognée et mal dégrossie devant la Peugeot sage, discrète et invariablement souriante, que Gansey ressentit soudain un élan d'affection pour sa vieille voiture. Il songea qu'acheter Tête de lard avait sans doute été la meilleure décision de sa vie.

— Je n'ai jamais pu m'y faire, commenta le père de Gansey en la fixant sans méchanceté.

« Pourquoi diable a-t-il eu ne serait-ce qu'*envie* de cette voiture ? » l'avait un jour entendu dire Gansey à sa mère. « Oh, moi, je sais ! » avait répondu celle-ci. Et Gansey, curieux de savoir pourquoi elle pensait qu'il avait acheté Tête de lard, s'était promis de lui en parler, à l'occasion. Analyser les raisons pour lesquelles il supportait les inconvénients manifestes de la Camaro déstabilisait Gansey, mais il savait que c'était lié à la façon dont il se sentait dans cette Peugeot impeccable. Il songea qu'une voiture était comme un emballage et que, s'il ressemblait en dedans à ce à quoi ressemblait une des voitures de ce garage de l'extérieur, il ne pourrait pas vivre avec lui-même. Gansey n'ignorait pas qu'il tenait beaucoup physiquement de son père, et espérait être plus proche intérieurement de la Camaro, ou peut-être d'Adam.

— Comment ça va, à l'école ?

— Très bien.

— Quel est ton cours préféré ?

— Histoire mondiale.

— Un bon professeur ?

— Correct.

— Et comment se débrouille ton camarade, celui qui a obtenu une bourse ? Est-ce qu'il trouve le travail plus difficile que dans le public ?

Gansey orienta le rétroviseur côté conducteur pour qu'il reflète le plafond.

— Adam s'en sort très bien.

— Il doit être vraiment intelligent.

— C'est un génie, dit Gansey d'un ton convaincu.

— Et ton ami irlandais ?

Gansey se sentait incapable d'inventer un mensonge crédible sur Ronan, pas si tôt après sa conversation avec Pinter, et, à l'instant, le rôle de Gansey junior lui paraissait bien lourd à porter.

— Ronan, c'est Ronan ! répondit-il. Les choses ne sont pas simples pour lui, sans son père.

Gansey senior n'interrogea pas son fils sur Noah. Gansey se rendit alors compte qu'il ne se souvenait pas d'avoir jamais entendu son père le faire, et qu'il ne se rappelait même pas avoir parlé de Noah à sa famille. Il se demanda si la police allait appeler ses parents et leur dire que leur fils avait trouvé un mort, mais cela lui sembla assez peu probable, si ce n'était pas déjà fait. Les policiers avaient donné à Blue et à Gansey des cartes portant le numéro d'un psychothérapeute, mais le garçon pensait que l'un comme l'autre avaient sans doute besoin d'une aide d'un autre genre.

— Où en es-tu, avec les lignes de ley ?

Gansey réfléchit à ce qu'il convenait de révéler.

— J'ai fait quelques découvertes inattendues ces derniers temps. Henrietta semble un endroit très prometteur.

— Donc, dans l'ensemble, les choses vont bien ? Ta sœur me disait que tu lui avais paru un peu mélancolique.

— *Mélancolique ?* Helen est une idiote !

Le père de Gansey fit claquer sa langue d'un air désap-
probateur.

— Non, Dick, ce n'est pas ce que tu veux dire. Reformule
ta pensée !

Gansey coupa le moteur et lança un coup d'œil à son
père.

— Elle a acheté une assiette en *bronze* à maman, pour
son anniversaire !

Gansey senior émit un petit *hmm*, ce qui signifiait que
Gansey junior venait de marquer un point.

— Bien, du moment que tu es heureux et que tu
t'occupes ! dit son père.

— Ah ça ! répondit Gansey en reprenant son portable
posé sur le tableau de bord.

Il réfléchissait déjà à la façon de contraindre Ronan à étudier intensivement pendant trois mois, au moyen de redon-
ner à Noah sa forme initiale et de convaincre Adam de
quitter le toit paternel, et au bon mot qu'il lancerait à Blue
à leur prochaine rencontre.

— Ne t'inquiète pas : pour m'occuper, je m'occupe !

CHAPITRE 32

Quand Blue frappa à la porte de la manufacture Monmouth, Ronan vint lui ouvrir.

— Vous n'attendiez pas dehors, se justifia-t-elle, un peu embarrassée. (Elle n'était encore jamais entrée, et le simple fait de se tenir dans la cage d'escalier décrépie lui donnait un peu l'impression d'être une intruse.) Je me disais que vous étiez peut-être sortis.

— Gansey fait la fête avec sa mère, lui répondit Ronan, qui sentait la bière. Et Noah est salement mort, mais Parrish est là.

— Fais-la entrer, Ronan, dit Adam, qui avait surgi derrière son épaule. Bonjour, Blue. Tu n'es jamais montée à l'étage, n'est-ce pas ?

— Non. Je ne devrais pas plutôt... ?

— Non, non, viens !

Une certaine confusion s'ensuivit, à l'issue de laquelle la porte fut refermée, et Blue se retrouva au premier. Les deux garçons observaient de près ses réactions.

Blue inspecta la grande pièce du regard. L'endroit ressemblait à la maison d'un inventeur fou, ou d'un savant obsessionnel, ou encore d'un explorateur très désordonné, et elle commençait à soupçonner Gansey de cumuler les trois.

— Qu'est-ce qu'il y a, à l'étage en dessous ?

— De la poussière, lui répondit Adam en repoussant discrètement du pied un jean fourré d'un caleçon hors du champ visuel direct de Blue. Des moutons, du béton et de la saleté.

— Sans parler de pas mal de crasse, ajouta pour faire bonne mesure Ronan, qui s'éloigna en direction de deux portes à l'autre extrémité dans la pièce.

Les deux garçons contemplèrent eux aussi un moment l'espace environnant comme s'ils le voyaient pour la première fois. La vaste pièce que le soleil déclinant qui entrait par les grandes baies vitrées baignait de rouge parut à Blue à la fois magnifique et très encombrée, et elle lui fit un peu le même effet que le carnet de Gansey. Pour la première fois depuis plusieurs jours, elle repensa alors aux doigts du garçon sur sa peau.

Embrasse-moi, Blue.

Elle ferma les yeux une demi-seconde, le temps de reconfigurer ses pensées.

— Je dois aller nourrir Tronçonneuse, dit Ronan, ce qui laissa Blue perplexe.

Il disparut dans un petit bureau et referma la porte derrière lui. Blue entendit un gloussement inhumain, qu'Adam s'abstint de commenter.

— Je crois qu'on n'a rien de prévu pour aujourd'hui, annonça-t-il. Tu veux qu'on reste un peu ici ?

Blue chercha des yeux un canapé. Un lit défait trônait au beau milieu de la pièce, et elle voyait un fauteuil en cuir d'apparence très coûteuse (le genre avec des clous de cuivre à tête luisante) près de l'une des fenêtres qui montaient du sol au plafond, ainsi qu'une chaise couverte de papiers devant le bureau, mais aucun canapé.

— Est-ce que Noah... ?

Adam secoua la tête.

Blue poussa un soupir. Adam avait peut-être raison à propos du corps de Noah, songea-t-elle. Il n'était pas impossible qu'on l'ait privé de son énergie en le retirant de la ligne de ley.

— Il est là ? demanda-t-elle.

— Je ne sais pas. J'ai l'impression que oui.

— Noah, tu peux utiliser mon énergie, si tu veux ! déclara-t-elle au vide alentour. Si c'est ce dont tu as besoin !

— C'est très courageux de ta part, observa Adam d'un air indéchiffrable.

Blue ne le pensait pas. Elle était sûre que, s'il y avait eu le moindre risque, sa mère ne l'aurait jamais laissée veiller au cimetière.

— J'aime bien me rendre utile. Toi aussi, tu habites ici ?

Adam secoua la tête, les yeux fixés sur la vue de Henrietta derrière les fenêtres.

— Non, mais Gansey voudrait que je vienne. Il préfère avoir tout sous la main, dit-il, un peu amer – et il se tut un moment, avant de reprendre : Je ne devrais pas parler comme ça, il n'a pas de mauvaises intentions, mais le problème, c'est que... cet endroit lui appartient. Il possède tout, ici ! Je veux me sentir sur un pied d'égalité avec lui et, ici, à la manufacture, je ne pourrais pas.

— Où habites-tu, alors ?

Adam serrait les lèvres.

— Dans un endroit à quitter.

— Ce n'est pas une réponse valable.

— Ce n'est pas un endroit valable non plus.

— Ce serait vraiment si affreux pour toi de vivre ici ?

Elle renversa la tête en arrière pour regarder le plafond. Cela sentait partout la poussière, mais une poussière ancienne et agréable, comme dans une bibliothèque ou un musée.

— Oui, répondit Adam. Quand je partirai, ce sera pour un endroit que j'aurai créé moi-même.

— Et c'est pour ça que tu vas à Aglionby.

Il la regarda bien en face.

— Et c'est pour ça que je vais à Aglionby.

— Bien que tu ne sois pas riche.

Il hésita.

— Je m'en moque, Adam, tu sais, lui dit Blue – ce qui n'était pas au sens strict la phrase la plus intrépide de tous les temps, mais qui le lui parut quand elle la prononça. Je sais qu'il y a des gens qui trouvent ça important, mais pas moi.

Adam fit une petite grimace, puis inclina très légèrement la tête dans un hochement presque imperceptible.

— Bien que je ne sois pas riche, confirma-t-il.

— Confidence pour confidence, moi non plus !

Adam éclata de rire, et Blue découvrit, non sans un peu d'appréhension, qu'elle commençait à aimer ce rire qui jaillissait de lui et semblait toujours le surprendre.

— Viens voir par ici, ça va te plaire !

La devançant, il la conduisit, au-delà du bureau, jusqu'aux fenêtres tout au fond de la pièce. Blue fut presque saisie de vertige : les vitres immenses commençaient à seulement quelques centimètres du vieux plancher aux larges lattes grinçantes, et le premier étage était perché beaucoup plus haut que chez elle. Adam s'accroupit et se mit à fouiller dans une rangée de boîtes à dossiers entreposées contre les fenêtres.

Il finit par en sélectionner une et fit signe à Blue de venir s'asseoir près de lui. Quand il changea de position, son genou appuya contre celui de Blue. Il ne la regardait pas, mais elle sentait à son attitude qu'il était très conscient de sa présence. Elle avala sa salive.

— Ce sont des choses que Gansey a trouvées. Des objets qui n'intéressent pas les musées, ou dont on n'a pas pu prouver l'ancienneté, ou qu'il ne veut pas donner.

— Dans cette boîte ?

— Dans toutes ces boîtes. Celle-ci, c'est celle qui concerne la Virginie.

Il l'inclina juste assez pour que son contenu, accompagné d'une quantité prodigieuse de poussière, se déverse sur le sol entre eux.

— Celle qui concerne la Virginie, tu dis ? Et les autres ?

Le sourire d'Adam avait un petit côté juvénile.

— Pays de Galles, Pérou, Australie, Montana... et plein d'autres endroits bizarres.

Blue retira un bâton fourchu du tas d'objets.

— Encore une baguette de sourcier ?

Elle-même ne l'avait jamais fait, mais elle savait que certains médiums les utilisent pour affiner leur intuition et les guider vers des objets perdus, des cadavres ou des réserves d'eau cachées, comme une sorte de version low-tech du lecteur de fréquences électromagnétiques de Gansey.

— J'imagine, ou juste un bout de bois.

Adam lui montra une vieille pièce de monnaie romaine, avec laquelle elle gratta la poussière d'une minuscule statue de chien. Il lui manquait une patte arrière, et la surface de la pierre était plus claire à l'endroit de la cassure en dents de scie.

— On dirait qu'il a faim, fit remarquer Blue.

Avec son corps étiré et sa tête renversée en arrière, le petit chien stylisé lui rappelait le corbeau gravé sur le flanc de la colline.

Adam ramassa un caillou percé et regarda Blue par le trou. La forme couvrait parfaitement les dernières traces de son ecchymose.

Blue en choisit un autre et l'imita. Les rayons du couchant empourpraient un côté du visage d'Adam.

— Pourquoi ces cailloux, dans la boîte ?

— Ces trous ont été percés par de l'eau, expliqua Adam, de l'eau de mer, et pourtant Gansey a ramassé ces cailloux dans les montagnes. Je crois me souvenir de l'avoir entendu raconter qu'ils sont identiques à certains de ceux qu'il a trouvés au Royaume-Uni.

Il continuait à la regarder par le trou, comme si le caillou était un monocle. Elle observait les mouvements de sa gorge. Il tendit la main et posa les doigts sur son visage.

— Tu es vraiment jolie !

— C'est le caillou qui te fait croire ça, répliqua Blue aussitôt. (Le bout des doigts d'Adam effleurait la commissure de ses lèvres, et elle sentait la chaleur de sa propre peau.) Il donne une vision très flatteuse des choses.

Adam prit délicatement le caillou que tenait Blue et le déposa entre eux sur le plancher. Il passa les doigts dans une mèche rebelle près de son cou.

— Ma mère répète toujours « Ne gaspille pas les compliments, même s'ils sont gratuits ! » dit-il avec sérieux. Je n'ai pas parlé à la légère, Blue.

Blue tritura l'ourlet de sa robe, mais ne détourna pas les yeux.

— Je ne sais pas quoi répondre, quand tu dis des choses comme ça.

— Tu peux me dire si tu veux que je continue.

Blue se sentait déchirée entre son envie de l'encourager et sa crainte des conséquences.

— Ça me plaît, que tu me parles comme ça...

— ... mais quoi ? demanda Adam.

— Je n'ai pas dit *mais*.

— Tu allais le faire. Je l'ai entendu.

Elle regarda son visage aux traits fins bariolés par le bleu. *On le croirait facilement timide et indécis*, songea-t-elle, *mais il n'est ni l'un ni l'autre*. Noah l'était, mais Adam, lui, était naturellement discret. Il choisissait de se taire, il observait.

Savoir cela n'aidait pourtant pas Blue à prendre une décision. Devait-elle ou non lui parler du danger de s'embrasser ? Avec Gansey, les choses avaient été tellement plus simples. Elle venait à peine de rencontrer Adam et craignait avant tout de l'effaroucher par des expressions comme *l'amour de sa vie*. Mais, par ailleurs, si elle ne disait *rien*, et qu'il essaie de lui donner un baiser, ça risquait de tourner mal.

— Ça me plaît, que tu me parles comme ça, mais... j'ai peur que tu essaies de m'embrasser, avoua Blue. (Elle avait déjà l'impression d'avoir fait fausse route et, quand il s'abstint de répondre aussitôt, elle poursuivit en toute hâte :) On vient juste de se rencontrer, et... et je suis... *très jeune*.

Elle perdit alors courage et n'osa plus mentionner la prédiction. Elle se demandait quelle était cette part d'elle-même qui avait jugé qu'il valait mieux reconnaître cela : *je suis très jeune*. Elle cilla.

— Ça me semble très... raisonnable, dit Adam en cherchant ses mots.

Exactement l'adjectif que Neeve avait choisi pour décrire Blue. Elle devait donc l'être vraiment, et ça la déprimait d'y penser. Elle qui croyait avoir beaucoup travaillé pour se créer une image aussi excentrique que possible, on la trouvait *raisonnable*.

Des pas qui approchaient retentirent sur le plancher. Adam et Blue levèrent la tête. Ronan était revenu et tenait quelque chose sous son aisselle. Il s'accroupit précautionneusement jusqu'à se retrouver en tailleur à côté d'Adam, puis poussa un profond soupir, comme s'il avait suivi toute la conversation jusqu'ici et que ça l'avait épuisé. Blue se sentait aussi soulagée que contrariée par sa présence.

— Tu veux la tenir ? lui demanda Ronan.

Elle découvrit alors que ce qu'il tenait était vivant, et elle resta un instant paralysée par l'humour de la situation : un Corbeau tenant un corbeau ! Elle n'eut pas le temps de réagir, Ronan s'apprêtait déjà à retirer sa main.

— Qu'est-ce que tu fais ? Oui, je veux bien !

En fait, elle se demandait elle-même si elle le voulait – l'oiseau la suivait d'un regard un peu trop cru à son goût –, mais elle en faisait une question de principe et, à nouveau, elle comprit qu'elle espérait impressionner Ronan justement parce qu'il était impossible de l'impressionner. Elle se consola à l'idée qu'il suffisait cette fois pour gagner son approbation de tenir un oisillon dans ses mains. Il déposa avec précaution la petite boule de plumes dans ses paumes jointes en coupe. La bestiole avait l'air de ne rien peser du tout, et sa peau et son plumage paraissaient humides, là où ils avaient été en contact avec les mains de Ronan. Elle fit basculer en arrière son énorme bec, l'entrouvrit, puis fixa successivement Blue et Adam d'un œil rond et écarquillé.

— Comment tu l'appelles ?

Tenir l'oiseau s'avérait à la fois effrayant et délicieux. Le pouls de cette petite créature si fragile battait à une vitesse folle contre la peau de Blue.

— Tronçonneuse, répondit Adam d'un ton sec.

Le corbeau ouvrit le bec tout grand et les contempla d'un œil encore plus rond.

— Elle veut retourner avec toi, dit Blue, car c'était évident.

Ronan reprit l'oiseau et caressa les plumes derrière sa tête.

— On dirait un super-méchant avec son mauvais génie ! dit Adam.

Ronan se fendit d'un large sourire, mais Blue lui trouva un air plus gentil que jamais, comme si le corbeau dans sa main était son cœur dévoilé.

On entendit une porte s'ouvrir à l'autre bout de l'étage. Adam et Blue échangèrent un regard, et Ronan enfonça légèrement la tête dans les épaules, comme dans l'attente d'un coup.

Tous se turent, tandis que Noah venait s'asseoir entre Ronan et Blue. Avec son dos courbé et ses mains qui couraient sans cesse d'un endroit à un autre, il ressemblait au garçon dont Blue avait gardé le souvenir. La tache diffuse derrière laquelle se dissimulait son visage correspondait de toute évidence à l'endroit où sa pommette avait été enfoncée, et plus Blue l'observait, plus elle comprenait qu'elle voyait simultanément Noah vivant et mort, et que son cerveau utilisait la tache pour concilier les deux.

Adam fut le premier à rompre le silence.

— Noah, dit-il en levant le poing.

Avec un temps de retard, Noah choqua son poing contre celui d'Adam, puis il se frotta la nuque.

— Je me sens mieux, annonça-t-il, comme s'il avait été malade et non mort.

Il se mit à passer en revue les objets de la boîte éparpillés sur le plancher autour d'eux. Il en ramassa un qui pouvait être un fragment d'os gravé, sur lequel subsistait la trace d'un motif plus grand près de quelque chose qui ressemblait à une feuille d'acanthe, un bas-relief de rouleaux, peut-être. Noah le porta à sa gorge et le tint là comme une amulette. Il évitait le regard des deux garçons, mais son genou touchait celui de Blue.

— Je veux que vous sachiez, dit-il en pressant fortement l'os gravé contre sa pomme d'Adam comme pour s'extraire les mots de la gorge. J'étais... j'existais *plus que ça* avant ma mort.

Adam se mâchonna la lèvre sans savoir quoi répondre, mais Blue songea qu'elle comprenait ce à quoi Noah faisait allusion. Il ressemblait à sa photo au sourire en biais sur le permis de conduire que Gansey avait trouvé dans son portefeuille, comme une photocopie ressemble à son original, et Blue ne pouvait se représenter le Noah qu'elle connaissait au volant de cette Mustang rutilante.

— Ne t'inquiète pas, tu es bien comme tu es, le rassura-t-elle. Tu m'as manqué !

Noah tendit la main avec un pâle sourire et lui tapota les cheveux du même geste qu'avant. Elle sentait à peine le contact de ses doigts.

— Hé, mec ! lança Ronan. T'as refusé je ne sais combien de fois de me passer tes notes en me disant que je devais assister aux cours, et toi, tu les séchais *tous* !

— Mais si, tu allais en cours, n'est-ce pas, Noah ? l'interrompit Blue, qui pensait à l'écusson d'Aglionby trouvé sur son corps. Tu étais un élève de l'académie.

— Je suis un élève d'Aglionby, dit Noah.

— Tu l'*étais*, objecta Ronan. Tu ne vas pas en cours.

— Toi non plus, répliqua Noah.

— Et lui aussi, il est sur le point de l'*avoir été,* coupa Adam.

— Du calme ! cria Blue en levant les mains. (Elle commençait à avoir très froid, à force de rester assise près de Noah qui absorbait son énergie, et n'avait aucune envie de finir totalement épuisée, comme après le cimetière.) La police dit que cela fait sept ans que tu as disparu. Ça te paraît exact ?

Noah la regarda en clignant les paupières, d'un air vague et angoissé.

— Je ne... je ne peux pas...

Blue tendit la main.

— Prends-la. Quand j'assiste aux séances de ma mère et qu'elle a besoin de se concentrer, elle me tient la main. Peut-être que ça t'aidera, toi aussi.

Noah tendit à son tour une main hésitante. Il posa sa paume contre celle de Blue, qui fut choquée par le froid qui s'en dégageait. La main de Noah n'était pas seulement fraîche, elle semblait vide, aussi, comme une peau sans pouls.

Je t'en prie, Noah, ne meurs pas pour de bon !

Il laissa échapper un énorme soupir.

— Seigneur !

Sa voix avait changé et ressemblait maintenant plus à celle du Noah que Blue connaissait, du Noah de la bande de garçons, et Blue comprit, en voyant Adam et Ronan échanger un regard aigu, qu'ils l'avaient remarqué eux aussi.

Elle regarda la poitrine de Noah s'élever et s'abaisser de plus en plus calmement au fur et à mesure que son souffle devenait plus régulier. Elle ne s'était pas rendu compte qu'il respirait, avant.

Noah ferma les yeux. Il tenait toujours mollement l'os gravé de sa main libre, posée paume vers le haut sur ses mocassins.

— Je me souviens de mon bulletin scolaire, des notes que j'ai eues, de la date inscrite dessus – il y a sept ans.

Sept ans. La police ne s'était pas trompée. Ils parlaient avec un garçon qui était mort depuis sept ans.

— La même année que celle où Gansey a été piqué par les frelons, dit Adam doucement. *Tu vivras grâce à Glendower. Quelqu'un d'autre sur la ligne est en train de mourir quand son heure n'est pas venue, tu vivras donc alors que la tienne l'était.*

— Pure coïncidence, dit ironiquement Ronan, car ce n'en était pas une.

Noah n'avait pas rouvert les yeux.

— C'était censé faire quelque chose à la ligne de ley. Il a expliqué quoi, mais je ne m'en souviens plus.

— La réveiller, suggéra Adam.

Noah approuva de la tête, les paupières toujours closes. Le bras de Blue était complètement gelé et engourdi.

— Oui, c'est ça ! Je m'en fichais. C'était toujours son truc qui comptait, et je le suivais parce que je n'avais rien de mieux à faire. Je ne savais pas qu'il allait...

— C'est le rituel dont parlait Gansey, dit Adam à Ronan. Quelqu'un l'a *vraiment* tenté, en faisant un sacrifice, un moyen symbolique d'entrer en contact avec la ligne de ley. Et c'était toi, Noah, l'offrande, pas vrai ? Quelqu'un t'a tué.

— Mon visage, murmura doucement Noah, qui détourna la tête et enfouit sa joue défoncée dans son épaule. Je n'arrive pas à me souvenir de l'instant où j'ai cessé de vivre.

Blue frissonna. La lumière de l'après-midi finissant sur le plancher et les garçons était celle d'un printemps, mais, dans ses os, Blue se sentait comme en hiver.

— Mais ça n'a pas marché, dit Ronan.

— J'ai presque réussi à réveiller Cabeswater, murmura Noah. On y était presque, on n'a pas fait tout ça pour rien. Mais il ne le sait pas, et je suis content qu'il ne s'en soit jamais rendu compte.

Blue frissonna, à la fois à cause de la main glacée de Noah dans la sienne et de l'horreur de son récit, et se demanda si c'était cela que ressentaient sa mère, sa demi-tante et les amies de sa mère quand elles faisaient une séance de voyance ou qu'elles tiraient les cartes.

Est-ce qu'elles tiennent la main des morts ?

Elle avait cru que la *mort* serait un état plus permanent, moins manifestement vivant, mais Noah semblait aussi incapable de l'un que de l'autre.

— Bon, dit Ronan, on n'a plus le temps de pinailler. Qui t'a fait ça, Noah ?

La main de Noah frémit dans celle de Blue.

— Sérieusement, mec, crache le morceau ! Je ne te demande pas de me passer ton cahier, je te demande seulement qui t'a défoncé le crâne !

Il parlait avec une sorte de colère qui incluait Noah et qui faisait de lui aussi un coupable.

— On était amis, répondit Noah d'un ton humilié.

— Un ami ne t'aurait pas tué, objecta Adam plus férocement.

— Vous ne comprenez pas, chuchota Noah − et Blue, qui comprenait qu'il avait porté ce secret pendant sept ans et répugnait encore à le révéler, eut peur de le voir disparaître. Il avait tout perdu, il était bouleversé ! S'il avait pu penser clairement, je ne crois pas qu'il aurait... il n'avait pas l'intention de... nous étions amis. Vous avez peur de Gansey, vous ?

Les garçons ne répondirent pas. Quoi que Gansey puisse représenter pour eux, il restait intouchable. Blue vit pourtant de nouveau une expression de honte traverser furtivement le visage d'Adam. Elle ne savait pas ce qui s'était passé entre eux deux près du chêne-rêve, mais il était clair que la vision d'Adam le tourmentait toujours.

— Allez, Noah, donne-nous un nom ! dit Ronan, la tête penchée et l'air non moins avide que Tronçonneuse. Qui t'a tué ?

Noah releva la tête et ouvrit les yeux. Il retira sa main de celle de Blue et la mit sur ses genoux. L'air alentour était glacial. Ronan couvrait d'une main, d'un geste protecteur, la tête du corbeau niché dans sa paume.

— Mais vous le savez déjà ! répondit Noah.

CHAPITRE 33

Il faisait nuit quand Gansey quitta la maison de ses parents, et il se sentait déborder de cette énergie bouillonnante et insatisfaite qui semblait agiter son cœur après chacune de ses visites, ces derniers temps. Cela avait quelque chose à voir avec le fait de savoir que la maison de ses parents n'était plus vraiment son foyer – pour autant qu'elle l'ait jamais été – et aussi avec celui de prendre conscience qu'il avait changé, mais pas eux.

Tout en conduisant, Gansey baissa la vitre de la Camaro et mit la main dehors. Une fois de plus, la radio ne marchait pas, la seule musique était le ronflement du moteur. Tête de lard semblait toujours plus bruyante une fois la nuit tombée.

Sa conversation avec Pinter le tourmentait. Corruption, on en était arrivé là. Il avait honte. Malgré tous ses efforts, il réagissait toujours en Gansey.

Mais que faire d'autre, pour que Ronan reste à Aglionby et à Monmouth ? Gansey passa mentalement en revue les points principaux de sa conversation à venir avec lui, et tous lui parurent des arguments que son ami n'écouterait pas. Était-ce vraiment si difficile pour lui d'assister aux cours et de survivre à encore une année d'école ?

Il restait une demi-heure de trajet avant d'arriver à Henrietta. Dans une toute petite agglomération, qui consistait en tout et pour tout en une station-service baignant dans une violente lumière artificielle, Gansey fut arrêté à un carrefour désert par un feu de signalisation qui avait soudain tourné au rouge.

Tout ce qu'on demandait à Ronan, c'était d'aller en cours, de lire les textes au programme et de réussir l'examen. Ensuite, il serait libre, Declan lui donnerait son argent et il pourrait n'en faire qu'à sa tête.

Gansey consulta son portable. Pas de réseau. Il voulait parler à Adam.

Le vent qui entrait par la vitre baissée apportait dans l'habitacle une odeur de feuilles et d'eau, de choses qui croissaient et de secrets. Gansey brûlait d'envie de retourner à Cabeswater et d'y rester un moment, mais ses cours allaient l'occuper toute la semaine – après sa conversation avec Pinter, ni Ronan ni lui ne pouvaient se permettre de sécher – et il lui faudrait tous les soirs contraindre Ronan à faire ses devoirs. Le monde s'ouvrait devant Gansey, Noah avait besoin de lui, Glendower semblait redevenir une possibilité et, juste à ce moment-là, au lieu d'aller saisir sa chance, il devait rester à la maison pour s'occuper d'un gosse. *Fichu Ronan !*

Le feu passa au vert. Gansey appuya sur l'accélérateur si fort que les pneus fumèrent en couinant. Tête de lard s'emballa. *Fichu Ronan !* Il enchaînait successivement les vitesses et fonçait toujours plus vite. Le bruit du moteur noyait le martèlement de son cœur. *Fichu Ronan !* L'aiguille escaladait le compteur. Elle frôla la zone rouge.

Il avait atteint la limite de vitesse autorisée, mais la voiture avait encore des réserves. Il faisait frais, le moteur tournait bien, tout était simple et rapide, et Gansey avait terriblement envie de voir ce qui se produirait au-delà.

Il se domina, avec un soupir saccadé.

À sa place, Ronan aurait continué. Le hic avec Ronan, c'était qu'il n'avait pas de limites, qu'il ne connaissait pas la peur. Si ça avait été lui à l'instant, il aurait écrasé la pédale de l'accélérateur à fond, jusqu'à ce que la route, un flic ou un arbre l'arrête. Gansey aurait bien voulu pouvoir dire à Ronan que, s'il se faisait virer, c'était son problème, mais il savait que l'argument n'aurait pas porté.

Et il était incapable de se conduire comme ça.

Soudain, la Camaro tressaillit. Gansey relâcha l'accélérateur et inspecta du regard les jauges mal éclairées sans rien remarquer d'anormal. Puis la voiture fut secouée d'un nouveau hoquet, et il comprit qu'elle n'irait pas beaucoup plus loin.

Exactement comme le jour de la Saint-Marc, il eut juste le temps de trouver un endroit assez plat où se ranger avant que le moteur n'expire. Tête de lard cahota sur sa lancée sur une portion de route abandonnée. Gansey tourna et retourna en vain la clef dans le contact.

Il s'autorisa la maigre satisfaction d'un juron lancé à mi-voix, en choisissant le pire de tous ceux qu'il connaissait, puis sortit de la voiture et ouvrit le capot. Adam lui avait enseigné les bases : changer les bougies et l'huile. S'il avait vu une courroie détachée ou un morceau de tuyau sectionné de frais dépasser des entrailles de Tête de lard, peut-être aurait-il pu y remédier, mais, en la circonstance, le moteur demeurait une énigme.

Il tira son portable de sa poche arrière. Il captait un tout petit peu de réseau, juste assez pour le narguer, mais pas assez pour passer un coup de fil. Il fit à plusieurs reprises le tour de la voiture, le téléphone brandi au-dessus de sa tête, telle la statue de la Liberté. Rien.

Gansey se souvint alors, non sans une certaine amertume, que son père lui avait proposé de prendre la Suburban pour rentrer.

Il ne savait pas exactement combien de kilomètres il avait parcouru depuis le feu rouge à la station-service, mais il avait l'impression d'être assez près de Henrietta. En se mettant à marcher en direction de la ville, peut-être capterait-il du réseau avant de rencontrer un garage. Ou valait-il mieux rester ici et patienter encore un petit moment ? Parfois, quand Tête de lard faisait des siennes, elle repartait peu après, une fois le moteur refroidi.

Mais Gansey se sentait trop nerveux pour rester assis à attendre.

Il finissait de verrouiller la voiture quand il fut aveuglé par des phares qui arrivaient derrière la Camaro. Il détourna la tête et entendit une portière claquer et des pas crisser sur les gravillons du bas-côté.

Une silhouette de gnome se profila brièvement devant lui, puis Gansey reconnut l'homme.

— Monsieur Whelk ?

Barrington Whelk portait un veston de couleur sombre et des chaussures de sport. Ses traits trop grands pour son visage lui donnaient un air d'intensité étrange, comme si une question qu'il ne parvenait pas à formuler le démangeait.

Il ne salua pas Gansey, il ne lui demanda pas s'il était en panne et ne dit aucune des choses auxquelles Gansey s'attendait.

— Donnez-moi votre carnet ! ordonna-t-il. Et votre portable, aussi !

Gansey n'en crut pas ses oreilles.

— Quoi ?

Whelk tira de la poche de sa veste un pistolet qui paraissait incroyablement réel.

— Je veux ce carnet que vous apportez en cours et votre portable. Dépêchez-vous !

Gansey restait stupéfait devant l'arme. Il trouvait difficile de passer de l'affreux Barrington Whelk si amusant à tourner en ridicule avec Ronan et Adam à l'affreux Barrington Whelk braquant une arme sur lui.

— Bon, d'accord, dit-il en clignant des paupières.

Il n'avait pas le choix, semblait-il. Il préférait sa vie à toutes ses autres possessions, à l'exception peut-être de la Camaro, et Whelk ne la lui avait pas demandée. Gansey lui tendit son portable.

— Mon carnet est dans la voiture, expliqua-t-il.

— Allez le chercher ! ordonna Whelk en pointant le pistolet sur sa tête.

Gansey déverrouilla les portes de la Camaro.

La dernière fois qu'il avait vu son professeur de latin, c'était pour lui rendre un contrôle sur la quatrième déclinaison des noms.

— Inutile de songer à démarrer et à fuir, prévint Whelk.

Gansey n'avait même pas pensé que, si Tête de lard avait coopéré, il aurait pu s'échapper.

— Je veux également savoir où vous êtes allés cette semaine.

— Pardon ? demanda Gansey poliment.

Il fouillait dans les affaires sur la banquette arrière à la recherche de son carnet, et des froissements de papier avaient noyé la voix de Whelk.

— Ne me poussez pas à bout ! aboya celui-ci. La police a téléphoné à Aglionby. Je n'arrive toujours pas à y croire, après sept ans ! Maintenant, ils vont se mettre à poser des quantités de questions, et il ne leur faudra pas plus de *deux secondes* pour répondre à la plupart d'entre elles avec mon nom. C'est entièrement votre faute. Il y a sept ans, et moi, je croyais… je suis fichu à présent, fichu à cause de vous !

Gansey s'extirpait de la Camaro, son carnet à la main, quand il prit soudain conscience de ce que Whelk lui disait : Noah. Cet homme avait tué Noah !

Gansey sentit s'éveiller en lui une chose qui ne ressemblait toujours pas à de la peur, mais plutôt à une tension extrême, comme un pont de cordes près de se rompre, et il eut l'impression que rien dans sa vie n'avait été réel avant cet instant.

— Monsieur Whelk, …

— *Dites-moi où vous êtes allés !*

— Dans les montagnes, près de Nethers, répondit-il d'une voix lointaine.

C'était la stricte vérité, mais il importait peu qu'il mente ou ne mente pas, puisqu'il avait noté les coordonnées GPS de l'endroit dans le carnet que réclamait Whelk.

— Qu'y avait-il là-bas ? Avez-vous trouvé Glendower ?

Gansey tiqua, ce qui le surprit. Il avait plus ou moins réussi à se convaincre que Whelk poursuivait autre chose, un but plus logique, et la mention du nom de Glendower l'ébranla.

— Non. Nous avons vu un dessin tracé au sol.

Whelk tendit la main vers le carnet. Gansey déglutit.

— Êtes-vous bien sûr, monsieur Whelk, que ce soit la seule façon de procéder ?

Il y eut un petit déclic sans la moindre ambiguïté, un claquement sec que des heures passées à regarder des films d'action et d'aventures et à jouer à des jeux vidéo avaient appris à Gansey à reconnaître. Il l'entendait pour la première fois en vrai dans sa vie, mais savait exactement quel est le bruit d'un cran de sûreté qu'on libère.

Whelk appuya le canon de son arme contre le front de Gansey.

— Non, répondit-il. Voici l'autre !

Gansey ressentit la même impression de détachement qu'il avait eue à la manufacture, quand il fixait la guêpe : il percevait simultanément la réalité – l'arme d'un froid tranchant pressée contre sa peau, juste au-dessus de ses sourcils – et ses prolongements possibles : le doigt de Whelk qui reculait, la balle qui trouait son front, et sa mort, sans retour à Henrietta.

Son carnet pesait dans ses mains. Il n'en avait pas besoin, il n'ignorait rien de ce qui y était consigné, mais ce carnet, c'était *lui*. Il s'apprêtait à céder à Whelk le travail de toute sa vie.

J'en remplirai un autre.

— Si vous me l'aviez demandé, tout simplement, dit Gansey, je vous aurais volontiers raconté tout ce qui est écrit là. Cela n'a rien de secret.

Le pistolet trembla contre le front de Gansey.

— Comment osez-vous discuter avec moi, quand je tiens un pistolet contre votre tête ?

— C'est comme ça que vous savez que je dis la vérité ! répliqua Gansey, qui laissa Whelk lui prendre son carnet sans opposer de résistance.

— Vous me dégoûtez ! dit ce dernier en serrant le petit volume contre lui. Vous vous croyez invincible ! Eh bien, figurez-vous que moi aussi, je pensais l'être !

Gansey sut alors que Whelk allait le tuer. Avec tant de haine et d'amertume dans la voix, il était impossible de tenir une arme sans appuyer sur la détente.

Les traits de Whelk se durcirent.

Un instant, le temps se figea, et il ne resta plus que l'espace entre un souffle et le suivant.

Sept mois auparavant, Ronan avait appris à Gansey à donner un coup de poing.

Frappe de tout ton corps, et pas seulement du poing.

Regarde l'endroit que tu vises.
Ton coude à angle droit.
Ne pense pas à la douleur.
Gansey, je t'ai dit : ne pense pas à la douleur !
Son poing partit.

Il avait oublié presque tous les enseignements de Ronan, mais il pensa à regarder, et grâce à cela – et à la chance – il heurta l'arme, qui vola dans les gravillons du bas-côté.

Whelk poussa un hurlement.

Tous deux plongèrent pour s'emparer du pistolet. Gansey trébucha et donna un grand coup de pied à l'aveuglette dans sa direction. Il sentit qu'il heurtait le bras de Whelk, puis un objet plus compact, et le pistolet glissa, projeté vers les roues arrière de la Camaro. Gansey se précipita de l'autre côté, là où la lumière des phares de la voiture de Whelk ne l'atteignait pas. Il ne songeait qu'à se mettre à l'abri et à se fondre silencieusement dans l'obscurité.

Ne voulant produire aucun bruit, Gansey s'efforça de respirer plus calmement et posa la joue contre le métal chaud de la carrosserie de Tête de lard. Une douleur sourde pulsait dans son pouce là où il avait heurté le pistolet.

Ne respire plus.

Au bord de la route, Whelk poussa toute une série de jurons. Le gravier crissa quand il s'accroupit près de la voiture. Il ne retrouvait pas l'arme. Il jura encore.

Un moteur ronfla dans le lointain. Une voiture approchait, et avec elle peut-être de l'aide, ou du moins un témoin.

Whelk resta immobile un moment en silence, puis partit soudain en courant. Le bruit de ses pas décrut peu à peu tandis qu'il regagnait sa propre voiture.

Gansey baissa la tête et jeta un coup d'œil sous Tête de lard, qui refroidissait en cliquetant. Entre les roues arrière, sous le pinceau de lumière rasante des phares de Whelk, il distinguait la mince silhouette de l'arme.

Il se demandait si Whelk avait battu en retraite, ou s'il était parti chercher une torche électrique. Il s'enfonça dans l'ombre et attendit. Son cœur battait précipitamment à ses oreilles, et des brins d'herbe lui chatouillaient le cou.

La voiture de Whelk gronda en dévalant la route vers Henrietta.

Gansey se laissa aller en arrière dans l'herbe du fossé et resta longtemps allongé, à écouter le bourdonnement des insectes dans les arbres alentour et les soupirs de Tête de lard. Son pouce commençait à lui faire vraiment mal, toutefois il lui fallait reconnaître qu'il s'en était bien tiré. Mais il avait mal tout de même.

Et son carnet ! Il ne pouvait y penser sans se sentir les nerfs à vif : on l'avait dépouillé de la chronique de sa passion.

Whelk ne revenait pas. Gansey se leva et contourna la Camaro. Il se mit à genoux, rampa aussi loin qu'il le pouvait sous la voiture et accrocha la crosse du pistolet de son pouce valide. Puis il remit avec précaution le cran de sûreté en place. Il entendait encore la voix de Blue quand ils avaient découvert le corps de Noah : *Pense aux empreintes !*

Gansey se mouvait comme dans un rêve. Il ouvrit la portière, s'installa au volant et laissa tomber l'arme sur le siège passager. Il avait l'impression de vivre une autre nuit, dans une autre voiture, et qu'un autre avait quitté la maison de ses parents.

Il ferma les paupières et tourna la clef dans le contact.

Tête de lard toussa et crachota, puis le moteur se mit en marche.

Gansey rouvrit les yeux. La nuit ne ressemblait en rien à celle d'avant.

Il alluma les phares et conduisit jusqu'à la route. Il accéléra peu à peu pour tester le moteur : l'engin tournait sans hoquets.

Il écrasa alors la pédale contre le plancher et fonça vers Henrietta. Whelk avait tué Noah et se savait grillé. Où qu'il aille, il n'avait plus rien à perdre.

CHAPITRE 34

Blue n'avait jamais vraiment raffolé du grenier, même avant que Neeve s'y installe. Les plafonds mansardés étaient autant d'occasions de se cogner la tête, les lattes de bois brut du plancher, semées de zones rapiécées de panneaux de contreplaqué, lui étaient désagréables quand elle marchait pieds nus, et la pièce devenait en été une fournaise. En outre, il n'y avait rien là-haut, hormis de la poussière et des guêpes. Maura avait horreur des objets qui s'accumulent, et tout ce qui n'avait plus d'utilité dans la maison était aussitôt donné aux voisins ou à une association caritative. Blue n'avait donc aucune raison de monter au grenier.

Jusqu'alors.

Comme il se faisait tard, Blue avait quitté Monmouth, laissant Ronan, Adam et Noah qui discutaient de la mort de ce dernier. Cinq minutes après son retour, Adam l'avait appelée pour lui dire que Noah avait disparu dès qu'elle était partie.

Ce devait donc être vrai. Elle était *réellement* comme la table la plus convoitée de Starbucks.

— On dispose d'environ une heure, je pense, dit Calla, alors que Blue ouvrait la porte de l'escalier du grenier. Maura et Neeve doivent rentrer vers minuit. Laisse-moi passer devant, juste au cas où...

Blue leva un sourcil.

— Tu crois qu'elle cache quoi, là-haut ?

— Je ne sais pas.

— Des furets ?

— Ne sois pas ridicule !

— Des sorciers ?

Calla se faufila devant Blue et commença à monter les marches. La lumière de l'unique ampoule du grenier laissait la plus grande partie de l'escalier dans l'ombre. L'air autour d'elles était lourd et sentait plutôt mauvais. Blue n'arrivait pas à identifier exactement l'odeur, mais elle lui rappelait des choses familières, comme les pieds ou des oignons pourrissants.

— Ça pue le soufre, dit-elle, ou le cadavre !

En repensant à l'horrible voix de Neeve l'autre soir, aucun des deux ne paraissait invraisemblable.

— Ça sent l'ase fétide, rectifia Calla d'un ton sévère.

— Qu'est-ce que c'est ?

— Une chose délicieuse dans le curry, ou très utile en sorcellerie.

Blue essayait de respirer par la bouche. Il était difficile d'imaginer qu'une chose qui empestait le pied de macchabée d'une façon si convaincante puisse être délicieuse dans quoi que ce soit.

— Tu penses qu'il s'agit duquel ?

— Sans doute pas du curry, répondit Calla.

Maintenant qu'elle avait atteint le sommet de l'escalier, Blue voyait que Neeve avait transformé le grenier en un endroit très différent de celui dont elle avait gardé le souvenir. Un matelas jonché de couvertures et de plaids étalés était posé à même le sol, et des bougies éteintes de diverses longueurs, des bols sombres et des verres pleins d'eau étaient regroupés çà et là. Des lignes de ruban adhésif de couleur vive traçaient des formes sur le plancher entre certains des objets. Près des pieds de Blue, la tige à demi brûlée d'une plante reposait sur une assiette poudrée de cendre. De chaque côté de l'une des étroites lucarnes, deux grands miroirs dressés face à face se renvoyaient à l'infini leur image.

Et il faisait froid. Le grenier n'aurait pas dû être si froid, après la chaleur de la journée.

— Ne touche à rien ! dit Calla.

Blue songea que la phrase ne manquait pas d'ironie, compte tenu de la raison de leur présence.

Elle ne toucha à rien, mais alla examiner la statue d'une femme qui avait des yeux sur le ventre. La pièce tout entière lui flanquait la frousse.

— Neeve doit vraiment aimer ça, le curry !

Une marche grinça derrière elles. Calla et Blue sursautèrent de conserve.

— Je peux entrer ? demanda Persephone.

La question était superflue, dans la mesure où c'était déjà fait. Persephone se tenait en haut de l'escalier, vêtue d'une robe de dentelle que Blue avait faite pour elle, et avait les cheveux relevés et fermement attachés, ce qui signifiait qu'elle avait retroussé ses manches et ne craignait pas de se salir les mains.

— *Persephone !* tempêta Calla, remise de sa surprise et à présent furieuse seulement de l'avoir éprouvée. Tu devrais faire un peu de bruit, quand tu entres quelque part.

— J'ai fait grincer une marche, se défendit Persephone. Maura a dit qu'elle rentrerait à minuit, il faut que vous ayez fini avant.

— Elle est au courant ? demandèrent Blue et Calla d'une même voix.

Persephone s'accroupit pour regarder un masque de cuir noir au long bec pointu.

— Vous ne pensiez tout de même pas qu'elle allait gober votre histoire de film de nains, non ?

Calla et Blue échangèrent un regard, et Blue songea à ce que cela impliquait : Maura n'avait pas moins envie qu'elles deux d'en savoir plus sur Neeve.

— Avant qu'on commence, lança Blue, je voudrais bien qu'on m'explique *comment* Neeve a pu justifier sa présence à Henrietta.

Calla se déplaça dans la pièce en se frottant les mains comme pour se réchauffer, ou comme si elle se demandait quel objet elle allait ramasser en premier.

— Rien de plus simple : ta mère l'a fait venir pour trouver ton père.

— Pas exactement, intervint Persephone. Maura m'a dit que c'était Neeve qui était venue le lui proposer, et qu'elle lui a dit qu'elle pourrait peut-être le localiser.

— Juste comme ça ? demanda Calla en prenant une bougie. Ça me paraît bizarre.

Blue croisa les bras.

— Il y a encore plein de détails qui me manquent, là.

Calla fit passer la bougie de sa main gauche à la droite, avant de lâcher :

— Pour résumer, ton père est apparu il y a dix-huit ans, il a tourné complètement la tête à ta mère, l'a transformée en amie totalement inutile pendant un an, lui a fait un enfant et s'est éclipsé après ta naissance. Comme il était à la fois beau gosse et astucieux, j'ai supposé que c'était un petit truand avec un casier.

— Calla ! tança Persephone.

— Ça ne me dérange pas, dit Blue. (Comment, en effet, le passé d'un complet étranger aurait-il pu la perturber ?) Je veux juste connaître les faits.

Persephone secoua la tête.

— Tu es vraiment obligée de te montrer si raisonnable ?

Blue haussa les épaules.

— Que te dit cette bougie ? demanda-t-elle à Calla.

Calla écarta un peu la bougie et plissa les paupières.

— Seulement qu'elle a été utilisée pour un sortilège d'exploration. Pour localiser des objets, ce qui n'a rien de surprenant.

Tandis que Calla fouillait parmi d'autres objets, Blue songea à ce qu'elle venait d'entendre à propos de son père. Elle découvrit que cela n'entamait pas l'affection infondée qu'elle lui portait, et qu'en outre elle était contente de le savoir beau gosse.

— J'ai entendu maman parler à Neeve de chercher son nom sur Internet.

— Ça me paraît plausible, juste par curiosité, dit Calla. Ce n'est pas comme si Maura se languissait de lui.

— Oh, je n'en suis pas si sûre, murmura Persephone.

Blue dressa l'oreille.

— Attends, tu penses que ma mère est toujours amoureuse de… comment il s'appelle ?

— Mon loulou, répondit Calla, et Persephone s'esclaffa, se remémorant de toute évidence Maura amoureuse.

— Je refuse de croire que maman ait pu appeler un homme *mon loulou !* s'indigna Blue.

— Oh que si ! Sans parler de *chéri* (Calla prit un bol vide posé sur le sol. Un dépôt restait au fond, comme s'il avait jadis contenu un liquide plutôt dense, du pudding, peut-être, ou bien du sang)… et de *mon lapinou !*

— Ça, tu l'inventes ! protesta Blue, malade de honte.

Ses efforts pour contenir son hilarité avaient légèrement empourpré Persephone, qui secoua la tête. Les grosses mèches échappées de son chignon lui donnaient un air de rescapée d'une tornade.

— Hélas, non, dit-elle.

— Comment peut-on en arriver à appeler quelqu'un... ?

— Utilise ton imagination ! rétorqua Calla, se tournant vers Blue les sourcils froncés, avec une mimique qui déclencha chez Persephone un fou rire irrépressible.

Blue croisa les bras.

— Si vous le dites !

Son sérieux vint à bout du peu de sang-froid qui restait aux deux autres, qui se mirent à échanger en pouffant les autres surnoms affectueux forgés par Maura dix-huit ans auparavant.

— Nous n'avons que trois quarts d'heure ! intervint Blue d'un ton sévère. Mets ta main là-dessus, Calla !

Elle désignait du doigt les miroirs. Ils lui paraissaient les plus inquiétants de tous les objets étranges dans la pièce, et cela lui semblait une raison aussi valable qu'une autre de commencer par là.

Calla réprima un dernier accès de rire et s'approcha de la lucarne. L'inutilité absolue de deux surfaces réfléchissantes tournées l'une vers l'autre avait un côté déconcertant.

— Ne te mets pas au milieu ! prévint Persephone.

— Je ne suis pas complètement stupide ! répliqua Calla.

— Pourquoi il ne faut pas se mettre au milieu ? demanda Blue.

— Qui sait ce que Neeve fabrique avec ces miroirs ? Je ne tiens pas à retrouver mon âme en bouteille dans une autre dimension, ou un truc du même acabit !

Calla saisit le bord du miroir le plus proche, en prenant soin de rester en dehors du champ de réflexion de l'autre. Fronçant les sourcils, elle fit signe à Blue d'approcher. Celle-ci avança docilement d'un pas et la laissa presser les doigts sur son épaule.

Pendant un instant le silence régna, hormis le bruit des insectes sur la vitre.

— Notre petite Neeve ne manque pas d'ambition, grommela finalement Calla en serrant des doigts et Blue et le cadre du miroir. Il semblerait qu'elle ne soit pas encore assez célèbre à son goût. Les émissions de télévision, c'est pour les gens insignifiants !

— Épargne-nous tes sarcasmes, Calla, intervint Persephone. Dis-nous plutôt ce que tu vois.

— Je la vois debout entre ces miroirs, elle porte ce masque noir qui est là-bas. Elle est sans doute là où elle était avant de venir ici, parce qu'elle a quatre miroirs : deux plus grands sont placés derrière ces deux-ci. Je vois Neeve dans chacun des quatre, et dans tous elle porte le masque, mais chaque reflet a l'air différent. L'un a maigri, l'autre est vêtu de noir, et on dirait qu'il y a quelque chose qui cloche avec sa peau du troisième. Je ne sais pas exactement ce que... Il se peut que les reflets correspondent à autant de possibilités. (Calla se tut, et Blue frissonna un peu à l'idée de quatre Neeve différentes.) Apporte-moi le masque ! Non, pas toi, Blue ! Reste où tu es ! Persephone ?

Persephone alla le chercher et le tendit avec précaution à Calla. Il y eut un nouveau silence tandis que celle-ci déchiffrait l'objet.

— Neeve était démoralisée lorsqu'elle a acheté cet objet, dit Calla. Je crois qu'un de ses livres avait eu de mauvaises critiques, ou peut-être une de ses émissions. Toujours est-il qu'elle avait vu les chiffres, et qu'ils étaient décevants. Oui, je vois distinctement des nombres la préoccuper alors qu'elle achète ce masque. Elle pensait à Leila Polotsky.

— Qui est-ce ?

— Un médium plus célèbre que Neeve, répondit Calla.

— Je ne savais pas que ça existait ! s'étonna Blue.

Une émission de télévision et quatre ouvrages publiés lui semblaient le maximum qu'une voyante puisse espérer, dans ce monde d'incrédules.

— Oh, c'est tout à fait possible, affirma Calla. Demande à Persephone !

— Non, dit Persephone, sans que Blue sache si elle refusait qu'on lui pose la question ou si elle niait cette possibilité.

— Quoi qu'il en soit, poursuivit Calla, notre Neeve rêve de voyager dans le monde entier et d'être reconnue, et ce masque l'aide à visualiser son désir.

— Et à propos de sa venue à Henrietta ? demanda Blue.

— Je n'ai encore rien trouvé, j'ai besoin d'un meilleur objet.

Calla lâcha le miroir et raccrocha le masque à son clou sur le mur.

Elles explorèrent la pièce. Blue dénicha une tige faite de trois bouts de bois liés par un ruban rouge et un masque rouge, jumeau du masque noir. Près d'une lucarne, elle découvrit la source de l'affreuse odeur : un petit sac de toile cousu contenant quelque chose.

Elle le donna à Calla, qui le garda en main un petit moment avant de déclarer avec mépris :

— La fameuse ase fétide ! Un simple talisman de protection, qu'elle a confectionné après avoir été effrayée par un rêve.

Persephone s'accroupit sur ses talons et passa les mains dans l'air au-dessus d'un des bols, et sa façon d'étendre les paumes en gardant les doigts presque immobiles rappela à Blue le geste de Gansey au-dessus du petit étang de Cabeswater.

— Il reste beaucoup d'incertitudes dans tout ceci, n'est-ce pas, dit Persephone, c'est du moins ce que je ressens. Il se peut aussi que les choses soient en fait très simples, que Neeve soit effectivement venue aider Maura, mais qu'elle se soit laissé un peu emporter par Henrietta.

— À cause du chemin des morts ? demanda Blue. Je l'ai surprise dehors en pleine nuit, elle m'a dit qu'elle explorait et que l'énergie facilitait le travail des médiums de la région.

Calla ricana et se retourna pour fouiller dans les objets posés près du lit.

— Facilite et complique, dit Persephone. Elle est très forte, un peu comme si tu étais en permanence dans la pièce, Blue, et bruyante aussi, comme tes garçons, l'autre jour.

Mes garçons ! songea Blue, indignée, puis flattée, puis indignée de nouveau.

— Alors, Calla, où en es-tu ? demanda Persephone.

— Il y a onze mois, répondit celle-ci en gardant le dos tourné, un homme a téléphoné à Neeve pour lui demander si elle acceptait de se rendre à Henrietta, en Virginie, pour un voyage, tous frais payés. Pendant son séjour, elle devait mettre en œuvre tous les moyens dont elle disposait pour localiser une ligne de ley et un « lieu de pouvoir » dont il savait qu'il se trouvait dans la région, mais qu'il n'arrivait pas à découvrir. Neeve lui a répondu que son offre ne l'intéressait pas, mais, à la réflexion, elle s'est dit qu'elle pourrait aussi bien explorer elle-même cette éventualité et que, si elle proposait à Maura de l'aider à retrouver son ancien petit ami, celle-ci la laisserait sans doute s'installer chez elle.

Persephone et Blue avaient l'air pareillement stupéfaites.

— Incroyable ! s'exclama Blue.

Calla se retourna. Elle tenait un petit carnet, qu'elle agita dans leur direction.

— *Ça,* c'est l'agenda de Neeve !

— Au diable la technique, soupira Persephone, j'ai cru entendre une voiture. Je reviens tout de suite !

Tandis que Persephone redescendait l'escalier à pas non moins feutrés que quand elle l'avait gravi, Blue se glissa près de Calla et regarda par-dessus son épaule.

— Où tu as lu tout ça ?

Calla feuilleta en arrière les pages couvertes d'annotations de la main de Neeve en lui montrant des rappels de rendez-vous, de dates de publication et de déjeuners, puis remonta jusqu'aux mentions de l'homme en question. Tout correspondait à ce que Calla venait de leur raconter, à une omission près, une omission de taille : Neeve avait également noté le nom et le numéro de téléphone de l'homme.

Blue se sentit défaillir.

L'homme qui avait appelé Neeve tous ces mois auparavant portait un nom assez curieux, un nom que Blue connaissait bien à présent : Barrington Whelk.

De l'escalier s'éleva un unique grincement, et Persephone murmura quelque chose qui ressemblait à *hum*.

— C'était encore une entrée un peu sinistre, fit remarquer Calla en se retournant.

Persephone tenait ses mains jointes devant elle.

— J'ai deux mauvaises nouvelles, annonça-t-elle, et elle s'adressa à Blue : La première, c'est que tes amis Corbeaux sont là, et que l'un d'eux semble s'être cassé le pouce sur une arme.

Les marches craquèrent dans l'escalier, et Blue et Calla tressaillirent de conserve quand Neeve surgit près de Persephone et les fixa de son regard magistral.

— La seconde, acheva Persephone, c'est que Maura et Neeve sont rentrées plus tôt que prévu.

CHAPITRE 35

La cuisine était pleine de monde. La pièce n'avait jamais été vaste et, le temps que trois garçons, quatre femmes et une Blue y trouvent place, elle donnait l'impression de ne pas avoir été conçue avec assez de surface au sol. Adam aidait poliment Persephone à préparer le thé, ce qui l'obligea à demander successivement où étaient rangés les mugs, puis les cuillères et enfin le sucre. Ronan, pas moins agité qu'Adam était calme, arpentait la pièce et occupait à lui seul la place de trois personnes. Descendue par curiosité pour écouter la conversation, Orla fixa Ronan avec une admiration telle que Calla lui cria de décamper et de libérer le plancher.

Neeve et Gansey s'installèrent à la table de la cuisine. Adam et Ronan n'avaient pas changé depuis que Blue les avait vus pour la dernière fois, mais Gansey ne semblait plus le même. Elle essaya pendant toute une minute de trouver en quoi résidait la différence – un mélange, finit-elle par décider, entre ses yeux légèrement plus brillants et la peau qui les cernait un peu plus tendue.

Gansey posa son avant-bras à plat devant lui sur la table. Une attelle lui immobilisait le pouce.

— Quelqu'un voudrait bien m'enlever ce bracelet d'hôpital ? demanda-t-il avec une désinvolture crâne. Je me sens comme un invalide. S'il vous plaît !

Persephone lui tendit une paire de ciseaux, avant de reprocher à Blue :

— Je t'avais pourtant prévenue qu'il ne faut pas mettre son pouce dans sa main, quand on donne un coup de poing !

— Mais tu ne m'avais pas dit de le lui dire !

— Bon, intervint Maura, qui, sur le seuil de la pièce, se frottait le front des doigts, récapitulons : il est clair qu'il se passe certaines choses par ici. *Vous,* dit-elle en se tournant vers Gansey, vous me racontez que quelqu'un vient d'essayer de vous tuer. Selon *vous deux,* poursuivit-elle à l'adresse de Ronan et Adam, votre ami a été tué par l'homme qui vient d'essayer de tuer Gansey. *Vous trois,* dit-elle à Blue, Persephone et Calla, vous m'apprenez que Neeve a reçu un coup de téléphone de l'homme qui a tué cet ami et voulu tuer Gansey. Et *toi,* Neeve, tu me soutiens que tu n'as eu aucun contact avec lui depuis ce coup de fil.

Maura avait parlé à chacun tour à tour, mais tout le monde gardait les yeux fixés sur Neeve.

— Et toi, tu les as laissées fouiller mes affaires, rétorqua-t-elle.

À la surprise de Blue, sa mère n'eut pas l'air gênée, mais lui parut au contraire soudain grandie.

— Visiblement, je n'avais pas tort ! dit-elle. Je n'arrive pas à croire que tu m'aies menti ! Si tu voulais explorer le chemin des morts, pourquoi ne pas juste me demander ? Comment pouvais-tu être si sûre que j'aurais refusé ? Et, au lieu de ça, tu fais semblant de te consacrer à...

Elle s'interrompit et regarda Blue.

— À retrouver Lapinou, acheva celle-ci à sa place.

— Seigneur ! s'exclama Maura. Calla, c'est toi la coupable, je me trompe ?

— Un moment, intervint Blue, qui dut se concentrer très fort pour parvenir à ignorer le regard des garçons et poursuivre : Je crois que j'ai bien le droit de me sentir très en colère, moi aussi ! Pourquoi ne m'as-tu pas simplement dit que tu ne connaissais pas bien mon père, et que vous m'avez eue sans être mariés ? À quoi riment tous ces mensonges ?

— Jamais je ne pourrai prétendre que je ne le connaissais pas bien, répondit Maura d'une voix creuse – elle avait cette expression un peu trop émue que Blue n'aimait pas.

Blue détourna les yeux tout en continuant à s'adresser à sa mère :

— Comment sais-tu que je n'aurais pas été heureuse de connaître la vérité ? Je m'en *fiche,* moi, que mon père soit un raté appelé Lapinou ! Ça ne change rien dans ma vie, à cet instant.

— Ce n'est quand même pas son vrai nom, si ? demanda Gansey à Adam dans un murmure.

La voix invariablement calme de Neeve s'éleva dans la cuisine :

— La réalité est plus complexe que vous ne le supposez. Je consacrais *effectivement* une partie de mon temps à chercher le père de Blue, mais *pas seulement lui.*

— Alors, pourquoi toutes ces cachotteries ? interrogea Calla d'un ton sec.

Neeve fixa ostensiblement des yeux le pouce bandé de Gansey.

— Ma quête est périlleuse. Vous l'avez pressenti, vous aussi, puisque vous avez caché certaines choses à Blue.

— Blue n'est pas médium, intervint Maura d'un ton coupant. La plupart des choses que nous lui avons tues ne deviennent significatives que lors d'une voyance ou d'une exploration du chemin des morts.

— Moi non plus, vous ne m'en avez pas parlé, dit Gansey.

Il contemplait son pouce en fronçant les sourcils, et Blue comprit soudain ce qui avait changé en lui : il portait à présent une paire de lunettes à monture métallique, du type de celles qui passent d'ordinaire inaperçues, jusqu'à ce qu'on vous les montre. Les lunettes (ou peut-être son expression et son attitude générale à ce moment-là) le vieillissaient et lui donnaient un air plus sérieux. Blue ne le lui aurait jamais avoué, mais elle préférait de beaucoup ce Gansey-ci au beau garçon décoiffé et insouciant.

— Pendant la séance, poursuivit-il, quand j'ai posé des questions sur la ligne de ley, vous ne m'en avez rien dit !

Pour le coup, Maura eut l'air gênée.

— Comment étais-je censée savoir ce que vous en feriez ? Et où est cet homme, à présent ? Il s'appelle réellement Barrington ?

— Barrington Whelk ! répondirent Adam et Ronan en chœur en échangeant un regard moqueur.

— À l'hôpital, on m'a dit qu'il était recherché par la police de Henrietta *et* par celle de l'État, qu'il n'était pas chez lui et que tout portait à croire qu'il avait déménagé, dit Gansey.

— Ce qu'on appelle *prendre la tangente,* commenta Ronan.

— Vous pensez qu'il s'intéresse encore à vous ? demanda Maura.

Gansey secoua la tête.

— Je crois qu'il ne s'est jamais véritablement intéressé à *moi.* Je doute qu'il ait un plan précis. Il voulait mon carnet, et il veut Glendower.

— Mais il ne sait pas où Glendower se trouve ?

— *Personne* ne le sait, répondit Gansey. Un de mes confrères... (Ronan ricana, mais Gansey poursuivit :) au Royaume-Uni m'a parlé du rituel pour lequel Whelk a sacrifié Noah. Whelk pourrait vouloir faire une nouvelle tentative ailleurs. À Cabeswater, par exemple.

— Je crois qu'on devrait réveiller la ligne, dit Neeve.

Tout le monde se tourna vers elle de nouveau. Les mains croisées devant elle, elle semblait imperturbable, tel un océan de calme.

— J'ai pourtant cru comprendre que cela impliquait une mort ! objecta Calla.

Neeve inclina la tête.

— Pas nécessairement. Un sacrifice n'entraîne pas obligatoirement une mort.

Gansey semblait dubitatif.

— Même dans ce cas, Cabeswater est déjà un endroit assez étrange, alors je me demande ce que ça donnerait sur le reste de la ligne si on la réactivait !

— Je n'en suis pas très sûre, dit Neeve, mais je sais que ça arrivera. Je n'ai pas besoin de regarder mon bol pour le voir. (Elle se tourna vers Persephone.) Tu n'es pas de mon avis ?

Persephone cachait sa bouche en tenant son mug devant son visage.

— Si, je vois ça, moi aussi. Quelqu'un va *effectivement* réveiller la ligne dans les jours à venir.

— Et je ne pense pas que vous vouliez que ce soit M. Whelk, poursuivit Neeve. Quiconque réveillera le chemin des morts gagnera sa faveur, cela vaut autant pour le sacrificateur que pour sa victime.

— Comme Noah, tu veux dire ? l'interrompit Blue. Il n'a pourtant pas l'air très favorisé.

— D'après ce que j'ai cru comprendre, Noah partage physiquement un appartement avec ces garçons, fit remarquer

Neeve. Un sort bien préférable à l'existence habituelle d'un esprit, et que je considère comme une faveur.

Gansey passa pensivement un doigt sur sa lèvre inférieure.

— Je n'en suis pas si sûr. Le sort de Noah est lié à la ligne de ley, n'est-ce pas ? Quand son corps a été déplacé, il a perdu beaucoup de sa substance. En accomplissant le rituel, est-ce qu'on ne risque pas de subir le même sort, même en cas de sacrifice sans mort ? Il y a trop de choses qu'on ne sait pas, il vaut mieux empêcher Whelk de refaire le rituel. On pourrait donner à la police les coordonnées de Cabeswater.

— *NON !* protestèrent de conserve Maura et Neeve – mais Neeve attira à elle tous les regards en bondissant en même temps de sa chaise sur ses pieds.

— Je croyais que vous étiez allés à Cabeswater, dit-elle.

— Oui.

— Et vous n'avez rien ressenti, là-bas ? Vous voulez qu'on détruise cet endroit, vous voulez que des tas de gens viennent le piétiner ? Ça vous paraît un bon coin pour le tourisme ? C'est un lieu… *sacré !*

— Ce que je préférerais, c'est ne pas envoyer la police à Cabeswater, dit Gansey, et ne pas réveiller la ligne non plus. Je voudrais d'abord en apprendre plus sur Glendower, et ensuite le trouver.

— Et Whelk ? demanda Maura.

— Je ne sais pas, admit-il. Je n'ai pas envie d'y penser.

Plusieurs visages exaspérés se tournèrent vers lui.

— Vous n'allez pas le faire disparaître en l'ignorant, dit Maura.

— Je n'ai pas dit que c'est possible, répliqua Gansey sans détacher son regard de son attelle. Je parlais juste de ce que j'aimerais.

Il se rendait compte lui-même de la naïveté de sa réponse.

— Je vais retourner à Cabeswater, reprit-il. Whelk m'a pris mon carnet, je ne le laisserai pas s'emparer aussi de Glendower. Pas question pour moi d'abandonner Glendower, sous prétexte que Whelk est sur sa trace ! Et je vais arranger les choses pour Noah, d'une façon ou d'une autre.

Blue tourna les yeux vers sa mère, qui se contentait d'observer la scène les bras croisés.

— Je t'aiderai, dit-elle.

CHAPITRE 36

— Terminus, dit Ronan en tirant sur le frein à main. Retour à la case bercail pourri !

Dans le noir, la maison des Parrish ressemblait à une boîte d'un gris morne percée de deux fenêtres éclairées. Une silhouette derrière celle de la cuisine écarta le rideau pour observer la BMW. Ronan et Adam étaient seuls dans la voiture, car Gansey, qui avait conduit la Camaro de l'hôpital à Fox Way, la ramenait à la manufacture. L'arrangement se révélait commode dans la mesure où Adam et Ronan, qui pour une fois n'étaient pas à couteaux tirés, se sentaient l'un comme l'autre trop bouleversés par les événements de la journée pour entamer un nouveau conflit.

Adam attrapa sa sacoche sur la banquette arrière. C'était le seul cadeau qu'il ait jamais laissé Gansey lui faire, et encore, seulement parce qu'il n'en avait pas besoin.

— Merci de m'avoir ramené.

La silhouette trop reconnaissable du père d'Adam avait rejoint l'autre derrière la fenêtre. L'estomac du garçon se noua. Il serra les doigts sur la courroie de sa sacoche, mais resta dans la voiture.

— T'es pas obligé de descendre ici, mec !

Adam s'abstint de répondre. La remarque n'aidait pas.

— Tu n'as pas de devoirs à faire, par hasard ? demanda-t-il à Ronan.

Mais Ronan, le spécialiste des allusions perfides, y restait lui-même imperméable. Le tableau de bord éclairait son sourire d'une lueur impitoyable.

— Si, Parrish, il me semble bien !

Adam ne sortait toujours pas. Il n'aimait guère la façon dont la silhouette de son père s'agitait, mais ne trouvait pas non plus prudent de s'attarder, surtout dans *cette voiture,* et d'afficher ses fréquentations.

— Ils vont arrêter Whelk avant le cours de demain, à ton avis ? demanda Ronan. Parce que, si oui, je ne révise pas.

— S'il vient et qu'il assure son cours, je pense que le fait que tu aies travaillé ou non sera le cadet de ses soucis !

— Je ferais mieux de rentrer nourrir Tronçonneuse, dit Ronan après un temps de silence.

Il regarda le levier de vitesse d'un air vague.

— Je n'arrête pas de penser à ce qu'il serait arrivé si Whelk avait descendu Gansey, aujourd'hui, reprit-il.

Adam ne s'était pas autorisé à méditer la chose. Chaque fois que ses pensées se hasardaient dans cette direction, elles dépliaient en lui un coin sombre et acéré. Il trouvait difficile de se rappeler la vie à Aglionby avant l'arrivée de Gansey et gardait un souvenir lointain de moments pénibles, de solitude, et d'attentes jusque tard dans la nuit sur les marches de la maison, à cligner des paupières sous ses larmes en se demandant à quoi bon continuer. À l'époque – un peu plus d'un an et demi auparavant –, il était bien plus jeune.

— Mais il n'a pas tiré.

— Non, il n'a pas tiré, répéta Ronan.

— Une chance que tu aies appris à Gansey à boxer !

— Je ne lui ai jamais appris à se casser le pouce.

— C'est du Gansey tout craché, il fait tout en amateur.

— Ouais, un vrai naze, approuva Ronan, soudain rasséréné.

Adam hocha la tête. Il rassembla tout son courage.

— On se voit demain, merci encore.

Ronan détourna les yeux vers les champs plongés dans l'obscurité. Sa main tripotait le volant, il était visiblement préoccupé, mais impossible avec lui de deviner s'il songeait toujours à Whelk ou à tout autre chose.

— Pas de problème, mec. À demain !

Adam sortit de la voiture en poussant un soupir. Il cogna légèrement du poing sur le toit, et Ronan démarra sans hâte. Les étoiles brillaient d'un éclat vif et brutal.

Tandis qu'Adam gravissait les trois marches du perron, la porte d'entrée s'ouvrit, projetant ses jambes et ses pieds dans une zone de lumière. Campé sur le seuil, son père le toisa sans refermer le battant derrière lui.

— Bonsoir, papa, dit Adam.

— Épargne-moi tes fichus *bonsoir, papa !* répliqua son père, déjà furieux et sentant la cigarette, lui qui ne fumait même pas. C'est à minuit que tu rentres ? Tu cherches à me cacher que tu me mens ?

— Quoi ? demanda Adam prudemment.

— Ta mère a trouvé quelque chose dans ta chambre, aujourd'hui. Tu devines ce que c'est ?

Les genoux d'Adam se liquéfiaient peu à peu. Il s'efforçait toujours de dissimuler au mieux à son père sa vie à Aglionby. Robert Parrish pouvait avoir découvert plusieurs choses qu'il n'apprécierait guère, et ne pas savoir exactement sur quoi il avait mis la main était pour Adam une torture. Il évitait les yeux de son père.

Robert Parrish empoigna son fils par le col, l'obligeant à relever le menton.

— Regarde-moi, quand je te parle ! Ta mère a trouvé une fiche de paie, une fiche de paie de l'usine !

— Euh…

Réfléchis, Adam, vite ! Qu'est-ce qu'il a besoin d'entendre ?

— Je ne comprends pas ce que tu me reproches, dit Adam en essayant de garder un ton aussi neutre que possible bien qu'il n'ait pas le moindre espoir de s'en sortir, maintenant qu'il savait que c'était à propos de l'argent.

Son père le tira à lui jusqu'à ce que leurs visages se frôlent, et Adam sentit les mots directement dans son souffle.

— Tu as menti à ta mère sur combien tu gagnais !

— Je n'ai pas menti.

À peine avait-il fini de parler qu'Adam comprit son erreur.

— *Ne me regarde pas dans le blanc des yeux en me racontant des salades !* hurla son père.

Bien que sachant ce qui allait suivre, Adam ne leva pas le bras assez vite pour protéger son visage.

La main de son père heurta sa joue avec le bruit d'un marteau sur un clou dans le lointain. Adam se démena pour garder son équilibre, mais son pied manqua le bord de la marche et son père le laissa choir.

Le côté de sa tête percuta la balustrade dans un embrasement de lumière. Pendant une fraction de seconde, le temps explosa, et le blanc se décomposa en toutes les couleurs de l'arc-en-ciel.

Puis la douleur siffla dans son crâne.

Il gisait sur le sol, au pied des marches, sans le moindre souvenir de ce qui s'était passé entre le moment où sa tête avait donné contre la balustrade et celui où il avait touché terre. La poussière encroûtait son visage, il en avait jusque dans la bouche, et il lui fallut redémarrer successivement les mécanismes de son corps pour respirer, ouvrir les yeux et respirer encore.

— Allez, lève-toi ! lui ordonna son père d'un ton lassé. Debout, et que ça saute !

Adam se mit lentement à quatre pattes. Il se balança en arrière, s'accroupit et, les genoux collés au sol, attendit que ses oreilles cessent de bourdonner en continu. Il n'entendait qu'un sifflement sur une note ascendante.

Il vit les feux de freinage de la BMW s'allumer sur le chemin.

Va-t'en, Ronan !

— Tu ne me feras pas ce coup-là ! aboya Robert Parrish. Je ne vais pas te lâcher sous prétexte que tu t'es flanqué par terre. Je sais quand tu fais semblant, Adam, je ne suis pas idiot ! Quand je pense que tu gagnais plein de fric et que tu le gaspillais dans cette saloperie d'école ! Et, pendant tout ce temps, tu nous écoutais parler des notes d'électricité et de téléphone !

Son père était loin d'en avoir fini. Adam le voyait à sa façon de décoller le talon pour descendre une à une les marches, au ressort tendu de son corps. Il serra ses coudes contre son torse et enfonça sa tête dans ses épaules, en essayant de contraindre son ouïe à fonctionner. Ce qu'il devait faire, c'était se mettre mentalement à la place de son père et trouver les mots qui sauraient désamorcer sa fureur.

Mais il ne parvenait pas à réfléchir. Ses pensées volaient en éclats en s'écrasant au rythme de son cœur sur le sol devant lui, et son oreille gauche hurlait, si brûlante qu'elle en paraissait humide.

— Tu as menti en nous racontant que cette école te donnait une bourse ! gronda son père. Tu nous as caché que tu gagnais... (il s'interrompit pour tirer un morceau de papier froissé de la poche de sa chemise) dix-huit mille quatre cent vingt-trois dollars par an !

Adam balbutia une réponse indistincte.

— Quoi ?

Son père s'approcha. Il saisit Adam par le col et le hissa sur ses pieds aussi aisément qu'il l'aurait fait d'un chien. Le garçon tenait debout, mais à peine. Le sol se dérobait sous ses jambes, et il tituba. Il peina à retrouver l'usage de la parole, il sentait une fracture en lui.

— Partielle, bredouilla-t-il, seulement une bourse partielle.

Son père vociféra à nouveau quelque chose, mais dans son oreille gauche qui était pleine de vrombissements.

— Ne t'avise pas de m'ignorer ! hurla-t-il, avant de détourner inexplicablement la tête. Qu'est-ce que vous venez faire ici, *vous* ?

— Ça ! lança Ronan Lynch en projetant son poing dans le visage de Robert Parrish.

Derrière lui, les phares de la BMW, dont la portière du conducteur était restée grande ouverte, illuminaient des nuages de poussière.

— *Ronan !* souffla Adam, mais peut-être seulement en pensée.

Son père l'avait lâché, et il manqua de s'effondrer.

Robert Parrish empoigna la chemise de Ronan et le propulsa vers la maison, mais le garçon reprit aussitôt son équilibre et enfonça brutalement un genou dans le ventre de son adversaire. Plié en deux de douleur, le père d'Adam lança son poing au jugé vers Ronan. Son bras passa sans dommage au-dessus de la tête rasée du garçon, mais Parrish profita de cette demi-seconde de diversion pour heurter violemment du crâne le visage de Ronan.

Adam entendit de l'oreille droite sa mère leur hurler de cesser. Elle brandissait le téléphone et l'agitait en direction de Ronan, comme si cela pouvait décourager le garçon. Une seule personne y serait encore parvenue, et la mère d'Adam n'avait pas son numéro.

— Ronan, dit Adam, qui fut certain, cette fois, d'avoir parlé tout haut.

Sa voix lui parut étrange et comme cotonneuse. Il fit un pas, et le sol se déroba derechef. *Lève-toi, Adam !* À quatre pattes, le ciel ressemblait à la terre. Adam se sentait essentiellement brisé, il n'arrivait pas à tenir debout et ne pouvait que regarder son ami et son père se battre à quelques mètres de lui, comme s'il n'était que des yeux privés de corps.

Les combattants ne s'embarrassaient pas de scrupules. À un moment donné, Ronan tomba à terre, et Robert Parrish lui expédia un grand coup de pied en pleine figure. Ronan leva instinctivement les mains pour se protéger. Parrish bondit sur lui, et Ronan lança son bras comme un serpent et le fit tomber au sol à son tour.

Adam ne saisissait que des bribes de la bagarre : son père et Ronan roulant par terre, se traînant l'un l'autre sur le sol, se lançant mutuellement des coups de poing. Puis des éclats rouges et bleus intermittents pulsèrent contre les murs de la maison, illuminant les champs alentour. Les flics.

Sa mère hurlait toujours.

Tout n'était que bruit et confusion. Adam avait besoin de pouvoir se lever, de marcher et de réfléchir. Là, il saurait comment arrêter Ronan avant que quelque chose d'affreux ne se produise.

— Fiston ?

Un policier s'était accroupi près de lui. Il sentait le genièvre, et Adam pensa que l'odeur allait l'étouffer.

— Ça va ?

L'homme l'aida à se relever. Adam tenait à peine sur ses jambes. Là-bas, un autre policier tirait Ronan en arrière et l'arrachait de force à Robert Parrish.

— Ça va, répondit Adam.

Le flic lâcha son bras et le rattrapa aussitôt.

— Non, fiston, ça ne va pas du tout ! Tu as bu ?

Ronan, qui avait dû entendre la question, lança en réponse un chapelet de blasphèmes d'où ressortaient les mots *démolir le portrait*.

La vision d'Adam se brouilla, puis s'éclaircit, se brouilla, puis s'éclaircit. Il distinguait confusément la silhouette de Ronan.

— Vous lui mettez les menottes ? demanda-t-il, atterré.

Non, ça ne peut pas être vrai ! Il ne peut pas aller en prison à cause de moi !

— Tu as bu ? demanda encore le flic.

— Non.

Adam luttait toujours pour conserver son équilibre, le sol gîtait et sombrait à chaque mouvement de sa tête. Il savait qu'il avait l'air ivre, qu'il lui fallait se ressaisir. Quand, pas plus tard que cet après-midi, il avait posé les doigts sur le visage de Blue, tout lui avait semblé possible, comme si le monde se déployait entièrement devant lui. Il tenta de retrouver cette impression, mais le résultat lui parut peu convaincant.

— Je ne...

— Tu ne quoi ?

Je n'entends pas de l'oreille gauche, compléta Adam *in petto*.

Sa mère se tenait sur la véranda, d'où elle les surveillait, le flic et lui, en plissant les paupières. Adam savait ce qu'elle pensait, pour l'avoir déjà entendu : *Ne dis rien, Adam ! Raconte-lui que tu es tombé. Au fond, c'était un peu de ta faute, non ? On s'occupera de ça en famille.*

Si Adam accusait son père, tout s'effondrerait autour de lui. Jamais sa mère ne le lui pardonnerait, et jamais il ne pourrait revenir à la maison.

Là-bas, un flic fit pénétrer Ronan dans la voiture de police en lui posant une main sur la nuque, et, malgré la surdité de son oreille gauche, Adam entendit clairement la voix de son ami :

— J'ai dit *pigé,* mec ! Vous croyez que je ne suis jamais monté dans une de vos caisses ?

Adam ne pouvait pas aller vivre chez Gansey. Pas après avoir toujours clamé que, s'il quittait sa famille, ce serait pour ne dépendre que de lui-même. Il ne voulait rien devoir à Robert Parrish ni à Richard Gansey.

Il ne dépendrait que d'Adam Parrish, et de personne d'autre !

Il toucha son oreille gauche. La peau était brûlante et douloureuse, et le contact lui parut irréel, sans son ouïe pour percevoir quand son doigt approchait de son pavillon. Le sifflement avait disparu, remplacé par... un néant. Il ne restait plus rien.

« C'est par fierté que tu refuses de partir ? » lui avait demandé Gansey.

— Ronan me défendait, articula Adam, dont la bouche n'était pas moins sèche que la terre alentour, et le policier se tourna vers lui. Il me protégeait de mon père. Tout ça, c'est à cause de mon père. Mon visage, mon...

Sa mère le regardait fixement.

Il ferma les yeux. Il était incapable de poursuivre en la regardant et, même ainsi, il se sentait tomber, comme si l'horizon sombrait ou que sa tête penchait. Adam avait l'horrible sensation que son père avait réussi à détraquer en lui une chose cruciale.

Et il parvint enfin à le dire :

— Est-ce que je pourrais... déposer une plainte ?

CHAPITRE 37

Whelk regrettait la bonne chère qui allait de pair avec la richesse.

Lorsque, autrefois, il quittait Aglionby pour rentrer chez lui, ses parents ne faisaient jamais la cuisine ; ils engageaient un soir sur deux une cuisinière pour venir préparer le dîner. Carrie (c'était son nom) était une femme expansive mais intimidante, et qui adorait hacher des aliments avec de grands couteaux. Comme son guacamole lui manquait ! Pour l'heure, assis sur le bord du trottoir devant une station-service fermée, Whelk mordait dans le hamburger desséché qu'il avait acheté dans un fast-food quelques kilomètres plus tôt : son premier hamburger industriel en sept ans. Comme il ne savait pas si la police recherchait déjà sa voiture, il l'avait garée dans l'ombre, loin des réverbères, et il était revenu manger là.

Tandis qu'il mâchait, un plan se mettait en place dans sa tête, qui consistait à passer la nuit sur la banquette arrière de la voiture et à en mettre au point un second le lendemain matin. La situation n'était guère brillante, et Whelk se sentait démoralisé. Réflexion faite, il se disait qu'il aurait dû kidnapper Gansey, tout simplement, mais un enlèvement exige tellement plus de préparatifs qu'un vol, et Whelk n'était pas parti de chez lui en prévoyant d'enfermer quelqu'un dans son coffre. À vrai dire, il n'était pas parti de chez lui en prévoyant quoi que ce soit, il avait juste saisi la chance au vol quand il avait trouvé Gansey près de sa voiture en panne. S'il avait pris le temps de réfléchir, il aurait emmené le garçon pour pouvoir par la suite, quand il aurait localisé le cœur de la ligne de ley, l'utiliser pour le rituel.

À cela près que Gansey n'avait rien de la victime idéale, car les autorités ne manqueraient pas de déployer des moyens considérables pour retrouver son assassin. Il aurait mieux valu enlever le jeune Parrish, personne n'allant se mettre en quatre pour un gosse né dans une caravane. Quoique ce serait dommage, en un sens : le garçon rendait toujours ses devoirs à l'heure.

Whelk prit une autre bouchée de son hamburger au goût de poussière, qui ne contribua pas à lui remonter le moral.

Un téléphone se mit à sonner. Whelk ne s'était même pas rendu compte qu'il y avait une cabine à proximité, et il croyait que les portables les avaient supplantées depuis belle lurette. Il scruta la seule autre voiture sur le parking, pour voir si quelqu'un attendait un appel, mais le véhicule paraissait vide et l'aspect flasque de son pneu droit montrait bien qu'il stationnait là depuis plus de quelques minutes.

Whelk écouta nerveusement l'appareil sonner douze fois, mais personne ne vint décrocher. Puis le bruit cessa et il se sentit soulagé, mais pas suffisamment pour rester là : il emballa la moitié restante de son hamburger et se leva.

Le téléphone se remit à sonner.

Le son poursuivit Whelk sans relâche, tout le temps où il marcha jusqu'à la poubelle, de l'autre côté de la porte de la station-service (ENTREZ, NOUS SOMMES OUVERTS ! mentait la pancarte réversible accrochée là), revint jusqu'au trottoir ramasser une frite oubliée, puis regagna sa voiture.

Whelk n'était pas, d'une façon générale, enclin à la philanthropie, mais il lui vint à l'esprit que la personne qui appelait avait vraiment besoin de contacter quelqu'un. Il retourna à la cabine, où le téléphone sonnait toujours – sur une tonalité vieillotte, remarqua-t-il soudain, ils ne faisaient plus ce bruit-là, à présent –, et décrocha.

— Allô ?

— Monsieur Whelk ? dit Neeve posément. J'espère que vous passez une agréable soirée !

Whelk crispa les doigts sur l'appareil.

— Comment avez-vous su où me joindre ?

— Les numéros ne me posent aucun problème, monsieur Whelk, et vous n'êtes pas difficile à localiser. En outre, j'ai quelques-uns de vos cheveux.

Neeve parlait d'un ton égal et inquiétant. Aucun être vivant, songea Whelk, ne devrait avoir une voix si semblable à celle d'un menu informatisé de répondeur.

— Pourquoi m'appelez-vous ?

— Je suis heureuse que vous me posiez la question, dit Neeve. Je vous appelle au sujet de ce que vous m'avez proposé lors de notre dernière conversation.

— La dernière fois que je vous ai parlé, vous m'avez dit que vous ne vouliez pas m'aider, répliqua Whelk.

Il réfléchissait au fait que cette femme s'était procuré certains de ses cheveux. Il n'aimait pas l'imaginer se déplaçant lentement, délibérément, dans son appartement sombre et abandonné. Il tourna le dos à la station-service et regarda la nuit. Peut-être se trouvait-elle là, quelque part, peut-être l'avait-elle suivi et su ainsi où l'appeler. Mais Whelk n'y croyait pas lui-même : il n'avait pris contact avec Neeve, au début, que parce qu'il la savait extrêmement compétente, même s'il ignorait précisément en quoi.

— À ce propos, justement, dit Neeve. J'ai changé d'avis.

CHAPITRE 38

— Hé, Parrish ! dit Gansey.

La Camaro stationnait dans l'ombre du passage couvert, juste à l'entrée de l'hôpital. Assis au volant, Gansey avait attendu la sortie d'Adam en regardant les portes automatiques s'ouvrir et se refermer. Son ami s'installait maintenant à côté de lui. Il paraissait étrangement intact. Ses démêlés avec son père se soldaient d'ordinaire par des ecchymoses et des éraflures, mais Gansey ne voyait cette fois qu'un léger rougissement de l'oreille.

— Ils m'ont dit que tu n'avais pas d'assurance.

On lui avait également appris qu'Adam n'entendrait sans doute plus jamais de l'oreille gauche, et c'était ce que Gansey trouvait le plus difficile à admettre : qu'une chose invisible, mais irréversible, ait eu lieu. Il s'attendait à ce qu'Adam lui réponde qu'il se débrouillerait pour payer, mais son ami tournait et retournait le bracelet d'identification de l'hôpital sur son poignet.

— Je m'en suis occupé, reprit Gansey prudemment.

En temps normal, Adam réagissait toujours, à ce moment-là. Il se mettait en colère et rétorquait sèchement : « Garde ton fichu fric, Gansey, tu ne m'achèteras pas ! » Mais il continuait à présent à jouer avec son bracelet de papier.

— Très bien, tu as gagné ! dit-il finalement d'une voix lasse, en frottant de la paume ses cheveux coupés à la diable. Emmène-moi chercher mes affaires.

Sur le point de démarrer la Camaro, Gansey écarta la main de la clef de contact.

— Je n'ai rien gagné du tout ! Tu crois que je voulais que les choses tournent comme ça ?

— Oui, répliqua Adam sans le regarder, je crois que c'est ce que tu voulais.

La colère en Gansey le disputait furieusement à la douleur.

— Ne sois pas salaud !

Adam n'arrêtait pas de tourmenter le bout scellé du bracelet de papier.

— Maintenant, tu peux me dire : *Je t'avais prévenu !* Alors dis-le que, si j'étais parti plus tôt, ça ne se serait pas produit !

— Ça m'est déjà arrivé de te parler comme ça ? Tu n'es pas obligé de faire comme si c'était la fin du monde !

— Mais *c'est* la fin du monde !

Une ambulance vint se ranger entre la Camaro et l'entrée de l'hôpital. Les auxiliaires médicaux sautèrent d'un bond hors de la cabine et se hâtèrent vers l'arrière du véhicule et une nouvelle urgence silencieuse. Gansey sentait un point brûlant sous son sternum.

— Quitter la maison de ton père, c'est la fin du monde ?

— Tu sais ce que je voulais, dit Adam, tu sais que ce n'était pas ça !

— Tu te comportes comme si c'était ma faute.

— Dis-moi que tu regrettes qu'on en soit là !

Gansey se refusait à mentir. Oui, il voulait en effet qu'Adam quitte son foyer, mais jamais il n'avait souhaité du mal à son ami. Il aurait préféré que celui-ci ne soit pas obligé de fuir ainsi, au lieu de partir la tête haute, et jamais il n'avait désiré qu'Adam le regarde comme il le faisait à présent. Gansey ne mentait donc pas quand il répondit :

— Je regrette qu'on en soit là.

— Ben voyons ! Tu as toujours voulu que je déménage.

Gansey n'aimait pas hausser le ton (il entendait encore sa mère affirmer que l'on crie quand on n'a pas assez de vocabulaire pour parler doucement), mais dut malgré tout faire un effort pour contrôler sa voix.

— Pas comme ça ! Mais, au moins, tu as un point de chute. « La fin du monde »... c'est quoi, ton problème, Adam ? Il y a quelque chose à la manufacture qui t'horripile tellement que tu ne peux pas envisager d'y vivre ? Comment se fait-il que, chaque fois que j'essaie d'être sympa avec toi, tu prends ça pour de la pitié et de la charité ? Sache que j'en ai *plus que marre* de marcher sur la pointe des pieds pour ménager tes principes.

— Et sache que moi, j'en ai plus que marre de ta condescendance, Gansey ! rétorqua Adam. Ne cherche pas à me faire sentir stupide – *horripiler,* qui est-ce qui parle encore comme ça ? Ne me raconte pas que tu n'essaies pas de me faire passer pour un idiot !

— Je n'ai pas d'autre façon de parler. Désolé que ton père ne t'ait jamais appris le sens du verbe *horripiler,* il devait être trop occupé à te cogner la tête contre le mur pendant que tu lui demandais pardon d'exister !

Tous deux retinrent leur souffle.

Gansey savait qu'il était allé trop loin. Trop loin, trop tard, trop tout.

Adam ouvrit brusquement la portière.

— Va te faire foutre, Gansey ! Va te faire foutre ! lâcha-t-il d'une voix assourdie par la fureur.

Gansey ferma les paupières.

Adam claqua la portière, puis recommença quand elle ne se referma pas correctement. Gansey ne rouvrit pas les yeux. Il ne voulait pas voir ce qu'Adam faisait. Il ne voulait pas voir s'il y avait des gens qui regardaient un gars se disputer avec un autre en polo d'Aglionby dans une Camaro orange vif. À cet instant précis, il haïssait son uniforme et l'écusson au corbeau, sa voiture trop voyante, et chacun des mots tri- ou quadrisyllabiques que ses parents employaient sans y penser aux repas, et il détestait le père ignoble d'Adam, sa mère qui laissait faire et, plus que tout, les derniers mots de son ami, qui tournaient en boucle dans sa tête.

Il ne pouvait pas supporter tout cela en lui.

En fin de compte, il n'était rien pour Adam, rien pour Ronan. Adam lui renvoyait en crachant ses propres paroles, et Ronan sabotait consciencieusement, l'une après l'autre, toutes les chances que Gansey lui procurait. Gansey n'était qu'un type qui avait les moyens, et un gouffre en lui chaque jour lui rongeait un peu plus le cœur.

Les deux autres n'arrêtaient pas de s'éloigner de lui, mais il semblait incapable de prendre ses distances avec eux.

Gansey rouvrit les yeux. L'ambulance était toujours là, mais Adam était parti.

Il lui fallut quelques instants pour le localiser. Le garçon avait déjà franchi plusieurs centaines de mètres et traversait le parking en direction de la route, escorté par la petite silhouette bleutée de son ombre.

Gansey se pencha pour baisser la vitre côté passager, puis démarra Tête de lard. Le temps qu'il contourne l'aire de chargement pour entrer sur le parking, Adam avait atteint l'autoroute à quatre voies et le terre-plein central impeccable. Malgré la circulation, Gansey ralentit à sa hauteur, forçant les voitures de la file de droite à déboîter pour le dépasser, et certaines klaxonnèrent.

— Où vas-tu ? cria-t-il. Où peux-tu aller ?

Adam, bien sûr, savait que Gansey était là – la Camaro faisait assez de bruit – mais il continua à marcher.

— Adam, reprit Gansey. Dis-moi seulement que tu ne retournes pas là-bas !

Silence.

— Tu n'es pas obligé de venir à Monmouth, tenta Gansey pour la troisième fois. Laisse-moi juste te conduire où tu veux !

Allez, je t'en prie, entre dans la voiture !

Adam s'arrêta. Il s'installa sur le siège d'un mouvement saccadé et ferma la portière, mais ne la claqua pas assez fort et dut s'y reprendre à deux fois. Ils restèrent sans rien dire, pendant que Gansey réintégrait le flot de la circulation. Des mots se pressaient contre ses lèvres, impatients de sortir, mais il se tut.

— Peu importe comment tu l'exprimes, dit finalement Adam sans le regarder, tu as quand même eu ce que tu voulais. Tout ton monde rassemblé au même endroit, sous ton toit, là où tu peux voir...

Il s'interrompit et laissa tomber sa tête entre ses mains. Son pouce massait convulsivement ses cheveux au-dessus de ses oreilles, ses phalanges étaient blanches. Il inspira brusquement, avec le son déchiré de celui qui essaie de ne pas pleurer.

Gansey voulait lui dire que les choses finiraient par s'arranger, que tout était en un sens pour le mieux, qu'Adam Parrish avait été son propre maître avant de rencontrer Gansey et qu'un simple déménagement n'y changerait strictement rien, et qu'il y avait des jours où Gansey rêvait d'être son ami, parce que Adam était une personne vraie et authentique d'une façon que Gansey n'approcherait jamais, mais les mots malgré eux étaient devenus des armes, et Gansey craignait de les utiliser.

Personne ne parla pendant tout le trajet pour aller chercher les affaires d'Adam. Lorsqu'ils quittèrent pour la dernière fois le parc de maisons, Adam ne regarda pas derrière lui. Sa mère les surveillait de la fenêtre de la cuisine.

Chapitre 39

Lorsque Blue arriva à Monmouth cet après-midi-là, elle crut tout d'abord la manufacture déserte. Aucune des deux voitures n'étant garée devant, l'endroit paraissait désolé et à l'abandon, et elle tenta en vain de s'imaginer dans la peau de Gansey découvrant le bâtiment pour la première fois et décidant que c'était un lieu idéal pour y vivre. Elle n'y parvenait pas plus qu'elle n'arrivait à considérer Tête de lard comme une voiture merveilleuse, ou Ronan comme un véritable ami ; pourtant, cela devait bien fonctionner, d'une façon ou d'une autre, puisqu'elle aimait l'appartement, que Ronan commençait à ne pas lui déplaire et que la voiture...

Quant à la voiture, à vrai dire, elle pouvait s'en passer.

Blue frappa à la porte qui donnait sur la cage d'escalier.

— Noah ! Tu es là ?

— Oui.

Elle ne fut pas surprise d'entendre la voix s'élever derrière elle, et non de l'autre côté du battant. En se retournant, elle ne vit en premier que des jambes, puis tout le reste de Noah apparut peu à peu. Blue n'était pas encore certaine qu'il soit présent au complet, ni qu'il l'ait été dans le passé. Il devenait difficile de déterminer le degré d'existence de Noah, ces derniers temps.

Elle le laissa lui caresser les cheveux de ses doigts glacés.

— Pas aussi hérissés que d'habitude, constata-t-il avec regret.

— Je n'ai pas beaucoup dormi. Il me faut du sommeil pour faire des piquants de qualité... Je suis contente de te voir !

Noah croisa les bras, puis les décroisa, puis mit ses mains dans ses poches, puis les en retira.

— Je ne me sens normal que lorsque tu es dans les parages. Je veux dire, normal comme avant qu'on découvre mon cadavre, ce qui est encore différent de ce que j'étais avant, quand...

— Je ne pense pas que tu étais si différent que ça, de ton vivant, lui dit Blue, qui n'arrivait pourtant pas à concilier mentalement ce Noah-ci avec la Mustang rouge abandonnée.

— Je crois, hasarda Noah prudemment en fouillant ses souvenirs, que j'étais pire, à l'époque.

— Où sont les autres ? demanda Blue à la hâte, pour détourner la conversation qui semblait menacer de le faire disparaître.

— Ronan est allé à la bibliothèque, répondit Noah, et Adam est parti avec Gansey chercher ses affaires pour venir habiter ici.

— Habiter ici ! Mais je croyais qu'il avait dit que... Minute ! Ronan est allé *où* ?

Noah lui fit donc un récit, entrecoupé de nombreuses pauses, de soupirs et de regards tournés vers les frondaisons, des événements de la veille au soir.

— Si la police avait arrêté Ronan pour avoir frappé le père d'Adam, il aurait été viré illico d'Aglionby, conclut-il.

Jamais on ne l'aurait autorisé à rester, s'il était inculpé pour coups et blessures. Mais Adam a porté plainte, ce qui change tout ! Évidemment, ça veut dire qu'il est obligé de partir de chez lui, parce que son père le déteste, maintenant.

— Mais c'est affreux ! s'exclama Blue. C'est *abominable*, ce que tu me racontes, Noah ! Je ne savais pas, pour son père.

— Il ne voulait pas que ça se sache.

« Un endroit à quitter », Blue se rappelait Adam parlant de chez lui, et à présent, bien sûr, elle se remémorait aussi ses bleus affreux, ainsi qu'une douzaine de commentaires entre les garçons, comme autant d'allusions voilées à la vie des Parrish, et qui l'avaient laissée perplexe sur le moment. Sa première pensée, teintée d'amertume, fut qu'elle n'avait pas réussi à devenir vraiment l'amie d'Adam, puisqu'il n'avait pas partagé cela avec elle, mais l'idée s'estompa aussitôt, remplacée par la prise de conscience horrifiée que le garçon n'avait plus de famille, à présent, et Blue se demanda ce qu'elle-même serait sans la sienne.

— Admettons. Attends, pourquoi Ronan est à la bibliothèque ?

— Il révise, dit Noah, pour un examen lundi.

Jamais entendre parler de Ronan se livrant à une quelconque activité n'avait été plus agréable aux oreilles de Blue.

Le téléphone sonna, clairement audible à travers le plancher au-dessus de leurs têtes.

— Tu devrais répondre ! dit Noah d'un ton abrupt. Dépêche-toi !

Blue avait trop longtemps côtoyé les femmes du 300 Fox Way pour mettre en doute son intuition. En courant presque pour ne pas se laisser distancer, elle entra et gravit l'escalier jusqu'à la porte de l'appartement, qui s'avéra fermée. Plus agité que jamais, Noah, qui l'avait suivie, se livra à une pantomime incompréhensible.

— J'y arriverais, si… balbutia-t-il.

Si j'avais plus d'énergie, compléta Blue mentalement.

Elle lui toucha l'épaule. Aussitôt fortifié par le contact, Noah appuya contre le loquet, le détacha et ouvrit la porte à toute volée. Blue se précipita sur le téléphone.

— Allô ? haleta-t-elle dans le combiné.

L'appareil posé sur le bureau – un modèle ancien, noir, à cadran rotatif – s'accordait bien avec le goût de Gansey pour les objets bizarres, souvent à la limite du fonctionnel. Le connaissant, on pouvait même le soupçonner d'avoir une ligne fixe uniquement pour justifier la présence de cet engin sur sa table de travail.

— Allô ! Oh, bonjour, dit à l'autre bout du fil une voix inconnue, où Blue décelait déjà un accent significatif. Richard Gansey est-il là ?

— Non, répondit Blue, mais je peux prendre un message.

Elle avait l'impression que, jusqu'à présent, son rôle dans l'existence se résumait à cela.

Noah lui rappela d'un doigt glacé sa présence et lui chuchota :

— Dis-lui qui tu es !

— Je travaille avec Gansey sur la ligne de ley, ajouta Blue.

— Oh ! Très bien. Je suis Roger Malory, enchanté de faire votre connaissance. Puis-je vous demander de me rappeler votre nom ?

Son accent et cette surenchère de R le rendaient difficile à comprendre.

— Blue. Je m'appelle Blue Sargent.

— Boulou ?

— Blue.

— Blouse ?

Blue poussa un soupir.

— Jane, dit-elle.

— Oh, Jane ! J'ai cru un moment que vous disiez *Blue !* Ravi de vous parler, Jane. J'ai bien peur d'avoir de mauvaises nouvelles pour Gansey. Pourriez-vous lui dire que j'ai essayé le rituel avec un de mes collègues – ce type du Surrey dont j'ai déjà parlé, un homme tout à fait attachant, je dois le reconnaître, mais à l'haleine malheureusement épouvantable – et ça n'a pas très bien tourné. Mon collègue s'en tirera, les docteurs disent qu'il faudra quelques semaines à sa peau pour se reconstituer, mais que les greffes ont pris magnifiquement...

— Un instant, s'il vous plaît, l'interrompit Blue en saisissant le premier morceau de papier venu sur le bureau de Gansey. (Il était couvert d'équations, ou quelque chose du même ordre, avec un griffonnage représentant un chat qui attaquait un homme, d'où elle conclut qu'elle pouvait l'utiliser.) Je note ce que vous me dites. Il s'agit du rituel pour réveiller la ligne de ley, n'est-ce pas ? Qu'est-ce qui a mal tourné, plus précisément ?

— C'est très difficile à déterminer, Jane. Sachez simplement que les lignes de ley sont encore plus puissantes que Gansey ou moi ne l'avions imaginé. Qu'il s'agisse là de magie ou de science, toujours est-il qu'elles se composent sans aucun doute de courants d'énergie. Mon collègue s'est extrait d'un seul jet de sa propre peau, je l'ai vraiment cru perdu. Je ne pensais pas qu'un homme puisse saigner autant et en réchapper, mais ne le dites pas à Gansey, je vous prie ! Ce garçon a un problème avec la mort, et je ne veux pas le traumatiser.

Blue n'avait pas remarqué que Gansey avait un « problème » avec la mort, mais consentit néanmoins à ne pas lui en parler.

— Mais vous ne m'avez toujours pas dit ce qui s'est produit, fit-elle observer.

— Tiens donc ?

— Non, or il risque de nous arriver la même chose par mégarde.

Malory gloussa. Au bruit, on aurait pu croire qu'il aspirait la crème fouettée à la surface d'un chocolat chaud.

— Vous avez raison, en effet. Nous avons procédé de façon assez logique, en nous basant sur des idées que Gansey a eues, à vrai dire, il y a très longtemps. Nous avons tracé un cercle de pierres sélectionnées pour leur haut niveau d'énergie – je parle en termes de biomagnétisme, bien sûr, Jane. Je ne sais pas dans quelle mesure le sujet vous est familier, mais il est toujours agréable de voir une jeune fille s'intéresser à ces questions. Les lignes de ley restent trop souvent un domaine essentiellement masculin, et j'aime entendre une jeune personne telle que vous...

— Oui, c'est épatant, approuva Blue en le coupant, ça me plaît vraiment beaucoup ! Vous disiez donc que vous aviez disposé des pierres en cercle ?

— Ah oui, c'est exact ! Nous avons placé sept pierres en forme de cercle sur ce que nous espérions être le cœur de la ligne de ley, puis nous avons rectifié et ajusté leurs positions jusqu'à ce que nous enregistrions au centre du cercle des niveaux d'énergie inhabituellement élevés ; un peu comme on oriente un prisme pour concentrer la lumière, si vous voulez.

— Et c'est à ce moment-là que la peau de votre collègue s'est détachée ?

— À peu près, oui. Il effectuait un relevé au milieu du dispositif, et il... – je regrette, mais je dois avouer que je ne me souviens pas précisément de ses dernières paroles, tant j'ai été bouleversé par ce qui est advenu par la suite – ... il a lancé une remarque, ou une plaisanterie. Vous savez comment sont les jeunes, Gansey, lui aussi, se montre souvent si terriblement insouciant...

Blue doutait un peu que Gansey se montre souvent si terriblement insouciant, mais se promit de déceler ce trait de caractère à l'avenir.

— … toujours est-il que mon collègue a parlé de perdre la face, ou de mue, ou de quelque chose d'approchant, et apparemment, il a été pris au pied de la lettre. Je ne saisis pas très bien comment ses *mots* ont déclenché une réaction, et je ne crois pas que nous ayons éveillé cette ligne-ci, du moins pas entièrement, mais voilà la situation. Pour le moins décevante, je dois dire !

— Hormis le fait que votre collègue survive pour raconter son histoire, commenta Blue.

— En l'occurrence, c'est *moi* qui m'y colle !

Blue supposa qu'il plaisantait, s'esclaffa à tout hasard, et ne se sentit pas coupable. Puis elle remercia Malory, échangea avec lui quelques civilités et raccrocha.

— Noah ? demanda-t-elle dans le vide – car celui-ci avait disparu.

Elle n'eut aucune réponse, mais entendit dehors des bruits de portières et des voix.

Blue répéta la phrase dans sa tête : *Mon collègue s'est extrait d'un seul jet de sa propre peau.* Elle qui n'avait pourtant aucun « problème » avec la mort trouvait l'image particulièrement vive et plutôt atroce.

Un instant plus tard, la porte du rez-de-chaussée se referma en claquant, et des pas retentirent dans l'escalier.

Gansey entra. Il ne devait pas s'attendre à trouver là qui que ce soit, car il n'avait fait aucun effort pour masquer sa tristesse, mais, en voyant Blue, il tira aussitôt de quelque part un sourire cordial.

Cordial, et si convaincant ! Pour Blue, qui avait pourtant surpris son expression une seconde plus tôt, il était difficile d'imaginer que ce sourire n'était qu'une façade, et les raisons pour lesquelles un garçon à l'existence aussi assurément paisible que celle de Gansey avait dû apprendre à affecter si prestement et habilement la félicité la dépassaient complètement.

— Bonjour, Jane, dit-il, et elle crut détecter sous la jovialité du ton une ombre de la tristesse que ses traits ne trahissaient plus. Désolé de ne pas avoir été là pour t'accueillir.

La voix de Noah, et elle seule, se manifesta à l'oreille de Blue dans un murmure frigorifiant : *Ils se sont disputés !*

Adam et Ronan entrèrent alors. Ronan pliait sous le poids d'un gros fourre-tout et portait un autre sac sur le dos, Adam tenait une boîte de céréales cabossée d'où dépassait le coin d'un transformateur.

— Joli transfo ! commenta Blue. C'est celui de la voiture des flics ?

Adam la regarda sans sourire, comme s'il ne la voyait pas vraiment.

— Sûr, répondit-il avec un temps de retard.

Ronan, toujours courbé sous le poids des bagages, traversa la pièce en direction de la chambre de Noah en lançant : *Ha ! Ha ! Ha !* au rythme de ses pas, avec ce rire qu'on a lorsqu'on est seul à s'esclaffer.

— Cet homme a appelé, dit Blue en brandissant le bout de papier sur lequel elle avait noté le nom de Malory.

Elle l'avait écrit à un endroit qui donnait l'impression qu'il sortait de la gueule du chat, sur le dessin.

— Malory, lut Gansey sans enthousiasme.

Il fixait en plissant les paupières le dos d'Adam, qui emboîtait le pas à Ronan, et n'en détacha son regard que lorsque la porte de la chambre de Noah se referma derrière les garçons. Il se tourna alors vers Blue. La pièce sembla soudain très vide sans leurs amis, comme si ceux-ci étaient partis dans un autre monde et non simplement juste à côté.

— Qu'est-ce qu'il voulait ? demanda Gansey.

— Il voulait te dire qu'il avait essayé le rituel sur une ligne de ley et que les choses avaient mal tourné, et que quelqu'un – un de ses… collègues, je crois – avait été blessé.

— C'est-à-dire ?

— Blessé, c'est tout. Gravement blessé, par l'énergie.

Gansey se débarrassa sans ménagement de ses chaussures. L'une décrivit un arc au-dessus de la maquette de Henrietta, l'autre heurta le côté du bureau, s'écrasa contre le bois ancien et glissa au sol.

— Génial ! murmura-t-il sombrement.

— Tu as l'air contrarié, fit remarquer Blue.

— Ah oui ?

— À propos de quoi vous vous êtes disputés, Adam et toi ?

Gansey jeta un coup d'œil vers la porte fermée de la chambre de Noah.

— Comment se fait-il que tu sois au courant ? demanda-t-il avec lassitude.

Il se jeta sur son lit en désordre.

— Allez, s'il te plaît ! dit Blue, qui aurait deviné que les garçons étaient fâchés même si Noah ne lui en avait pas parlé.

Gansey grommela quelque chose dans ses draps et agita la main. Blue vint s'accroupir à la tête du lit et s'appuya sur ses bras.

— Répète, mais en retirant cet oreiller de ta bouche !

Gansey ne tourna pas la tête, et sa voix resta étouffée :

— Les mots que j'emploie se transforment tous en armes de destruction, et je suis né sans moyen de les désamorcer. Tu sais que j'ai survécu seulement parce que Noah est mort ? Un sacrifice magnifique, il n'y a pas à dire, je suis vraiment un cadeau pour la planète ! (Il fit tourner derechef sa main en l'air, le visage toujours enfoui dans l'oreiller, dans un geste sans doute censé faire accroire qu'il plaisantait.) Bon, j'arrête de m'apitoyer sur moi-même, mettons que je n'aie rien dit ! Alors, Malory pense que ce n'est pas une bonne idée de réveiller la ligne de ley ? Bien sûr, c'est fou ce que je raffole des impasses !

— Oui, tu t'apitoies sur toi-même ! confirma Blue, à qui cela ne déplaisait pourtant pas.

Elle songea qu'elle n'avait encore jamais vu le véritable Gansey au-delà de quelques secondes d'affilée et regretta qu'il lui faille être malheureux pour que cela se produise.

— Ne t'inquiète pas, j'ai presque fini, dit-il, tu n'en as plus pour très longtemps.

— Mais je te préfère comme ça !

Pour une raison ou une autre, son propre aveu la fit aussitôt rougir, et Blue se félicita de savoir Gansey le visage toujours plongé dans l'oreiller, et les deux autres garçons encore dans la chambre de Noah.

— Rompu et brisé, commenta Gansey, exactement comme les femmes aiment les hommes ! Malory a dit que ce type – son collègue – avait été grièvement blessé ?

— Oui.

— Alors, la question est réglée, annonça-t-il en roulant sur le dos, de sorte qu'il voyait Blue à l'envers. Le jeu n'en vaut pas la chandelle !

— Mais je croyais que tu avais *besoin* de trouver Glendower !

— Moi, oui, c'est vrai. Mais pas eux.

— Tu veux dire que tu vas faire le rituel tout seul ?

— Non, mais que je vais découvrir un autre moyen. J'aurais adoré voir les forces de la ligne de ley pointer de grosses flèches dans la direction de Glendower, mais tant pis, je vais continuer à chercher avec les bonnes vieilles méthodes. Quel genre de blessures a-t-il subies, cet homme ?

Blue, qui se souvenait des recommandations de Malory, grogna une réponse indistincte.

— Je te demande de quel genre de blessures il s'agit, Blue !

Gansey ne baissait pas les yeux, comme s'il trouvait plus facile de soutenir son regard en la fixant à l'envers.

— Il a parlé de… perdre la face, puis, apparemment, il est sorti complètement de sa peau. Malory ne voulait pas que je te le dise.

Gansey fit la moue.

— Il se souvient encore de… peu importe. Il est sorti de sa peau, tu dis, mais c'est affreux !

— Qu'est-ce qui est affreux ? demanda Adam en sortant de la chambre de Noah.

Ronan surgit à son tour et observa le visage de Blue surplombant celui de Gansey.

— Si tu crachais, Blue, fit-il remarquer, ça lui tomberait droit dans l'œil !

Gansey s'écarta avec une vivacité étonnante et jeta un très bref coup d'œil à Adam.

— Blue dit que Malory a voulu réveiller une ligne, et que l'homme qui l'accompagnait a été gravement blessé. Par conséquent, on ne le fait pas, pas pour l'instant.

— Je me fiche des risques, dit Adam.

Ronan se curait les ongles.

— Moi aussi, renchérit-il.

Gansey pointa un doigt vers Adam.

— Toi, tu n'as rien à perdre – puis, se tournant vers Ronan : Et toi, tu te fiches de vivre ou de mourir, ce qui fait de vous deux de mauvais juges.

— Pour ta part, tu n'as rien à y gagner, observa Blue, ce qui fait de toi un tout aussi mauvais juge. Mais je crois que je suis d'accord. Pensez un peu à ce qui est arrivé au collègue de Malory !

— Merci, Jane, de nous faire entendre la voix de la raison, dit Gansey. Ne me regarde pas comme ça, Ronan ! Depuis quand on a décidé que réveiller la ligne est la seule façon de trouver Glendower ?

— On n'a pas le temps d'en découvrir une autre, objecta Adam. Si Whelk réveille la ligne, il aura un avantage sur nous et, en plus, il comprend le latin. Peut-être que les arbres sont au courant ? Si Whelk met la main sur Glendower, son vœu sera exaucé, et il ne sera pas puni pour le meurtre de Noah. Fin de la partie, le méchant gagne !

Toute trace de vulnérabilité avait disparu de l'attitude de Gansey lorsqu'il pivota en lançant ses jambes par-dessus le bord du lit.

— Ce n'est pas une bonne idée, Adam. Trouve-moi un moyen de réussir sans blesser personne, et je suis d'accord. Jusque-là, on attend.

— Mais on n'a plus le *temps !* s'exclama Adam. Persephone a dit que quelqu'un allait réveiller la ligne dans quelques jours.

Gansey se leva.

— Adam, ce qui se passe maintenant, c'est qu'une personne à l'autre bout de la planète n'a plus de peau parce qu'elle a voulu agir sur une ligne. Nous avons *vu* Cabeswater de nos propres yeux. Ce n'est pas un jeu. C'est du réel, c'est très puissant, et nous *n'interviendrons pas* là-dedans.

Il soutint un long, très long moment le regard d'Adam, et Blue vit dans l'expression de ce dernier un élément nouveau, qui lui donna à croire que, en réalité, elle ne le connaissait pas du tout.

Blue repensa à Adam tendant la carte de tarot à Maura et, se remémorant comment celle-ci avait interprété le Deux d'Épée, elle songea, non sans tristesse, que sa mère était très douée dans son travail.

— Parfois, dit Adam à Gansey, je ne sais pas comment tu fais pour vivre avec toi-même !

CHAPITRE 40

Barrington Whelk était mécontent de Neeve. Pour commencer, depuis qu'elle était entrée dans la voiture, elle n'avait cessé de manger des crackers qu'elle plongeait préalablement dans du houmous, et la combinaison de l'odeur d'ail et des bruits de mastication lui portait horriblement sur les nerfs. La pensée qu'elle semait des miettes sur le siège du conducteur était l'une des plus dérangeantes d'une semaine déjà riche en idées très troublantes. Sans compter que, dès la fin de leur échange de salutations, Neeve s'était empressée de lui lancer une décharge de son Taser, avant – ignominie suprême – de le ligoter à l'arrière de son propre véhicule.

Non seulement je dois me résigner à conduire une caisse pourrie, songea Whelk, *mais je vais mourir dedans, par-dessus le marché !*

Neeve ne lui avait pas expressément signifié qu'elle comptait le tuer, mais, pendant les dernières quarante minutes, le champ de vision de Whelk s'était limité au sol derrière le siège du passager : il y avait là une large terrine évasée contenant un assortiment de bougies, de ciseaux et de couteaux. Si les couteaux, malgré leur taille imposante et leur aspect sinistre, ne lui apparaissaient pas comme un présage de meurtre imminent, il n'en allait pas de même pour les gants de latex que Neeve avait enfilés et la paire de rechange stockée dans la terrine.

Whelk ne pouvait pas non plus être certain qu'ils se dirigeaient vers la ligne de ley, mais, à en juger par le temps que Neeve avait passé à examiner le carnet de Gansey avant de démarrer, il considérait la chose comme probable et, bien que peu porté par nature à la supputation, estimait qu'il allait subir le même sort que Czerny sept ans auparavant.

Une mort rituelle, donc. Un sacrifice, au cours duquel son sang imbiberait la terre jusqu'à atteindre la ligne de ley assoupie. Il frotta l'un contre l'autre ses poignets ligotés et tourna la tête vers Neeve. Celle-ci tenait d'une main le volant, mangeait ses crackers au houmous de l'autre et, pour couronner le tout, écoutait un CD de bruits de nature électroniques sur le lecteur de sa voiture. Peut-être se préparait-elle ainsi au rituel.

Sa mort sur la ligne de ley, songea Whelk, serait une façon de boucler un cercle.

Mais cela l'indifférait. Ce qui comptait à ses yeux, c'étaient la perte de sa voiture et sa dignité bafouée, c'était parvenir à trouver le sommeil la nuit, c'étaient les langues mortes depuis suffisamment longtemps pour qu'elles ne lui fassent plus le sale coup d'évoluer et le guacamole que le chef de ses parents préparait des années auparavant.

Et aussi le fait que Neeve l'avait mal attaché.

CHAPITRE 41

Après avoir quitté la manufacture Monmouth, Blue rentra chez elle et s'isola derrière le hêtre du jardin pour faire ses devoirs, mais se désintéressa vite des équations pour songer aux problèmes de Noah, Gansey et Adam, et, lorsque ce dernier fit son apparition, elle s'était adossée à l'arbre, renonçant à travailler. Il aborda l'ombre verte en venant du côté de la maison.

— Persephone m'a appris que je te trouverais ici.

Il s'arrêta, gardant une certaine distance.

Blue envisagea de lui dire « Je suis désolée pour ce qui se passe avec ton père », mais se ravisa et se borna à lui tendre la main. Adam poussa un soupir incertain qu'on entendait à deux mètres, s'assit près d'elle sans un mot et posa la tête sur les genoux de Blue, le visage enfoui dans ses bras.

Stupéfaite, Blue ne réagit pas aussitôt, mais s'assura seulement d'un coup d'œil par-dessus son épaule que l'arbre les dissimulait à la vue de la maison. Elle se sentait un peu comme si un animal sauvage l'avait approchée, à la fois flattée de sa confiance et redoutant de l'effaroucher. Après un moment, elle se mit à lui caresser légèrement les cheveux, les yeux fixés sur sa nuque, et ce contact et l'odeur d'huile mêlée de poussière d'Adam lui semblèrent bourdonner dans sa poitrine.

— Tes cheveux ont la couleur de la terre.

— Ils savent d'où ils viennent.

— Curieux, fit remarquer Blue, parce que, dans ce cas, les miens aussi devraient être comme ça.

Il secoua les épaules en guise de réponse.

— Il m'arrive d'avoir peur qu'il ne me comprenne jamais, reprit-il après un silence.

Elle fit courir un doigt sur l'envers du pavillon de l'oreille d'Adam, ce qui lui parut à la fois périlleux et exaltant, mais moins que s'il l'avait regardée le toucher.

— Je vais te le dire juste une fois, puis je n'en parlerai plus, mais je te trouve drôlement courageux.

Il resta longtemps, très longtemps silencieux. Une voiture traversa le quartier en vrombissant. Le vent passa dans les feuilles du hêtre en les retournant d'une façon qui annonçait de la pluie.

— J'aimerais bien t'embrasser, maintenant, Blue, déclara-t-il sans relever la tête. Peu importe que tu sois jeune.

Les doigts de Blue se figèrent.

— Je ne veux pas te faire de mal.

Il se redressa, s'écarta légèrement et s'assit à quelques centimètres d'elle. Il avait un air sombre qui ne ressemblait en rien à son expression quand il avait voulu l'embrasser auparavant.

— Je suis déjà complètement amoché !

Blue sentit ses joues s'empourprer. Ils n'étaient pas censés le faire, mais, s'ils le faisaient, ça ne devait surtout pas se passer comme ça.

— Il y a pire que ce que tu as subi, dit-elle.

Adam déglutit et détourna le visage. Ses mains gisaient, inertes, sur ses genoux. *Si j'avais été n'importe qui d'autre que moi-même*, songea Blue, *ceci aurait été mon premier baiser*, et elle se demanda ce qu'elle aurait ressenti en embrassant ce garçon triste et ardent.

Adam suivait des yeux la lumière mouvante à travers les feuilles de l'arbre.

— Je ne me rappelle plus ce que ta mère m'a dit, sur comment résoudre mon problème, murmura-t-il sans la regarder. Pendant la séance, à propos du choix que je ne peux pas faire.

Blue poussa un soupir. C'était donc *ça* qui l'intéressait vraiment, et elle s'en doutait depuis le début, même si lui était dupe.

— Prends la troisième possibilité et, la prochaine fois, viens avec ton cahier !

— Je ne me souviens pas qu'elle ait parlé de cahier.

— C'est moi qui te le dis à l'instant ! La prochaine fois que tu te feras tirer les cartes, prends des notes. Comme ça, en comparant avec ce qu'il t'arrive réellement, tu sais si le médium est bon ou non.

Il la regardait à présent, mais elle se demandait s'il la voyait *vraiment*.

— Je le ferai.

— Mais cette fois tu en es dispensé, parce que ma mère est très douée, ajouta Blue en renversant la tête en arrière tandis qu'il se relevait.

Les doigts de Blue, sa peau avaient soif du garçon dont elle avait tenu la main quelques jours plus tôt, mais ce ne semblait pas être celui qui était devant elle à présent.

Adam fourra ses mains dans ses poches et se frotta la joue contre son épaule.

— Donc, tu penses que je devrais écouter ta mère ?

— Non, c'est moi que tu devrais écouter !

Il ébaucha à la hâte un sourire reconstruit, mince et fragile, et Blue eut soudain peur pour lui.

— Et qu'est-ce que tu me dis ?

— Continue à être courageux !

Il y avait du sang partout.

Alors, t'es content, maintenant, Adam ? grondait Ronan, agenouillé près d'un Gansey étendu à terre, secoué de convulsions. Blue fixait Adam d'une expression horrifiée plus atroce encore que tout le reste. C'était sa faute. La douleur ravageait le visage de Ronan. *C'est ça que tu voulais ?*

Quand Adam ouvrit les yeux et émergea de son rêve ensanglanté, les bras et les jambes tout fourmillants d'adrénaline, il ne comprit pas d'abord où il se trouvait. Il avait l'impression de léviter. Quelque chose n'allait pas avec l'espace alentour, trop sombre, trop vaste au-dessus de sa tête, et sans le bruit de son souffle répercuté par les murs.

Puis il se rappela qu'il dormait dans la chambre étroite et très haute de plafond de Noah. Une nouvelle vague de détresse l'envahit, dont il identifia très précisément la source : la nostalgie de son foyer. Il resta d'innombrables minutes éveillé, à se raisonner lui-même. Il savait bien que, logiquement, il n'avait rien à regretter, et qu'il souffrait d'une forme de syndrome de Stockholm lorsque, à l'occasion, il était reconnaissant à son père de *ne pas* le frapper. Il savait qu'il était objectivement maltraité et n'ignorait pas que les dégâts étaient bien plus profonds que n'importe laquelle des ecchymoses qu'il avait dû exhiber à l'école. Adam aurait pu continuer sans fin à disséquer ses propres réactions, à mettre en doute ses émotions et à se demander s'il grandirait, lui aussi, pour devenir un homme qui battrait son enfant.

Mais, étendu là, dans l'obscurité de la nuit, il se répétait seulement : *Ma mère ne m'adressera plus jamais la parole. Je ne peux plus y retourner, maintenant, je suis à la rue.*

Les spectres de Glendower et de la ligne de ley le hantaient eux aussi. Ils paraissaient bien plus proches mais, paradoxalement, les chances de succès semblaient plus ténues que jamais. Quelque part là-bas rôdait Whelk, qui cherchait depuis plus longtemps que Gansey lui-même, et, si on le laissait faire, il atteindrait sûrement Glendower avant eux.

Il nous faut réveiller la ligne de ley.

Les images se bousculaient en désordre dans sa tête : la dernière raclée de son père, Tête de lard ralentissant à sa hauteur, Gansey au volant, le double de Ronan à la caisse du supermarché, ce fameux jour où il avait décidé qu'il irait à Aglionby, et le poing de Ronan percutant le visage de son père. Adam débordait de désirs trop nombreux pour leur assigner un ordre de priorité, et ils semblaient tous si éperdus : ne pas devoir travailler autant d'heures ; intégrer une bonne université ; bien porter la cravate ; se sentir rassasié après avoir achevé le mince sandwich qu'il emportait au travail ; conduire l'Audi rutilante qui avait retenu l'attention de Gansey, un jour après les cours ; rentrer à la maison ; frapper son père ; posséder un appartement avec des plans de travail en granit et une télévision à l'écran plus vaste que le bureau de Gansey ; être à sa place quelque part ; rentrer à la maison ; rentrer à la maison ; rentrer à la maison.

S'ils éveillaient la ligne de ley, s'ils trouvaient Glendower, toutes ces choses deviendraient possibles ou, du moins, la plupart.

Mais il revit la silhouette de Gansey qui se tordait sur le sol et se rappela son visage blessé quand ils s'étaient disputés, plus tôt dans la journée. Jamais il ne se résoudrait à mettre son ami en danger.

Il se refusait pourtant à laisser Whelk intervenir et priver les garçons du bénéfice de leur quête. *Attendre !* Gansey pouvait se payer le luxe de patienter, pas Adam.

Sa décision était prise. Il fit silencieusement le tour de la chambre en fourrant ses affaires dans son sac. Difficile de prévoir ce dont il allait avoir besoin. Adam fit glisser le pistolet de dessous le lit et contempla longuement sa forme noire et sinistre sur les lattes du plancher. Gansey avait vu Adam le déballer.

« C'est quoi, *ça ?* avait-il demandé, horrifié.

— Tu le sais bien », avait répondu Adam.

L'arme appartenait à son père. Adam n'était pas certain que celui-ci l'utiliserait un jour contre sa mère, mais il ne voulait pas prendre de risques.

L'inquiétude de Gansey était palpable, peut-être, songea Adam, à cause du pistolet que Whelk avait brandi sous son nez.

« Je ne veux pas de ça ici !

— Je ne peux pas le vendre, avait expliqué Adam. J'y ai bien pensé mais, légalement, je n'en ai pas le droit : il est enregistré à son nom.

— Il doit bien y avoir une façon de s'en débarrasser. Enterre-le !

— Pour qu'un gosse tombe dessus par hasard ?

— Je n'en veux pas ici !

— Je trouverai un moyen de le faire disparaître, avait promis Adam, mais je ne peux pas le laisser à la maison. Plus maintenant. »

Ce soir, Adam n'avait pas envie de le prendre, pas vraiment.

Mais il ne savait pas ce qu'il lui faudrait sacrifier.

Il vérifia la position du cran de sûreté et déposa l'arme dans son sac. Puis il se leva, se tourna vers la porte et réprima une exclamation : Noah se tenait juste devant lui. Ses yeux dans leurs orbites creuses étaient exactement à la hauteur des siens, sa joue enfoncée devant son oreille sourde, et sa bouche sans haleine à seulement quelques centimètres des lèvres d'Adam, qui retenait son souffle.

Sans Blue pour lui donner des forces, sans Gansey pour le rendre humain, ni Ronan pour lui tenir compagnie, Noah s'avérait effrayant à voir.

— Ne le jette pas ! murmura-t-il.

— J'essaie de trouver un moyen de le garder, répondit Adam en ramassant sa sacoche considérablement alourdie par le poids de l'arme.

Est-ce que j'ai bien vérifié le cran de sûreté ? Oui, je l'ai fait. Je sais que je l'ai fait.

Quand il se redressa, Noah était déjà parti. Adam traversa l'espace noir et glacé où celui-ci se tenait un instant auparavant et ouvrit la porte. Gansey était allongé, recroquevillé sur son lit, les écouteurs enfoncés dans les oreilles et les yeux fermés. Même sourd de l'oreille gauche, Adam percevait la musique qui fuyait de l'appareil, celle que Gansey avait choisie pour bercer son sommeil.

Non, je ne le trahis pas, se dit-il, *on continue ensemble. Mais, quand je reviendrai, on sera égaux.*

Il ouvrit la porte et sortit sans que son ami bronche. En partant, il n'entendit que le murmure du vent nocturne dans les arbres de la ville.

CHAPITRE 42

Gansey se réveilla en pleine nuit et découvrit que l'éclat de la lune atteignait directement son visage.

Plus tard, lorsqu'il rouvrit à nouveau les yeux et émergea pour de bon, la lune avait disparu. Les rares lumières de Henrietta réfléchies par le plafond de nuages bas le coloraient d'un violet terne, et les fenêtres étaient toutes éclaboussées de pluie.

La lune se cachait, mais Gansey avait pourtant l'impression qu'une vague lueur l'avait tiré de son sommeil. Il crut entendre la voix distante de Noah, et les poils de ses bras se hérissèrent lentement.

— Désolé, Noah, mais je ne te comprends pas, chuchota-t-il. Tu peux répéter un peu plus fort ?

Les cheveux sur sa nuque se dressaient à leur tour. Son souffle restait suspendu en nuage dans l'air soudain refroidi devant sa bouche.

— Adam ! dit la voix de Noah.

Gansey se rua hors de son lit, mais il arrivait trop tard : Adam avait déjà quitté l'ancienne chambre de Noah, où s'éparpillaient çà et là ses affaires. Il avait bouclé son sac et filé. Non, il avait laissé ses vêtements, il n'était pas parti pour de bon.

— Lève-toi ! ordonna Gansey en ouvrant à la volée la porte de la chambre de Ronan.

Sans attendre une réponse, il alla à la cage d'escalier et sortit sur le palier pour regarder par la fenêtre cassée qui donnait sur le parking. Dehors, une bruine très fine cernait de halos les lumières des maisons dans le lointain. Gansey le pressentait, mais le constater lui fut un choc : la Camaro avait disparu. Il avait été plus facile pour Adam de rebrancher les fils du contact sur Tête de lard que sur la BMW de Ronan, et le grondement du moteur avait probablement réveillé Gansey, et non l'éclat de la lune, qui n'était sans doute qu'un souvenir de son précédent réveil.

— Hé, Gansey, qu'est-ce qu'il y a ?

Campé dans l'encadrement de la porte donnant sur l'escalier, Ronan se frottait la nuque.

Gansey aurait préféré ne pas avoir à répondre : énoncer la chose à voix haute ne la rendrait que trop réelle, elle aurait alors vraiment eu lieu, et Adam aurait alors vraiment fait cela. De la part de Ronan, Gansey n'aurait été ni surpris ni blessé, mais il s'agissait là d'Adam. *Adam !*

Je lui avais pourtant dit qu'il fallait attendre, non ? Il ne peut pas ne pas m'avoir compris.

Gansey tenta d'envisager la situation sous des angles différents mais, peine perdue, il ne parvenait pas à lui trouver un éclairage moins douloureux. Il sentait en lui une fêlure incessante.

— Qu'est-ce qui se passe ?

Ronan avait changé de ton.

Gansey ne pouvait éviter de dire la vérité plus longtemps :

— Adam est parti réveiller la ligne de ley !

CHAPITRE 43

À deux kilomètres de là, au 300 Fox Way, Blue leva la tête en entendant frapper à la porte au panneau de bois fendu de sa chambre.

— Tu dors ? demanda Maura.

— Oui.

Sa mère entra.

— Ta lampe était allumée, dit-elle en s'asseyant avec un soupir au bord du lit de Blue, où la lumière tamisée donna à sa silhouette comme une douceur de poème.

Maura se tut, tandis qu'elle passait en revue les livres empilés sur la table pliante au pied du lit. Blue et sa mère étaient accoutumées à cette atmosphère sereine. Du plus loin que remontent les souvenirs de Blue, Maura était toujours venue lire le soir dans sa chambre, où chacune s'installait à son extrémité du lit. Le vieux matelas à une place semblait plus vaste autrefois, mais Blue avait grandi, on ne pouvait plus s'y asseoir à deux sans se gêner.

Maura reposa les livres, mit ses mains sur ses genoux et jeta un coup d'œil circulaire à la toute petite chambre de

Blue. La lampe de chevet baignait la pièce d'une lueur verte diffuse. Sur le mur en face du lit, Blue avait fixé des arbres découpés dans de la toile, avec des feuilles faites de toutes sortes de papiers collés. Elle avait recouvert la porte de son armoire de fleurs séchées – la plupart encore assez fraîches, certaines un peu ternies – et accroché des plumes colorées et des morceaux de dentelle au ventilateur du plafond. Blue avait vécu dans cette chambre pendant les seize années de son existence, et cela se voyait.

— Je crois que je te dois des excuses, dit finalement Maura.

Blue lisait et relisait sans grand profit un texte pour son cours de littérature américaine. Elle posa son livre.

— Pourquoi ?

— Pour ne pas avoir été parfaitement honnête avec toi, j'imagine. Tu sais, être parent, c'est vraiment difficile. À mon avis, c'est la faute au Père Noël : on passe tant d'années à faire en sorte que son gosse y croie qu'on en vient à ne plus savoir quand on doit s'arrêter !

— Tu sais, maman, je devais avoir dans les six ans, quand je vous ai surprises, Calla et toi, en train d'envelopper mes cadeaux.

— C'était une métaphore, Blue.

Blue tapota son recueil de morceaux choisis.

— Une métaphore est censée clarifier les choses en les illustrant. La tienne n'a rien clarifié du tout.

— Mais tu comprends ce que je veux dire, ou non ?

— Ce que tu veux dire, c'est que tu regrettes de ne pas m'avoir parlé de Lapinou.

Maura fusilla la porte des yeux comme si Calla se tenait derrière.

— J'aimerais bien que tu ne l'appelles pas comme ça !

— Si c'était toi qui m'en avais parlé, je ne serais pas en train de reprendre les mots de Calla.

— C'est juste.

— Alors, comment s'appelle-t-il, en réalité ?

Sa mère s'allongea sur le dos. Elle était en biais et dut relever les genoux pour s'appuyer des pieds sur le bord du matelas, et Blue fut obligée d'enlever ses propres jambes pour qu'elles ne soient pas écrasées.

— Artemus.

— Je comprends que tu aies préféré Lapinou, dit Blue. Attends, ça ne sonnerait pas romain, ou latin, ce nom-là ?

— Si, et je ne trouve pas que ce soit un mauvais nom. Jamais je ne t'ai appris à avoir des préjugés.

— Bien sûr que si !

Blue se demandait si elle rencontrait, ces derniers temps, tant de termes latins dans sa vie par hasard, et se disait que Gansey devait commencer à déteindre sur elle, si les coïncidences lui semblaient ne plus en être.

— Oui, sans doute, admit Maura à la réflexion. Écoute, voici ce que je sais : je crois que ton père a quelque chose à voir avec Cabeswater, ou la ligne de ley. Longtemps avant ta naissance, Calla, Persephone et moi, on s'occupait de choses dont on n'aurait sans doute pas dû se mêler, et...

— De drogues ?

— Non, de rituels. Parce que tu te drogues, *toi ?*

— Non, mais, pour les rituels, je ne dis pas.

— Les drogues vaudraient peut-être mieux.

— Ça ne m'intéresse pas. Leurs effets ont été prouvés, du coup ça n'a plus rien d'amusant. Continue !

Maura tambourina un rythme sur son ventre en contemplant le plafond. Blue y avait copié un poème, juste au-dessus de sa tête, et peut-être le lisait-elle.

— Eh bien, ton père est apparu après un de ces rituels. Je crois qu'il était prisonnier de Cabeswater, et que nous l'avons relâché.

— Tu ne lui as pas *demandé ?*

— Nous n'avions pas... cette sorte de relation.

— Si ça n'impliquait pas de conversation, je ne veux pas savoir de quelle sorte de relation il s'agissait !

— Mais on se parlait, tu sais ! C'était vraiment quelqu'un de très correct, dit Maura. Il était réellement gentil, il se faisait du souci pour les gens. Il pensait qu'on devrait se préoccuper plus du monde qui nous entoure et réfléchir aux conséquences de nos actes à long terme. J'aimais bien ce côté-là, chez lui, il ne faisait pas la morale, c'était sa façon de penser.

— Pourquoi tu me racontes ça ? demanda Blue, un peu secouée par le pli incertain des lèvres serrées de sa mère.

— Parce que tu voudras savoir des choses sur lui, et aussi parce que tu lui ressembles beaucoup. Il aurait aimé voir ta chambre et tous ces trucs que tu as mis sur les murs.

— Ça alors, merci ! dit Blue. Mais pourquoi il est parti ?

Elle avait à peine fini de parler qu'elle réalisait que sa question n'était peut-être pas très délicate.

— Il n'est pas parti, rectifia Maura, il a disparu. Juste au moment de ta naissance.

— Ça s'appelle partir, ça.

— Je ne crois pas qu'il l'ait fait exprès. Ou plutôt je l'ai cru, au début, mais par la suite j'y ai réfléchi, j'ai découvert des choses à propos de Henrietta et je pense que... tu es une enfant très étrange. Je n'ai jamais rencontré personne d'autre qui monte le son pour les médiums. Je ne suis pas certaine que nous n'ayons pas effectué sans le vouloir un autre rituel quand tu es née, je veux dire un rituel dont ta naissance aurait été l'aboutissement, et il est possible qu'à ce moment-là ton père soit resté coincé là-bas.

— Autrement dit, c'est ma faute !

— Ne sois pas ridicule, dit Maura en se redressant, les cheveux tout aplatis et en désordre sur la nuque. Tu n'étais qu'un bébé, comment pourrait-on te rendre responsable de quoi que ce soit ? J'ai simplement pensé que c'est peut-être ce qui s'était passé et, par ailleurs, je veux que tu saches que c'est la raison pour laquelle j'ai appelé Neeve, pour lui demander d'essayer de le retrouver.

— Mais tu la connaissais, au moins ?

Maura secoua la tête.

— *Pfff !* Nous n'avons pas grandi ensemble, mais nous nous sommes vues, à l'occasion, pour un jour ou deux. Nous n'étions pas des amies et encore moins de véritables sœurs, mais Neeve a une telle renommée que... Je n'avais jamais envisagé que les choses allaient tourner si étrangement.

Un pas léger se fit entendre dans le couloir, et Persephone apparut. Maura poussa un soupir et baissa les yeux sur ses genoux, comme si elle s'y attendait.

— Je ne voudrais pas vous déranger, dit Persephone, mais, dans trois ou sept minutes, les Corbeaux de Blue vont arriver dans la rue et stationner devant la maison, le temps d'inventer une façon de la persuader de s'éclipser en douce avec eux.

Maura se frotta entre les sourcils.

— Je sais.

Le cœur de Blue battit plus vite.

— C'est drôlement précis !

Persephone et sa mère échangèrent un bref coup d'œil.

— À propos de ça non plus, je n'ai pas été parfaitement honnête avec toi, reprit Maura. Il nous arrive parfois, à Persephone, Calla et moi, de percevoir très bien les choses dans leurs détails.

— Juste parfois, reprit Persephone. Mais de plus en plus souvent, on dirait, ajouta-t-elle non sans une ombre de tristesse.

— Les choses changent, énonça sentencieusement Maura.

La silhouette de Calla se profila sur le seuil.

— Neeve n'est toujours pas revenue, et elle a saboté la voiture. Le moteur ne démarre pas !

On entendait un véhicule approcher. Blue regarda sa mère d'un air implorant.

Maura se tourna vers Calla et Persephone.

— Dites-moi que ce n'est pas vrai !

— Tu sais bien que je ne le peux pas, Maura, murmura Persephone avec sa douceur accoutumée.

Maura se leva.

— Va les rejoindre, Blue ! Nous nous occuperons de Neeve. J'espère que tu te rends bien compte de l'importance de tout cela !

— Oui, j'en ai une vague idée, répondit l'intéressée.

CHAPITRE 44

Il y a les arbres, et il y a les arbres la nuit. De nuit, les arbres deviennent des êtres mouvants, incolores et sans dimensions, et, lorsque Adam arriva, Cabeswater lui parut vivant. Le vent mugissait dans les feuilles comme une haleine, la pluie sifflait sur la canopée tel un soupir. L'air sentait la terre humide.

Il éclaira du pinceau de sa torche l'orée de la forêt. La lumière, avalée par l'ondée de printemps qui commençait à lui tremper les cheveux, pénétrait à peine le sous-bois.

Si seulement j'avais pu faire ça de jour !

Il n'avait pas la phobie du noir : une phobie implique une peur irrationnelle, et Adam soupçonnait qu'il avait bon nombre de choses à craindre de Cabeswater, après le coucher du soleil.

Au moins, si Whelk est ici avec une torche, se dit-il, *je le verrai.*

Une maigre consolation, mais Adam avait déjà fait trop de chemin pour renoncer à ce stade. Il jeta à nouveau un regard alentour – on se sentait toujours observé, par ici –, avant d'enjamber le gargouillis invisible du tout petit ruisseau et de pénétrer dans les bois.

Et une clarté intense.

Ébloui, il baissa la tête et ferma les yeux tout en abritant son visage derrière sa propre lampe de poche, avant de rouvrir avec précaution ses paupières rougies. Le soleil de l'après-midi embrasait la forêt. Des colonnes de poussière d'or trouaient les frondaisons et tachetaient le ruisseau fugitif à sa gauche. La lumière déclinante teintait les feuilles de jaune, de brun, de rose, et la mousse sur les troncs était d'un orange trouble.

Il tendit sa main devant lui et la regarda : elle était bronzée. Il sentait l'air, presque tangible, bouger lentement autour de son corps, illuminé de particules comme autant de lanternes miniatures.

Plus une trace de la nuit, pas un signe de présence dans les bois.

Là-haut, un oiseau lança son cri, le premier qu'Adam se souvenait d'avoir entendu dans la forêt, cinq ou six notes répétées, avec un petit air de clairon ou de cor de chasse en automne : *Fuyez, fuyez, fuyez !* Et le garçon s'émerveilla et s'attrista tout à la fois devant la beauté douce-amère de Cabeswater.

Cet endroit ne devrait pas exister ! songea-t-il, avant de se hâter de penser le contraire. Cabeswater s'était éclairé, juste quand Adam venait de regretter qu'il ne fasse pas jour, tout comme la couleur des poissons de l'étang avait changé, précisément quand Gansey avait pensé qu'ils seraient mieux rouges. Cabeswater prenait les choses au pied de la lettre. Adam ignorait s'il avait le pouvoir, par la *pensée,* de rendre la forêt inexistante, mais il n'avait aucune intention de le découvrir.

Il lui fallait contrôler son esprit.

Il éteignit sa torche, la laissa tomber dans son sac et se mit en marche, foulant les longues herbes humides. Il remonta vers sa source le ruisseau, que ses eaux gonflées de pluie rendaient plus facile à suivre que la fois précédente, et, après un moment, aperçut des reflets mouvants sur les troncs d'arbres devant lui, puis les forts rayons obliques du soleil renvoyés par la surface du petit étang. Il était presque arrivé.

Il trébucha. Son pied avait soudain donné contre un corps dur.

Qu'est-ce que c'est ?

Par terre devant lui reposait un grand bol évasé vide d'un violet laid et luisant, parfaitement incongru en ce lieu.

Adam releva les yeux, perplexe. À environ trois mètres de là, un second bol tranchait lui aussi sur les feuilles rose et jaune jonchant le sol, identique au premier mais rempli d'un liquide sombre.

Adam fut de nouveau frappé par l'étrangeté de la présence d'un objet si clairement artificiel au milieu de tous ces arbres, puis il remarqua, intrigué, qu'à la surface du liquide que ne troublait aucune ride ne flottait ni une feuille, ni une brindille, ni un insecte. Ce qui signifiait que le bol venait d'être rempli.

Ce qui signifiait que…

La brusque montée d'adrénaline le heurta de plein fouet, une seconde avant qu'il n'entende une voix.

Ligoté à l'arrière de la voiture, Whelk avait eu du mal à décider quand il devait saisir sa chance et essayer de s'échapper. Neeve avait clairement un plan, alors que lui n'avait rien prévu, et il paraissait tout à fait improbable qu'elle cherche à le tuer avant d'avoir préparé le rituel dans ses moindres détails. Il se laissa donc emporter dans son propre véhicule, à présent empestant l'ail et jonché de miettes, jusqu'à la lisière des bois. Neeve n'osa pas quitter la route en voiture – ce dont Whelk lui fut reconnaissant –, elle s'arrêta sur une petite bande de gravier au bord de la chaussée et l'obligea à parcourir le reste du chemin à pied. Il ne faisait pas encore complètement nuit, mais Whelk trébuchait sur les touffes d'herbe.

— Désolée, dit Neeve. J'aurais dû chercher sur Google Map où me garer plus près.

De ses petites mains douces et dodues à sa longue jupe plissée, en passant par les boucles de ses cheveux, à peu près tout chez Neeve exaspérait Whelk.

— Ne vous fatiguez pas à vous excuser ! répliqua-t-il d'un ton revêche. Après tout, vous avez l'intention de me tuer, non ?

Neeve tiqua.

— J'aimerais bien que vous ne parliez pas comme ça ! Vous êtes amené à devenir une victime sacrificielle, à jouer un rôle magnifique, et qui s'appuie sur une très longue et très belle tradition. En outre, vous l'avez mérité, ce n'est que justice.

— Et si vous me tuez, dit Whelk, est-ce que cela implique que, plus loin sur la ligne, quelqu'un doive vous tuer à votre tour pour que ce ne soit que justice ?

Il buta sur une autre touffe d'herbe et, cette fois, Neeve ne lui présenta pas d'excuses. Elle ne répondit pas non plus à sa question, se contentant de le scruter d'un regard moins délibérément pénétrant qu'exhaustif.

— Je dois vous avouer, Barrington, qu'un bref instant j'ai regretté un peu de vous avoir choisi. Vous m'avez pourtant paru très sympathique, jusqu'à ce que je vous envoie une décharge de mon Taser.

Il n'est pas facile à deux personnes de mener une conversation courtoise quand l'une d'elles vient de rappeler qu'elle a tiré au Taser sur l'autre, et Neeve et Whelk poursuivirent donc leur chemin en silence. Se trouver à nouveau dans ces bois où il avait vu pour la dernière fois Czerny vivant faisait à Whelk un drôle d'effet. Il aurait cru qu'une forêt n'était qu'une forêt, et que revenir ici, surtout à une autre heure de la journée, ne l'affecterait guère. Pourtant l'atmosphère du lieu le ramena aussitôt à cet instant et à la triste question dans le souffle de Czerny expirant.

Les chuchotements crépitaient et sifflaient dans sa tête comme un feu qui commence juste à prendre, mais Whelk fit la sourde oreille.

Sa vie d'antan lui manquait. Tout lui manquait : son insouciance, les extravagantes fêtes de Noël à la maison, la pédale de l'accélérateur sous son pied, le temps libre, tel un cadeau et non une malédiction, sécher les cours, aller en cours, et recouvrir de peinture en bombe le panneau d'entrée de Henrietta sur l'autoroute 64 lors d'une cuite invraisemblable le jour de son anniversaire.

Et Czerny lui manquait.

Il ne s'était pas autorisé à le penser une seule fois durant ces sept dernières années. Il avait tenté de se convaincre de l'inutilité de Czerny, de se remémorer les avantages pratiques liés à sa mort.

Mais il se souvenait surtout du bruit produit par le coup, la première fois qu'il avait frappé Czerny.

Neeve n'eut pas besoin d'ordonner à Whelk de se tenir tranquille pendant qu'elle préparait le rituel, et, tandis qu'elle disposait aux cinq pointes d'un pentagramme une bougie éteinte, une bougie allumée, un bol vide, un bol plein et trois petits os arrangés en triangle, il resta assis, les genoux remontés au menton, les mains toujours attachées dans le dos, à regretter de ne pouvoir pleurer : des larmes l'auraient soulagé de ce poids terrible qu'il sentait en lui.

Surprenant son expression, Neeve se méprit et l'imagina bouleversé par l'idée de sa mort imminente.

— Ne prenez donc pas tant les choses à cœur ! Cela ne fera pas très mal, lui dit-elle d'un ton lénifiant. Ou du moins pas très longtemps, rectifia-t-elle après un instant de réflexion.

— Comment comptez-vous me tuer ? Comment se déroule ce rituel ?

Neeve fronça les sourcils.

— Ce n'est pas une question facile, un peu comme si vous demandiez à un peintre comment il choisit ses couleurs. Il arrive qu'on soit guidé non par une *méthode,* mais par un *ressenti.*

— Alors, que ressentez-vous ? demanda Whelk.

Neeve contempla son œuvre, l'ovale parfait d'un ongle mauve pressé contre sa lèvre.

— J'ai tracé un pentagramme, une figure toujours puissante et avec laquelle je travaille bien. Certains la trouvent trop difficile ou trop contraignante, mais elle me convient. J'ai placé une bougie allumée pour donner l'énergie et une bougie éteinte pour l'inciter à venir, mon bol divinatoire pour voir dans l'autre monde et mon bol vide pour l'emplir, et j'ai croisé les tibias de trois corbeaux que j'ai tués pour indiquer au chemin des morts la nature du charme que je projette. Maintenant, je pense que je vais vous saigner au centre du pentagramme, tout en invoquant la ligne, et que je lui demanderai de se réveiller.

Elle fixait férocement Whelk en parlant.

— Je ferai peut-être quelques ajustements en cours de route. Il faut rester souple en la matière. Les gens ne s'intéressent que rarement à l'aspect technique de ma tâche, Barrington.

— À vrai dire, je trouve ça passionnant, commenta Whelk. Il arrive que la procédure soit la partie la plus digne d'intérêt d'une expérimentation.

Elle lui tourna le dos pour aller chercher ses couteaux, et Whelk en profita pour faire glisser les liens de ses poignets, ramasser une branche morte et l'assener de toutes ses forces sur le crâne de Neeve. Il doutait que cela puisse la tuer, car le bois était encore vert et tendre, mais elle s'effondra comme une masse.

Elle gémit et secoua lentement la tête. Whelk lui donna un second coup, pour faire bonne mesure, puis l'attacha avec ses propres liens – qu'il serra assez fort, ayant appris des erreurs de sa captive – et traîna son corps à demi inconscient au milieu du pentagramme.

Il leva alors les yeux et vit Adam Parrish.

C'était la première fois que Blue sentait qu'il était vraiment dangereux pour elle de se trouver à Cabeswater – dangereux, considérant qu'elle amplifiait les choses et les rendait plus puissantes. Lorsqu'elle arriva avec Gansey et Ronan à la forêt, la nuit semblait déjà survoltée, et la pluie avait cédé la place à une bruine intermittente. Cette combinaison de tension et d'humidité avait poussé Blue à regarder d'un air assez inquiet Gansey sortir de la voiture, mais il ne portait pas son uniforme d'Aglionby et ses épaules étaient à peine mouillées, or elle était certaine, lors de la veille au cimetière, de l'avoir vu dégoulinant dans son polo de Corbeau. Elle ne pouvait pas avoir modifié son avenir au point de faire de ce soir celui de sa mort, n'est-ce pas ? Et il fallait bien qu'elle le rencontre, puisqu'elle devait le tuer ou s'en éprendre. Du reste, Persephone ne les aurait jamais laissés partir, si elle avait senti que Gansey allait mourir ce soir.

Ils suivirent le chemin lumineux dessiné par leurs torches et trouvèrent Tête de lard près de l'endroit où se trouvait la Mustang de Noah. En voyant la Camaro, le visage déjà austère de Gansey devint de pierre. Plusieurs sentiers d'herbe foulée partaient de la voiture et s'enfonçaient entre les arbres, comme si Adam avait été incapable de décider par où passer.

Le groupe aborda la lisière de la forêt sans que personne souffle mot.

Près des arbres, l'atmosphère de tension, de *possibilité* latente, se renforça aussitôt. Épaule contre épaule, ils entrèrent dans le bois et se retrouvèrent instantanément plongés dans la douce lumière déclinante de cette fin d'après-midi.

Blue, qui s'était pourtant préparée mentalement à rencontrer de la magie, en eut le souffle coupé.

— À quoi pense donc Adam ? grommela Gansey à mi-voix sans s'adresser à qui que ce soit en particulier. Comment peut-on s'amuser à...

Mais il perdit tout intérêt pour sa propre question et se tut.

Dans cette étrange clarté dorée, la Mustang de Noah semblait plus irréelle encore que la première fois qu'ils l'avaient vue. Les rayons de soleil qui trouaient la canopée striaient de longues rayures le toit couvert de pollen.

Blue se tenait près de l'avant de la voiture. Elle fit signe aux garçons de venir la rejoindre, et tous se regroupèrent autour du pare-brise. Quelqu'un avait tracé sur le verre poussiéreux, en grandes lettres rondes, le mot ASSASSIN.

— Noah ? appela Blue dans le vide – qui ne lui semblait pas si vide que ça. Tu es ici avec nous, Noah ? C'est toi qui as écrit ça ?

— Oh, dit Gansey.

Il avait parlé d'un petit ton plat et, sans lui demander ce qu'il entendait par là, Blue et Ronan suivirent des yeux son regard jusqu'à la place du conducteur : un doigt invisible inscrivait sur le verre une autre lettre. Si Blue avait tout de suite pensé à Noah, elle ne l'avait pas imaginé écrivant sans son corps, et ces lettres surgies de nulle part la troublaient considérablement. Elles lui rappelaient la silhouette à peine humaine de Noah, avec ses grands trous à la place des yeux et sa pommette enfoncée, et elle eut froid, malgré la chaleur qui régnait dans la forêt.

C'est à cause de Noah, songea-t-elle, *il pompe mon énergie. C'est ça que je ressens.*

Le mot prenait forme sur la vitre.

ASSASSIN.

Un troisième mot commença à apparaître. Il ne restait plus assez de place après la dernière lettre du précédent, et le nouveau le chevauchait partiellement.

ASSASSIN.

Puis encore, encore et encore, les uns par-dessus les autres.

ASSASSIN.

ASSASSIN.

ASSASSIN.

Et ainsi de suite, jusqu'à ce que toute la surface du pare-brise du côté du conducteur soit entièrement dépoussiérée par le doigt invisible, et qu'il y ait tant de mots que plus aucun ne soit lisible, et que ne demeurent que la vitre transparente d'une voiture vide et le souvenir d'un hamburger sur la banquette arrière.

— Je suis tellement désolé, Noah ! dit Gansey.

Blue essuya une larme.

— Moi aussi.

Ronan fit un pas en avant, se pencha au-dessus du capot et appuya le doigt contre le pare-brise. Tous le regardèrent tracer les mots : ON N'OUBLIE PAS.

La voix de Calla s'éleva dans la tête de Blue si distinctement qu'elle se demanda si les autres pouvaient l'entendre : *Un secret a tué votre père, et vous connaissez ce secret.*

Sans commentaire, Ronan mit ses mains dans ses poches et s'enfonça à grandes enjambées dans le sous-bois.

La voix de Noah siffla à l'oreille de Blue, froide et urgente, mais elle ne comprenait pas ce qu'il essayait de lui dire. Elle lui demanda de répéter, mais ne perçut plus que le silence. Elle attendit en vain encore quelques instants. Adam avait raison : Noah perdait petit à petit de sa substance.

Ronan avait pris un peu d'avance, et Gansey semblait impatient de repartir. Blue comprenait qu'il était important de ne pas se perdre de vue. Cabeswater avait l'air d'un endroit où l'on pouvait s'égarer en une seconde.

— Excelsior, dit Gansey d'un ton lugubre.

— Mais qu'est-ce que ça veut dire ? demanda Blue.

Quand il tourna la tête vers elle, il semblait encore un peu plus proche du garçon qu'elle avait vu dans le cimetière.

— En avant et vers le haut !

CHAPITRE 45

— Pour l'amour du ciel ! s'exclama Whelk en voyant Adam debout près du bol que le garçon venait de renverser. *Mais pourquoi ?*

Whelk tenait à la main un grand couteau d'apparence très tranchante. Dépenaillé et mal rasé, il aurait pu passer pour un élève d'Aglionby au lendemain d'un mauvais week-end. Il parlait d'un ton sincèrement agacé.

Adam, qui n'avait pas rencontré son professeur de latin depuis qu'il avait découvert que celui-ci avait tué Noah, fut surpris de se sentir si troublé à sa vue, et son effarement s'accrut lorsqu'il réalisa qu'un rituel et un nouveau sacrifice se préparaient. Il lui fallut donc un moment avant de remettre le visage de Neeve, qui le regardait fixement du centre du pentagramme. Elle lui parut moins effrayée qu'on ne l'aurait attendu d'une personne ligotée au beau milieu d'un symbole ésotérique.

Adam songea à plusieurs choses qu'il voulait dire, mais, lorsqu'il ouvrit les lèvres, il n'en sortit qu'une question :

— Pourquoi Noah, pourquoi pas quelqu'un d'horrible ?

Whelk ferma les yeux une fraction de seconde.

— Je refuse d'entrer dans ces considérations. Que diable faites-vous *ici* ?

Si la présence d'Adam embarrassait visiblement Whelk, l'inverse n'était pas moins vrai. Le garçon réfléchit qu'il lui fallait avant tout empêcher son professeur de réveiller la ligne de ley, et que tout le reste (le mettre hors d'état de nuire, sauver Neeve, venger Noah) pouvait être négocié par la suite. Il se rappela soudain l'arme de son père dans son sac et envisagea d'en menacer Whelk pour le contraindre à... à quoi, au juste ? Au cinéma, les choses paraissaient toujours si simples, et le plus fort gagnait, mais, dans la réalité, Adam ne pouvait pas en même temps *et* tenir Whelk en joue *et* le ligoter, sans compter qu'il n'avait rien pour l'attacher. L'homme ne manquerait pas de se défendre et de reprendre le dessus. Adam songea alors à utiliser les cordes de Neeve.

Il sortit l'arme, qui lui parut lourde et sinistre dans sa main.

— Je suis ici pour empêcher que ça ne se reproduise. Détachez-la !

— Pour l'amour du ciel ! répéta Whelk.

Il s'approcha de la prisonnière et pressa la lame du couteau contre sa joue. Les lèvres de Neeve se crispèrent imperceptiblement.

— Posez votre arme, ou je lui découpe le visage ! Ou plutôt, lancez-la par ici ! Et vérifiez d'abord que vous avez mis le cran de sûreté, si vous ne voulez pas qu'un coup parte tout droit sur cette femme.

Adam soupçonnait vaguement que, s'il avait été Gansey, il aurait su quoi dire pour se tirer d'affaire : il aurait redressé les épaules et intimidé Whelk, et il l'aurait contraint à lui obéir. Mais Adam n'était pas Gansey.

— Je ne veux pas que quelqu'un meure, se borna-t-il donc à répondre. Je lancerai le pistolet loin de moi, mais pas près de vous.

— Alors, je lui trancherai la face !

— Si vous faites ça, le rituel ne fonctionnera pas, intervint Neeve d'un air placide. Vous ne m'avez donc pas écoutée ? Je croyais que la procédure vous passionnait.

Adam surprit dans ses yeux une lueur étrange, dans laquelle il crut voir passer Maura, Calla et Persephone, et qui le mit mal à l'aise.

— Alors, jetez votre arme là-bas, ordonna Whelk, mais n'approchez pas ! (Il se tourna vers Neeve.) Qu'est-ce que cela veut dire, le rituel ne fonctionnera pas ? Vous me racontez des salades !

— Vous pouvez jeter votre arme, lança Neeve à Adam, ça ne me pose pas de problème.

Adam lança à contrecœur le pistolet dans les broussailles, mais se sentit soulagé de ne plus avoir à le tenir.

— Le rituel ne fonctionnera pas, Barrington, poursuivit Neeve, parce qu'il lui faut un sacrifice.

— Vous aviez l'intention de me tuer, rétorqua Whelk. Vous voudriez me faire croire que ça ne marche pas dans l'autre sens ?

— Parfaitement, confirma Neeve sans quitter des yeux Adam, qui entrevit alors sur son visage l'éclat de deux miroirs, un masque noir et les traits de Persephone. Le sacrifice doit être personnel, ce qui n'est pas le cas si vous me tuez : je ne représente rien pour vous.

— Moi non plus, je ne représente rien pour vous, objecta Whelk.

— Ah, mais tuer représente quelque chose pour moi ! Jamais je n'ai tué quelqu'un. En vous saignant, c'est mon innocence que je sacrifie, ce qui est énorme !

Adam ouvrit la bouche et fut surpris d'entendre combien son mépris transparaissait dans ses paroles :

— Vous, Whelk, vous n'avez déjà plus d'innocence à sacrifier !

Ce dernier se lança alors dans une kyrielle de jurons proférés à mi-voix, comme s'il était seul. Des feuilles de la taille et de la teinte de petites pièces de monnaie dérivaient en flottant dans l'air alentour. Neeve fixait toujours Adam. Lui percevait à présent dans ses yeux tout un monde, un lac noir et miroitant, une voix profonde comme la terre, et deux prunelles d'obsidienne.

— Monsieur Whelk !

La voix de Gansey avait surgi de derrière le chêne-rêve, puis le garçon apparut, Ronan et Blue sur les talons. Adam se sentit le cœur aussi léger que lourd, et son soulagement n'eut d'égal que sa honte.

— Monsieur Whelk, répéta Gansey sans regarder Adam. La police arrive. Je vous conseille vivement de vous éloigner de cette femme pour éviter d'aggraver votre cas.

Sur le point de répondre, le professeur sembla se raviser. Tous les yeux se tournèrent vers le couteau qu'il tenait et le sol juste au-dessous.

Neeve n'était plus là.

Ils scrutèrent aussitôt le pentagramme, l'arbre creux et l'étang, mais c'était stupide, Neeve n'aurait pas pu s'éloigner sans qu'on la remarque, pas en l'espace de dix secondes. Elle n'était pas partie, elle avait *disparu*.

Un moment, rien ne se passa. Tout le monde restait comme pétrifié d'incertitude.

Puis Whelk fit soudain un bond vers le pistolet.

Ronan se rua sur lui juste au moment où il se relevait, l'arme au poing. Whelk lui expédia un violent coup de crosse dans la mâchoire, et la tête du garçon bascula d'un coup sec en arrière.

Whelk pointa le pistolet sur Gansey.

— *Arrêtez !* hurla Blue.

Il n'y avait plus un instant à perdre.

Adam se jeta au centre du pentagramme.

Le son se volatilisa aussitôt, et le cri de Blue s'étouffa comme s'il plongeait sous l'eau. L'air s'était figé, le temps semblait stagner et n'exister qu'à peine. Adam ne sentait plus que la tension de l'atmosphère – le fourmillement presque imperceptible d'un orage électrique.

Neeve avait dit que l'essentiel n'était pas la mort, mais le sacrifice, et Whelk était à bout de ressources, anéanti.

Adam savait ce qu'était un sacrifice, sans doute mieux que Whelk ou Neeve. Il savait que cela ne se résumait pas à tuer quelqu'un ou à tracer une figure avec des os d'oiseaux.

Adam faisait des sacrifices depuis déjà très longtemps et n'ignorait pas quel était le plus difficile.

À ses propres conditions, sinon rien.

Il n'avait pas peur.

Adam Parrish était une créature complexe, un merveilleux assemblage de muscles et d'organes, de synapses et de nerfs, un miracle de pièces articulées, une étude en survie, et l'essentiel, pour lui, c'était sa liberté et son indépendance.

C'était cela qui comptait le plus.

Depuis toujours.

Cela, c'était être Adam Parrish.

Agenouillé au centre du pentagramme, il enfonça les doigts dans la terre meuble couverte de mousse.

— Je me sacrifie !

Gansey lança un cri déchirant.

— Non, Adam ! *Non !*

À ses propres conditions, sinon rien.

Je serai tes mains, songea Adam. *Je serai tes yeux.*

On entendit un bruit de vague qui déferlait, puis un grand craquement.

Le sol se mit à tanguer sous leurs pieds.

CHAPITRE 46

Blue fut projetée contre Ronan, qui se relevait déjà. Les grands blocs de rochers plats entre les arbres devant elle ondulaient comme des vagues, l'eau de l'étang oscillait, éclaboussait et débordait. Un grondement puissant de train lancé à pleine vitesse montait de toutes parts, et une seule pensée monopolisait l'esprit de Blue : *Jamais je n'ai vécu de véritable catastrophe !*

Les arbres se balançaient si fort qu'on aurait cru qu'ils allaient se déraciner. Il pleuvait furieusement des feuilles et des branches.

— Un tremblement de terre ! cria Gansey, un bras replié au-dessus de sa tête, l'autre agrippant un tronc, les cheveux couverts de débris.

— Regarde ce que t'as fait, salaud de cinglé ! hurla Ronan à l'adresse d'Adam, qui, du centre du pentagramme, les surveillait d'un œil défiant.

Est-ce que ça va s'arrêter ? se demanda Blue.

Un tremblement de terre lui semblait un événement si choquant, si *déplacé,* qu'elle avait l'impression que le monde était irrémédiablement brisé.

Le sol grondait et s'agitait toujours, mais Whelk, qui avait été projeté à terre, se remit sur pied en chancelant, le pistolet au poing. L'arme semblait plus noire et plus laide qu'auparavant, et comme surgie d'un monde où la mort serait immédiate et injuste.

Il parvenait à conserver son équilibre. Tout tanguait encore comme sur un manège, mais les secousses des rochers perdaient de leur violence.

— Qu'est-ce que vous feriez de cette puissance, *vous*? lança-t-il à Adam avec mépris. Quel gaspillage, quel fichu gâchis !

Il pointa l'arme sur Adam et appuya sur la détente.

Le monde se figea. On n'entendait plus que le bruissement des feuilles et le clapotis de l'eau contre le bord de l'étang.

Blue poussa un hurlement.

Tous fixaient Adam, toujours debout au centre du pentagramme. Le garçon examinait son torse et ses bras d'un air perplexe : il n'avait aucune blessure.

Whelk n'avait pas manqué sa cible, et pourtant Adam n'avait pas reçu la balle.

Gansey contemplait le garçon avec une tristesse infinie, dans laquelle Blue vit l'amorce d'un changement irréversible ; pour Cabeswater, sinon pour le monde entier, et pour Adam, sinon pour Cabeswater.

— Pourquoi ? demanda Gansey à Adam. Je suis si insupportable que ça ?

— Cela n'a jamais dépendu de toi.

— Mais qu'est-ce que tu as *fait*, Adam ? cria Blue.

— Ce qui devait être fait.

À quelques mètres de là, Whelk émit un son étranglé. Il avait laissé tomber le pistolet près de lui et avait les bras ballants, tel un enfant battu au jeu.

— Vous feriez mieux de me rendre cette arme, lui dit Adam, encore un peu secoué. Je ne pense pas que Cabeswater veuille que vous l'ayez et, si vous ne me la donnez pas, je crois que je vais venir la chercher.

Soudain, et alors qu'aucun souffle n'effleurait la peau de Blue, les arbres se mirent à bruire comme si une brise soufflait dans leurs feuillages. Adam et Ronan eurent tous deux le même air interloqué, et Blue comprit un instant plus tard que le bruit provenait de voix : les arbres parlaient, elle aussi les entendait, à présent.

— Attention ! hurla Ronan.

Il y eut une sorte de froissement, qui se mua très vite en un son beaucoup plus explicite : une masse énorme se déplaçait dans le sous-bois, martelant le sol et cassant les branches sur son passage.

— Quelque chose approche ! s'exclama Blue.

Agrippant Gansey et Ronan par leur manche, elle tira les garçons jusqu'au chêne-rêve, qui se dressait à quelques mètres en arrière, et les propulsa dans le trou béant et irrégulier de son tronc. Avant que la magie de l'arbre ne se referme sur eux, ils eurent juste le temps de voir une immense horde d'animaux aux cornes blanches, au pelage étincelant comme du givre sur la neige, qui déchiraient l'air de leurs cris et beuglements. Les bêtes chargeaient fiévreusement, épaule contre épaule, et, lorsqu'elles rejetèrent la tête en arrière, elles rappelèrent à Blue le dessin du corbeau gravé dans le flanc de la colline et, la statuette de chien qu'elle avait tenue dans ses mains. Le roulement de tonnerre de leurs sabots et le déferlement de leurs corps pressés les uns contre les autres avaient tout d'un second séisme. En atteignant le pentagramme, le troupeau se scinda en deux en meuglant et le contourna de chaque côté.

Debout près de Blue, Ronan éructa un bref juron, et Gansey, pressé contre le tronc tiède de l'arbre, détourna la tête comme devant un spectacle insoutenable.

Et l'arbre les attira dans une vision.

L'asphalte humide et fumant étincelait comme un diamant dans la nuit, les feux de circulation passaient du vert au rouge. La Camaro était garée le long du trottoir, Blue derrière le volant. Tout empestait l'essence. Elle aperçut du coin de l'œil à côté d'elle le col d'une chemise blanche. Gansey se pencha par-dessus le levier de vitesse et posa les doigts sur sa clavicule découverte. Blue perçut sur son cou la chaleur de l'haleine du garçon.

— *Gansey !* dit-elle d'un ton de mise en garde, mais elle se sentait elle-même instable et dangereuse.

— *Juste pour faire semblant !* (Les mots embuèrent la peau de Blue.) *Pour faire semblant que c'est possible !*

Blue ferma les yeux.

— *Il n'y aurait peut-être pas de risque, si c'est* moi *qui t'embrasse,* reprit-il. *C'est peut-être seulement si toi, tu le fais...*

Quelque chose bouscula Blue par-derrière et la projeta hors de la vision. Gansey – le véritable Gansey – passa en trombe devant elle, les yeux exorbités, et sortit du chêne-rêve.

CHAPITRE 47

Gansey ne s'autorisa qu'un bref coup d'œil – et vit confusément ses doigts effleurer le visage de Blue – avant de se jeter hors de l'arbre, la heurtant au passage. Son cœur se serrait d'un affreux pressentiment, mais il lui fallait voir ce qu'il était advenu d'Adam.

Son ami se tenait au centre du pentagramme, indemne, les bras ballants, le pistolet à la main. À quelques mètres à l'extérieur de la figure gisait le corps disloqué de Whelk, recouvert d'une couche de feuilles qui lui donnait l'air d'être étendu là depuis des années, et non juste quelques minutes. Alors qu'il avait été piétiné à mort, il était peu sanguinolent, mais apparaissait tout de même passablement froissé.

Adam le regardait fixement, et seules les mèches irrégulières qui se dressaient, échevelées, sur sa nuque indiquaient qu'il avait bougé depuis que Gansey l'avait vu pour la dernière fois.

— Comment as-tu récupéré le pistolet, Adam ? demanda Gansey, suffoqué.

— Les arbres, répondit Adam – et Gansey comprit à sa voix lointaine et glacée que le garçon qu'il connaissait se terrait tout au fond de celui-ci.

— Les arbres ? Seigneur ! Tu lui as tiré dessus ?

— Bien sûr que non, dit Adam en reposant avec précaution l'arme sur le sol. Je l'ai seulement empêché d'approcher.

L'horreur croissait en Gansey.

— Tu l'as laissé se faire piétiner ?

— Il a tué Noah, dit Adam. Il le méritait.

— Non !

Gansey enfouit son visage dans ses mains. Il y avait ici un mort, le *cadavre* d'un homme en vie un instant auparavant. Comment eux qui n'avaient même pas l'âge de commander des boissons alcoolisées pouvaient-ils décider de qui devait vivre ou mourir ?

— Tu aurais préféré que je laisse faire un assassin ? demanda Adam.

Gansey ne pouvait même pas commencer à expliquer toute l'immensité de cette horreur. Il savait seulement qu'elle jaillissait en lui, encore et encore, avec une fraîcheur toujours renouvelée, chaque fois qu'il y songeait.

— Mais il était vivant ! protesta-t-il faiblement. Il venait juste de nous apprendre quatre verbes irréguliers, la semaine dernière. Et toi, tu l'as tué !

— Arrête de répéter ça, je ne l'ai pas sauvé, c'est tout ! Ne viens pas me faire la morale ! cria Adam, mais d'un air aussi accablé que le cœur de Gansey était affligé. Maintenant, la ligne de ley est réveillée, on peut trouver Glendower, et tout ira bien.

— Il faut qu'on appelle la police. On doit...

— Rien du tout ! On n'est pas obligés de faire quoi que ce soit. On laisse Whelk pourrir ici, exactement comme il l'a fait pour Noah.

Gansey se détourna, écœuré.

— Et la justice, alors ?

— C'est *ça,* la justice, Gansey, c'est ça, la réalité ! Cet endroit est ancré dans le réel et dans la justice.

Ce que lui disait Adam paraissait intrinsèquement faux à Gansey : cela ressemblait à la vérité, mais une vérité biaisée. Gansey avait beau regarder, il voyait toujours devant lui un jeune cadavre qui lui rappelait horriblement le squelette de Noah, et un peu plus loin Adam, d'apparence inchangée, mais avec... avec cette chose dans le regard et dans la ligne des lèvres.

Gansey sentit l'approche d'une perte imminente.

Blue et Ronan sortaient de l'arbre. En voyant Whelk, Blue plaqua sa main sur sa bouche. Un méchant bleu s'élargissait sur la tempe de Ronan.

— Il est mort, leur annonça sobrement Gansey.

— Je crois qu'on devrait partir d'ici, dit Blue. Un tremblement de terre, des troupeaux d'animaux et... je ne sais pas, mais les événements deviennent...

— Oui, dit Gansey. Il faut qu'on parte. On pourra toujours décider quoi faire de Whelk une fois sortis d'ici.

Attendez.

La voix avait parlé dans leur langue, et tous se figèrent, obéissant involontairement à son ordre.

Garçon. Scimus quid quaeritis.

(Garçon. Nous savons ce que tu recherches.)

Les arbres auraient pu parler à n'importe lequel des garçons, mais Gansey sentit que les mots s'adressaient à lui en particulier.

— Qu'est-ce que je recherche ? demanda-t-il à voix haute.

Un murmure confus s'éleva, les mots latins se bousculaient. Gansey croisa les bras sur sa poitrine, poings serrés.

Tous se tournèrent vers Ronan dans l'attente d'une traduction.

— Ils disent qu'il y a toujours eu des rumeurs selon lesquelles un roi serait enterré quelque part le long du chemin des morts, dit Ronan en soutenant le regard de Gansey. Ils pensent que c'est peut-être le tien.

CHAPITRE 48

Ils inhumèrent la dépouille de Noah par une splendide journée, au tout début du mois de juin. La police avait pris plusieurs semaines pour boucler son enquête, et l'année scolaire s'acheva avant que la cérémonie n'ait lieu. Beaucoup de choses s'étaient passées depuis la mort de Whelk. On avait rendu son carnet à Gansey, et il avait quitté l'équipe d'aviron. Ronan avait réussi de justesse ses examens, à la satisfaction du directeur d'Aglionby, mais échoué à réparer la serrure de la porte de l'appartement. Adam était parti de Monmouth, sans doute avec son aide, pour s'installer dans une chambre appartenant à l'église Sainte-Agnès, ce qui avait instauré entre les garçons une distance subtile et les affectait chacun à sa façon.

Blue avait accueilli avec une joie sans mélange la fin de l'année scolaire et le début d'une plus grande liberté pour explorer la ligne de ley. La ville de Henrietta avait subi un total de neuf coupures d'électricité, et au moins quatre de téléphone. Maura, Persephone et Calla avaient nettoyé le grenier et démonté les installations de Neeve. Elles avaient avoué à Blue qu'elles ne savaient pas encore très bien ce qu'elles avaient déclenché lorsqu'elles avaient touché aux miroirs, ce fameux soir.

— Nous voulions mettre Neeve hors d'état de nuire, avait admis Persephone, mais il semblerait que nous l'ayons plutôt fait disparaître. Il n'est pas impossible qu'elle ressurgisse, à l'occasion.

Leurs vies respectives avaient ainsi retrouvé lentement un équilibre, mais ne semblaient pas pouvoir redevenir un jour complètement normales. La ligne de ley était réveillée, et Noah plus absent que jamais. La magie était réelle, Glendower était réel. Quelque chose s'amorçait.

Blue traversait la prairie pour rejoindre les garçons.

— Franchement, Jane, c'est un enterrement, tu sais ! lui dit Gansey, qui, comme Ronan, avait tout du garçon d'honneur dans son impeccable costume sombre.

Faute de noir dans sa garde-robe, Blue avait cousu à la hâte quelques mètres de dentelle bon marché sur un tee-shirt vert qu'elle avait transformé en robe quelques mois auparavant.

— Je ne pouvais pas faire mieux, répliqua-t-elle d'un air furieux.

— Comme si Noah ne s'en fichait pas ! dit Ronan.

— Tu as apporté une autre tenue pour plus tard ? demanda Gansey.

— Je ne suis pas idiote ! Où est Adam ?

— Il travaille, répondit Gansey. Il viendra après.

Les ossements de Noah allaient être inhumés dans la concession de la famille Czerny, dans une lointaine vallée. La tombe fraîchement creusée s'ouvrait au bord de la pente douce du cimetière qui s'étageait sur le flanc d'une colline rocheuse. Une bâche dissimulait pudiquement le tas de terre. La famille de Noah se tenait juste devant la fosse. L'homme et les deux filles pleuraient, mais la femme fixait les arbres au loin d'un œil sec, et Blue n'avait pas besoin d'être médium pour deviner combien elle était triste. Triste et fière.

— Dis-leur quelque chose, s'il te plaît, murmura dans son oreille la voix fraîche, à peine audible, de Noah.

Blue tourna la tête vers lui sans répondre. Elle le sentait presque, juste derrière son épaule, respirer dans son cou, la main pressée anxieusement sur son bras.

— Tu sais bien que je ne peux pas, lui dit-elle à voix basse.

— Mais il le *faut* !

— J'aurais l'air d'une folle, et à quoi ça servirait ? Il n'y a rien que je puisse dire.

— *Je t'en prie !* implora Noah d'une voix faible, mais dont Blue perçut toute la détresse.

Elle ferma les yeux.

— Dis à ma mère que je lui demande pardon d'avoir bu son schnaps d'anniversaire !

Bon Dieu, Noah !

Quand elle s'avança vers la tombe, Gansey l'attrapa par le bras.

— Qu'est-ce que tu fais ?

— Je me ridiculise ! rétorqua-t-elle en se dégageant.

Tout en se dirigeant vers la famille de Noah, Blue cherchait des mots qui ne soient pas trop insensés, sans rien trouver qui lui plaise. Elle avait assez côtoyé sa mère pour savoir que les choses risquaient de mal tourner. *C'est bien parce que c'est toi, Noah...* Elle regarda la femme triste et fière. De près, Blue distinguait son maquillage impeccable et les mèches aux extrémités soigneusement bouclées de sa coiffure. Tout en elle apparaissait noué, fardé, vaporisé et sous contrôle. Elle avait refoulé son chagrin si profondément que ses paupières n'étaient même pas rougies, mais Blue n'était pas dupe.

— Madame Czerny ?

Les parents de Noah tournèrent tous deux la tête. Blue, gênée, lissa de la main un ruban de dentelle.

— Je m'appelle Blue Sargent et je... heu, je voulais vous présenter mes condoléances, et aussi vous dire que ma mère est médium. J'ai un... (leurs expressions commençaient déjà à se fermer)... un message de la part de votre fils.

Le visage de Mme Czerny s'assombrit d'un coup.

— Non, ce n'est pas vrai ! répliqua-t-elle avec beaucoup de calme.

— N'insistez pas, je vous prie, dit M. Czerny. (Il s'efforçait à grand-peine de rester poli, ce qui était plus que ce à quoi Blue s'attendait, et elle se sentit coupable de faire ainsi intrusion dans leur chagrin.) Partez, s'il vous plaît !

— *Dis-lui !* murmura Noah.

Blue inspira à fond.

— Madame Czerny, Noah vous demande pardon d'avoir bu votre schnaps d'anniversaire !

Un ange passa. Le père et les sœurs de Noah regardaient tour à tour Blue et Mme Czerny. Puis M. Czerny ouvrit la bouche, et sa femme fondit en larmes.

Blue s'éloigna de la tombe sans que personne lui prête la moindre attention.

Plus tard, ils l'exhumèrent. Là où la route s'amorçait, Ronan barra le chemin et fit le guet en traînant près de sa BMW au capot ouvert. Adam manœuvra la tractopelle que Gansey avait louée pour l'occasion, et Gansey transféra les ossements de Noah dans un sac marin, tandis que Blue éclairait la scène pour vérifier qu'ils n'en oubliaient aucun. Adam se chargea de refermer et remettre en place le cercueil vide puis de laisser la tombe à l'identique.

— Tout ça ressortira et viendra te mordre les fesses juste au moment où tu seras en pleine campagne électorale pour le Congrès, déclara Ronan à Gansey quand ils revinrent en courant à la BMW, tout essoufflés et un peu ivres de leur crime.

— Ferme-la et démarre, Lynch !

Ils enfouirent à nouveau les os dans le cimetière de l'église en ruine, ainsi que Blue l'avait suggéré.

— Personne ne viendra déranger Noah ici, assura-t-elle. Et nous savons qu'il se trouve sur la ligne de ley, et que c'est un lieu sacré.

— Eh bien, j'espère que ça lui plaît, dit Ronan, vu que je me suis claqué un muscle !

— En faisant le guet ? ricana Gansey.

— En ouvrant le capot.

Quand ils eurent achevé d'inhumer la dépouille, ils restèrent debout un moment en silence entre les murs en ruine. Blue regardait Gansey, qui se tenait, les mains dans les poches, la tête penchée vers l'endroit où ils venaient d'enterrer Noah. Il lui semblait qu'elle venait à peine de voir son esprit marcher sur ce chemin, et aussi qu'une éternité s'était écoulée depuis lors.

Gansey, c'est tout ce qu'il y a.

Elle se promit de ne pas être celle qui le tuerait.

— On peut rentrer ? Cet endroit me fiche les jetons !

Ils pivotèrent de conserve, soulagés. La silhouette floue familière se découpait dans l'embrasure de la porte voûtée de l'église, plus consistante que Blue ne l'avait jamais encore vue. Le garçon parcourut d'un œil timide les murs éboulés.

— Noah ! s'écria joyeusement Gansey.

Blue se pendit au cou de Noah. Celui-ci eut l'air inquiet, puis ravi, et il lui tapota les cheveux.

— Czerny, articula précautionneusement Ronan, comme pour essayer le mot.

— Non, sérieusement, dit Noah, accroché au bras de Blue, cet endroit me flanque une pétoche d'enfer. On peut s'en aller ?

Gansey se fendit d'un large sourire détendu.

— Oui, on rentre à la maison !

— Je ne mange toujours pas de pizza, dit Noah en sortant à reculons de l'église avec Blue.

Ronan, qui s'attardait dans les ruines, les regarda par-dessus son épaule. À la lumière incertaine des torches, le tatouage dépassant de son col aurait pu figurer une serre, un doigt ou une pointe de fleur de lys, et paraissait presque aussi acéré que le sourire du garçon.

— Je crois que c'est le moment de vous le dire, annonça-t-il. J'ai sorti Tronçonneuse de mes rêves !

Remerciements

À ce stade, j'ai l'impression de me tourner une fois de plus vers mes victimes habituelles, mais la chose est inévitable. Je remercie donc tout le monde chez Scholastic, et plus particulièrement mon éditeur, David Levithan, pour sa patience pendant la longue gestation de ce livre ; Dick et Ellie, pour avoir toujours cru en moi ; Rachel C., Tracy et Stacy, pour leur enthousiasme sans limites devant mes élucubrations les plus bizarres ; Becky, pour l'alcool que je n'ai pas bu – mais Gansey, si – et pour le cacao.

Une mention spéciale pour les gens de Scholastic au Royaume-Uni, Alyx, Alex, Hannah et Catherine, pour avoir beaucoup œuvré à me brancher sur les lignes de ley.

Merci à mon agent, Laura Rennert, qui me laisse courir des ciseaux à la main, ainsi qu'à mes collègues et infatigables critiques, Tessa – « Accroche-toi, bec et ongles » Gratton et Brenna – « Comme c'est intéressant » Yovanoff.

Je suis également très reconnaissante à toutes les personnes qui ont lu pour moi le texte : le brillant Jackson Pearce ; Carrie, qui fait un guacamole si délicieux ; Kate, ma première et dernière lectrice ; papa pour les armes à feu et maman pour les cromlechs. Merci aussi à Natalie, qui ne m'a pas lue mais m'a ravitaillée en musique épouvantable, et qui m'a beaucoup aidée.

Et une fois de plus je remercie Ed, mon mari, qui rend toujours la magie si évidente.

CE ROMAN
VOUS A PLU ?

DONNEZ VOTRE AVIS ET
RETROUVEZ L'AGENDA BLACK MOON
SUR LE SITE

www.Lecture-Academy.com

Composition Nord Compo

Impression réalisée par
CPI BRODARD ET TAUPIN
La Flèche
en décembre 2012

« Pour l'éditeur, le principe est d'utiliser des papiers composés
de fibres naturelles, renouvelables, recyclables et fabriquées à
partir de bois issus de forêts qui adoptent un système d'amé-
nagement durable. En outre, l'éditeur attend de ses fournisseurs
de papier qu'ils s'inscrivent dans une démarche de certification
environnementale reconnue. »

Dépôt légal 1ʳᵉ publication janvier 2013

Imprimé en France
Nº d'impression : 71128
20.3408.0 - ISBN 978-2-01-203408-2
Édition 01-janvier 2013

Loi nº 49-956 du 16 juillet 1949 sur les publications destinées à la jeunesse.